De onkwetsbaren

Eerste druk, september 2010

Foto van de auteur: Joost van Wijk

ISBN: 978-90-484-9000-4
NUR: 301

Uitgever: Literoza, Zoetermeer
www.literoza.nl

Auteursbegeleiding- en advisering: Nederlands Auteurs Bureau, Blaricum
Redactie en correctie: TekstBeeld/Haarlem
Correctie Spaans en Catalaans: Fina Ramos i Palau

De onkwetsbaren

Lucia S. Douwes Dekker-Koopmans

Voor Eline,
mijn allerliefste dochter

‘Carl Gustav Jung wrote the first introduction to Zen Buddhism, he brought in Greek Mythology, the Gods and the Goddesses, the Myths...’

Dr. James Hillman (former director Jungian Institute in Zurich)

‘Vrouwen zijn in zeven archetypische persoonlijkheidstypen in te delen. Deze archetypen zijn ontleend aan de antieke Griekse godinnen. Drie daarvan zijn de maagdelijke godinnen, ofwel de onkwetsbaren; Athene, godin van de kunst en de wijsheid, Artemis, godin van de jacht en de maan en Hestia, godin van het haardvuur en de gastvrijheid.’

Jean Shinoda Bolen M.D. (Jungiaans therapeut en hoogleraar klinische psychologie aan de Universiteit van Californië)

PROLOOG

Hebt u wel eens een Griekse godin ontdekt in de dame bij het schoteltje van de openbare toiletten? Of in het meisje bij het kinderdagverblijf dat altijd zo lief naar de kinderen lacht? Of bij de vrouwelijke arts die uw klachten probeert op te lossen, of in de ambtenaar van de burgerlijke stand die in haar keurige mantelpakje twee mensen in de echt verbindt? Vast niet.
Toch waren de oude Grieken ervan overtuigd dat in alle vrouwen een godin schuilt.
De filosofie dat alle vrouwen – en mannen – afstammelingen zijn van de eerste goden die over deze aarde heersten, is in de psychologie onder anderen gebruikt door Carl Gustav Jung in zijn onderzoek naar het vrouwelijke karakter. Op deze manier kon hij een ruwe indeling maken van de soorten persoonlijkheden – archetypen – van de vrouw.

In dit boek volgen wij drie van deze Griekse godinnen, de maagdelijke godinnen. In de mythologie staan zij tegenover de niet-maagdelijke, de kwetsbare godinnen, waarbij we het maagdelijke figuurlijk moeten nemen. We noemen ze de onkwetsbaren, vrouwen die in staat zijn hun eigen weg te zoeken en voor hun geluk niet afhankelijk zijn van een relatie en kinderen. Vrouwen die een passie hebben voor hun werk of hobby, vrouwen die de kunst, wetenschap en passie tillen boven het persoonlijke geluk dat zij in een relatie zouden kunnen hebben.
Niet iedere vrouw weet deze kracht in haar jongere jaren te ontdekken. Vaak groeit deze gewaarwording met de jaren en moet ze met vallen en opstaan haar onkwetsbaarheid ontdekken.

De godinnen in wie wij de hoofdpersonen Hazel, Bella en Mickie van deze roman herkennen, zijn Artemis de jager, Athene de strateeg en Hestia de gastvrouw.

DEEL I

Wat als ze hem kreeg? Dan was de droom er niet meer,
dan moest ze de droom waarmaken.

1989

Hazel

Natte najaarsbuien striemden tegen de ramen. De vroege duisternis en het vochtige weer maakten de wereld kleiner, intiemer. De ruiten van het kantoor weerspiegelden een vol bureau. Achter het bureau leunde een jonge vrouw achterover in haar stoel met de hoorn van de telefoon in haar rechterhand. Ze keek boos naar het apparaat.

'Stomme zak.' Hartgrondig verwenste Hazel de man aan de andere kant van de lijn die haar voor de zoveelste keer in de wacht had gezet. Ze haalde verwoed haar vrije hand door haar kastanjebruine, weerbarstige haar. Aan de toestand van haar kapsel te zien, had ze dit gebaar vandaag al vaker gemaakt. De mannenstem klonk weer.

'Sorry, maar het gaat me vandaag niet lukken, het wordt morgenvroeg.' Hazel zuchtte hoorbaar.

'Met de nadruk op vroeg dan, anders kom ik echt in de problemen.'

'Meisje, dat beloof ik je.' De stem klonk joviaal, haar frustratie werd nog groter.

'Mevrouw Hendrikse, bedoelt u.'

'Mevrouw Hendrikse, ik beloof u dat wij de vracht morgenvroeg in zullen klaren.' Mopperend hing Hazel op. Er zat niets anders op dan morgenochtend weer te bellen om haar transport door de douane te krijgen. Haar klanten in Engeland zaten al drie dagen op dit materiaal te wachten. Ze werd er gek van, steeds weer vond de douanebeambte een onvolkomenheid in de papieren.

Ze keek uit het raam. Het was al bijna donker. De lichten in de werkplaats beneden brandden. Vrolijk gelach en geroep klonk vanuit de onder haar kantoor gelegen kleedruimte. De 'jongens' zoals zij ze noemde, waren bezig hun spullen bij elkaar te zoeken. De meeste waren in de twintig, haar leeftijd.

Op haar bureau lagen nog stapels werk; facturen die verwerkt moesten worden, offertes waar de klanten op zaten te wachtten. Papierwerk. Onbelangrijk en simpel papierwerk. Het echte werk werd door de mannen beneden gedaan. Daar werd, zoals het heette, het echte geld verdiend.

Leunend tegen het raamkozijn droomde Hazel over de exotische oorden waar PBC, Pieterse Brug Constructies, bruggen leverde. Bruggen voor filmopnamesets, noodbruggen in groene jungles, bruggen op spectaculaire bouwlocaties, bruggen voor boorplateaus op de Noordzee. Bijzondere plekken waar de monteurs heen mochten, plaatsen waar zij alleen de transportdocumenten voor mocht maken.

Er werd op haar deur geroffeld.

'We doen zo het licht beneden uit, zit je hier nog lang?' Het vriendelijke gezicht van de oudste medewerker keek om de hoek. Hazel vond het fijn dat hij altijd even gedag kwam zeggen als de 'baas' er niet was. Willem vond het nooit prettig haar alleen te laten op het donkere industrieterrein.

'Maak je niet druk, Willem. Pieterse zou voor zessen terug zijn. Ik sluit wel af.' Natuurlijk geloofde hij haar niet, in de vijf jaar dat ze bij PBC werkte, was Pieterse nog nooit op tijd terug geweest van zijn afspraken.

'Weet je het zeker?' vroeg Willem twijfelend.

'Ga nou maar, ik heb nog bergen werk. Trouwens, ik moet de kantine ook nog doen.'

'Oké, zie je morgen.' Hoofdschuddend liep hij weg.

Hazel schopte haar schoenen uit en zette de radio aan op haar favoriete zender. Met een sneltreinvaart werkte ze zich door de achterstand heen. Om zeven uur vond ze het genoeg. Ze pakte haar jas en tas, deed haar schoenen aan, knipte het licht uit en liep naar beneden om de kantine aan kant te maken. Net op dat moment ging de buitendeur open en stapte Pieterse binnen. De 'P' in de naam van het bedrijf PBC was een kleine gezette man van rond de vijftig.

'Oh... Hazel, ga je al?' Afwezig keek hij haar aan.

'Ik moet de kantine nog doen en dan ben ik weg. Ik heb een lijst met notities op je bureau gelegd. Tot morgen.'

Toen ze vijf jaar geleden deze baan vond, was ze net klaar met haar heao-opleiding bedrijfskunde. Zonder ervaring, maar gewapend met veel goede wil was ze bij dit bedrijf, een samenraapsel van excentrieke techneuten, aan de slag gegaan. Nu, jaren later, vroeg ze zich af of ze de juiste keuze had gemaakt. De romantiek om de enige vrouw in een mannenbedrijf te zijn, bleef beperkt tot het serveren van eindeloze kopjes koffie en het aanhoren van sterke of zielige verhalen. Ze was eerder een moeder van een stel grote kinderen dan bedrijfsmanager zoals Pieterse haar noemde.

Voldaan stroopte ze haar mouwen naar beneden. De kantine zag er weer keurig uit. Ze liep naar het enige damestoilet om haar haren te fatsoeneren. Ze begreep niet dat vrouwen met glad en stijl haar konden zeuren dat ze meer volume wilden. Het kastanjebruine haar vonkte onder de kracht van de borstel. Mannen konden het nooit laten die prachtige bos aan te raken, maar zij vervloekte het. Vaak draaide ze het tijdens haar werk in een wrong in haar nek, maar na een aantal frustrerende telefoontjes dansten de lokken weer om haar gezicht. Snel bracht ze wat lippenstift aan op haar volle lippen.

De eerste jaren was ze op een scooter naar haar werk gereden, vaak gehuld in een donkerblauw regenpak. Maar nu had ze een eigen auto, het oude Volkswagen Golfje was haar eerste stap naar de vrijheid. Het was tot dat moment makkelijker geweest bij haar moeder te blijven wonen, op maar twintig minuten afstand van kantoor. De aanschaf van de auto had haar wereld echter aanzienlijk vergroot. Ze had meteen dankbaar gebruikgemaakt van het aanbod van twee oude klasgenoten van de heao om de laatste kamer te huren van een chique grachtenpand in Gouda.

De trap van het statige grachtenpand draaide als een jakobsladder omhoog. Met één hand aan de leuning, trok ze zich de trap op. Ze liep meteen door naar de gezamenlijke keuken. Ze had trek.

'Hé Heez, wat ben je laat.' Soms haatte ze haar Engelse voornaam. Ze was blij dat ze op haar werk niet zo genoemd werd. Dat had ze vanaf de eerste dag bedongen. Hazel, geen Heez.

Haar huisgenote Mieke hing zoals gewoonlijk onderuit aan de keukentafel met haar boeken voor zich. Ze zat in het laatste jaar van haar studie economie.

'Hé Miek, nog steeds aan het leren?' Onder het uitspreken van deze rituele begroeting, opende Hazel de koelkastdeur. 'Hm, we zitten zo te zien nog steeds in de zeven magere jaren.'

'Ja, sorry hoor, geen tijd gehad. Trouwens, Frans heeft deze week corvee.'

Frans was de enige mannelijke huisgenoot. Hij studeerde iets onduidelijks in Rotterdam, was al achter in de twintig en van 'goede huize'. Wat inhield dat Frans altijd geld had. Alleen in de week dat Frans corvee had, was er nooit iets te eten.

'Ik maak wel een tosti. Ik moet toch afvallen.' Ze streek over haar heupen en dacht aan de jurk die al een maand in haar kast hing. Een spectaculair geval van rode Schotse ruitstof met een strak lijfje, grote witte kraag en een wijde rok, veel te duur maar helemaal retro.

'Oh trouwens, Josie vroeg of ze jouw nieuwe jurk mag lenen, ze heeft een of ander jaarclubding.' Mieke en Jocelyn waren samen opgegroeid. Het huis was het eigendom van de familie van Jocelyn, een puissant rijke familie die blij was dat iemand bereid was in het oude grachtenpand te trekken. Frans en Hazel waren de betalende 'gasten' in het huis. De huur was laag, eigenlijk zo laag dat Hazel nooit de gedachte had kunnen onderdrukken dat ze alleen gekozen was vanwege haar beroemde vader.

'Ik wil niet vervelend doen, maar ik heb het liever niet.' Ze wist dat het geen zin had tegen te sputteren, vaak werden haar spullen zelfs zonder toestemming 'geleend'. Ze zuchtte voor de zoveelste keer die dag.

'Heeft Dirk nog gebeld?' Het was maar beter om op een ander onderwerp over te gaan.

'Jouw Dirk heeft niet gebeld,' antwoordde Mieke zonder op te kijken. 'Ik snap trouwens niet wat je in die gast ziet. Hij belt niet, hij geeft je nooit een leuk cadeautje en als hij hier is, ligt hij alleen maar te maffen.'

'Schat, het is wel míjn Dirk.' Honger en vermoeidheid maakten haar geïrriteerd. Voordat ze zich kon bedenken, kwamen de woorden opeens fel.

'Heeft papa Jocelyn trouwens geen centjes voor een nieuwe jurk voor zijn lieve schat?'

Er volgde geen reactie. Mieke was weer verdiept in haar studieboeken. Met haar tosti in de hand liep Hazel naar haar kamer. Ze plofte languit op haar bed dat kraakte onder haar gewicht. Ze staarde naar het plafond. De ruime kamer met het hoge plafond was de enige plek op deze aarde die ze tot haar domein rekende. Als betalende huurder had ze recht op een van de betere kamers, deze had twee ramen die uitkeken op de smalle gracht met de oude kastanjebomen.

Mieke had wel een snaar geraakt met haar opmerking over Dirk. Ze had eigenlijk gelijk. Het was al weer drie jaar geleden dat Frans haar op een van de vele feesten die hij in het souterrain van het pand organiseerde, aan een student had voorgesteld. Ze wist zijn woorden nog precies.

'Mag ik je voorstellen aan mijn beste vriend Dirk.'

'Mijn beste vriend', zo noemde Frans al zijn vrienden. 'Deze briljante man is mijn toekomstige hartchirurg!'

Hazel was meteen verliefd geworden op de vrolijke jongen met het korte blonde haar en de 'baard van twee dagen'. Vanaf het moment dat ze hem zag, wist ze dat Dirk bij haar hoorde. Ze voelde het diep in haar maag. Hij, op zijn beurt, was totaal gebiologeerd door de voluptueuze Hazel, die zo anders was dan de meisjes die hij kende van de universiteit. Intelligente meiden, mager, sportief en studentikoos. Hazel deed stoer werk, kwam met verhalen uit een wereld die hij niet kende. Ze reed auto, was ondanks haar lichte stem heel doortastend en zeker. Twee hele dagen waren ze, na die eerste ontmoeting, in bed gebleven. Ze waren er alleen uitgekomen om in het nabijgelegen café wat te eten. Als hij bij haar was, ging de wereld leven, kregen de bloemen kleur en veranderde zij in een vrouw die alleen bestond uit erogene zones. Haar ogen straalden, haar huid bloosde, haar borsten keken verlangend uit naar zijn handen, haar haren krulden eindelijk de goede kant op. Ze hadden geen woorden nodig om elkaar te begrijpen. Maar hun levens waren verschillend, heel verschillend. Hazel werkte overdag en kwam 's avonds moe thuis, te moe om naar Dirk te reizen. En in de weekenden, als ze eindelijk tijd voor elkaar hadden, had Dirk vaak verplichtingen in Amsterdam voor het corps waar hij sinds het begin van zijn studie lid van was.

Ze hield van hem, dat wist ze en dat hield de band die ze hadden in stand. Maar die band voelde nu als een elastiek waar door het vele gebruik de rek uit was gegaan. De laatste tijd nam Dirk hun relatie steeds meer voor lief. Hij belde niet vaak, kwam dan plotseling weer opdagen zonder zich af te vragen of het Hazel uitkwam. De studie medicijnen leek nooit af te komen en steeds weer plakte hij er een specialisatie aan vast. Hazel durfde het niet hardop uit te spreken, maar steeds vaker was ze bang voor de toekomst. Zij aan het werk en Dirk de eeuwige student. Na drie jaar was ze klaar om een toekomst voor hen samen op te bouwen.

Ze moest weggedommeld zijn want plotseling stond Jocelyn in haar kamer. Opgetogen duwde ze een stuk papier in haar gezicht.

'Party time, girl! We zijn uitgenodigd.' Ze liet haar stem een paar tonen zakken. 'Dat wil zeggen: ik ben uitgenodigd.' Ze viel naast Hazel op het bed. Hazel rook haar bijzondere lichaamsgeur. Ze rook onaards. Als een reptiel; glad, glibberig en koud. Een huivering trok door haar heen.

'Lag je te slapen?' Het was meer een constatering dan een vraag. Niet echt geïnteresseerd in het antwoord, wierp ze haar lange, krullende rode haar over een schouder.

'Heez, ik heb je rode jurk echt nodig. Hij staat geweldig bij mijn nieuwe zwarte laarsjes.' Ze had hem dus al gepast. Hazel reageerde nog steeds niet. Na al die jaren wist ze dat dit de beste manier was om Josie op haar zenuwen te werken. Jocelyn ging verzitten.

'Oké, ik weet het goed gemaakt. Ik mag een introducé mee nemen en aangezien Mieke niet kan, zou jij mee kunnen.'

'Als tweede keuze dus.' Langzaam kwam Hazel overeind. Ze voelde een verborgen verdriet opkomen. Ze werd door haar huisgenoten nooit volledig geaccepteerd, omdat ze als enige niet studeerde. Het was handig dat ze een goed inkomen en een auto had, maar over het studentenleven kon ze eigenlijk niet meepraten.

'Wat voor feest is het?'

'Een gemaskerd bal, vijfdejaars psycho.'

'Gemaskerd bal, is dat niet ouderwets?'

'Nee joh, je weet hoe die vijfdejaars psychologen zijn... helemaal te gek. Ze verzinnen ieder jaar weer wat anders. Het is de bedoeling dat we ook allemaal een masker dragen. Carnaval in Venetië-stijl, en dan gaat om twaalf uur precies het masker af. Lachen natuurlijk, met wie je dan al die tijd aan de praat bent geweest!'

'Jou herkennen ze altijd aan je haar, Josie. Daar doe je met zo'n masker niets aan.'

'Don't you worry, ik leen Mieke's haarstuk.' De pruik met ravenzwarte lange haren paste natuurlijk weer goed bij de rode jurk en de zwarte laarsjes.

'Toe nou Heez, die jurk zit je toch te krap.' Toen ze hem kocht, wist ze dat maat 36 wat overambitieus was, maar ze was van plan geweest te gaan lijnen. Ze voelde al dat ze eigenlijk graag mee wilde. Dirk had al gezegd dat hij het volgende weekend in Amsterdam zou blijven. Dus ze had alle tijd. 'Oké, jij je zin.'

Met een minzaam glimlachje om haar mond liep Jocelyn de kamer uit.

Het was donderdag, eind van de middag. Hazel zat achter haar bureau. Ze was moe. Te moe om de strijd met de groeiende papierberg op haar bureau aan te gaan. Steeds vaker leek het halen van het einde van haar werkweek een blinde overlevingsslag, waarbij ze moest pompen om de boot waar ze met twintig man in zat, niet te laten verzuipen. Ze kregen steeds meer opdrachten, de omzet groeide, maar ze kon over steeds minder geld beschikken. Boze leveranciers die al maanden op hun geld wachtten te woord te staan, was een dagelijkse bezigheid geworden. Meerdere keren had ze bij Pieterse aangedrongen op een betere balans tussen inkomsten en uitgaven. Maar het geld verdween steeds in innovaties om de techniek van hun producten te verbeteren.

Haar gedachten dwaalden weg, naar het weekend, naar Dirk. Even probeerde ze zich voor te stellen hoe haar leven als vrouw van een bekende medisch specialist zou zijn. Met Dirk de hele wereld over naar belangrijke congressen waar ze geïntroduceerd werd als de echtgenote van de succesvolle hartchirurg Dirk Paalman. Ze woonden natuurlijk in een mooi huis buiten de stad, waar ze hun kinderen een geweldige jeugd gaven met voldoende ruimte om te spelen. Tijdens haar dagdromen zag Hazel zich gekleed in een wapperende zomerjurk met een mand vol bloemen uit de tuin aan haar arm. Een zonovergoten tuin met spelende kinderen, schommelstoelen en een tafel gedekt met een prachtig Engels ontbijtservies, een blonde labrador aan haar voeten. Echt 'country living' met een ren met kippen, eenden en ganzen. En op de tafel verse eieren, zelfgemaakt brood en aardbeien uit eigen tuin.

Met haar ogen dicht leunde ze achterover in haar oude bureaustoel. Een van de kinderen kwam naar haar toe gerend, maar iets klopte niet. Toen het jongetje zijn mond opendeed, kwam daar de stem van Pieterse uit. Ze had hem niet binnen horen komen. Ongeduldig stond hij naast haar bureau en keek haar geïrriteerd aan.

'Hazel, is de offerte naar Rijkswaterstaat er al uit?'

Die ochtend had Pieterse haar bij zich geroepen om te vertellen dat hij in gesprek was met een investeringsbedrijf. Ze hadden grote plannen met PBC, wilden gaan uitbreiden met Europese vestigingen. Een bod hadden ze al gedaan, alleen het onderzoek van de boeken, de 'due diligence' moest nog gedaan worden.

Hazel wist niet wat ze hoorde. Waren daar al die late afspraken voor geweest?

'Waarom vertel je dat nu pas?'

Beledigd dat hij haar niet eerder in vertrouwen had genomen, reageerde ze voor haar doen onverwacht fel.

Verbaasd keek hij haar aan.

'Je zeurt al maanden om een betere financiële basis. En de bank kwam zelf met deze koper.'

Toen de bank het voorstel bij hem neergelegd had, was Pieterse gaan nadenken. Hij was vijftig en had geen opvolgers. De mogelijke koper was een groot internationaal georiënteerd bedrijf. Volgens de bankdirecteur zou PBC een aanwinst voor de multinational zijn. Pieterse zou zelf zijn moment van terugtreden kunnen kiezen.

'Maar dat betekent toch niet dat je het maar meteen moet verkopen? We zouden het bedrijf beter moeten structureren. Dat probeer ik je steeds te vertellen.' De teleurstelling deed haar stem overslaan.

'Die managementmethodieken uit jouw boeken, dat geloof je toch zelf ook niet, meisje? Al die systemen zijn voor grote bedrijven. De basis van een succesvol bedrijf is een goed product, risico's nemen en hard werken.'

'Ja, en gemotiveerd personeel! Wat denk je dat er nu met ons gaat gebeuren?'

'Hazel, we hebben dit gesprek al zo vaak gevoerd. Jij bent echt niet in staat om dit bedrijf met je boekenkennis groter te maken. Daar heb je de visie van een ondernemer voor nodig.'

Zelfvoldaan keek hij haar aan. Woede en onmacht vormden een bal in haar maag. Wist ze maar zeker dat het haar zou lukken, dan zou ze vandaag nog naar die bankdirecteur stappen om te vertellen wat er met het bedrijf gebeuren moest. Ze opende haar mond om te reageren, toen Pieterse haar met een resoluut gebaar de mond snoerde.

'PricewaterhouseCoopers gaat het onderzoek doen. Dat zijn niet de eerste de besten.' Hazel was zo overdonderd door het nieuws dat ze vergat de rinkelende telefoon op te nemen. Pieterse nam de hoorn van het toestel en blafte de naam van zijn bedrijf in het apparaat. Even luisterde hij en toen hield hij met een afkeurende blik de hoorn in haar richting.

'Je moeder.' Zijn geïrriteerde blik sprak boekdelen. Hazel zuchtte. Ze wist al waar het over zou gaan. Iedere keer als haar vader met een nieuwe productie op de televisie kwam, was haar moeder weer in alle staten.

Leendert Hendrikse was een fenomeen. Een man waar je niet omheen kon. Programmamaker, ontdekkingsreiziger en bioloog, met een charisma dat van het scherm afspatte.

Haar ouders waren jong getrouwd, te jong. Haar vader was in die tijd nog niet klaar voor het vaderschap, het avontuur trok veel te hard. Bijna tien jaar had haar moeder geprobeerd hem te veranderen, maar toen was het misgegaan. Van de ene op de andere dag waren haar ouders geen paar meer. Hazel was bij haar moeder blijven wonen. Een vader die maar drie maanden per jaar in Nederland was, was niet de meest ideale ouder om een kind op te voeden. Haar vader genoot volgens zijn eigen zeggen van het bekende Nederlanderschap. Vrouwen bij de vleet die graag met hem gezien wilden worden. Met zijn gebruinde kop en woeste, donkerblonde haar was hij de verpersoonlijking van iedere vrouwendroom.

Hazel vermoedde echter dat zijn werk de enige echte liefde van haar vader was. De verre reizen, het filmen van bijzondere natuurfenomenen en het maandenlange observeren van specifieke natuurverschijnselen waren zijn echte passie, zijn vaste team was zijn thuis.

Haar moeder was nooit over de scheiding heen gekomen. Ze had in het begin nog pogingen gedaan een nieuwe relatie te vinden, relaties die haar tienerdochter indertijd met schaamte vervulden. Maar na verloop van een aantal jaren had ze haar pogingen gestaakt.

'Stephanie Hendrikse.' Haar moeder had een mooie stem. Melodieus en licht.

'Ha mam, hoe gaat het?' Hazel zette zich schrap.

'Heb je pa dit weekend nog op de televisie gezien?' De vraag bleef in de lucht hangen. Hazel kende de spelregels van het gesprek. Niet gelijk te enthousiast reageren en kritisch omgaan met de inhoud van het programma. Haar moeder zou dan de positieve punten van de documentaire belichten. Daarna was het haar beurt om iets over haar vader te zeggen, dat hij er moe uitzag. Haar moeder zou dan aangeven dat hij te hard werkte en dat die drukte hem nog eens op zou breken. Dan was het haar moeders beurt om de negatieve punten van het programma op te noemen, die dan door Hazel ontkracht moesten worden. Zo zou het gesprek doorgaan tot de hele uitzending en haar vader door en door uitgekauwd waren. Vandaag kon ze dat niet opbrengen.

'Nee sorry, onze televisie is stuk,' loog ze. Gelijk liet ze er schuldbewust op volgen: 'Je hebt het vast opgenomen, mam. Ik kan het programma altijd nog bij jou komen bekijken.' Pieterse zat tegenover haar aan zijn bureau, ze wist dat hij meeluisterde. Zonder de reactie van haar moeder af te wachten, zei ze snel: 'Als ik zondag nou eens naar huis kom, dan kijken we samen.' Dit was een immense opoffering.

'Komt Dirk ook?' Haar moeder voelde dat ze afgescheept werd en probeerde haar te raken. Hazel sloot haar ogen. Ze had geen zin in een discussie met haar moeder over haar relatie. Pieterse keek geïrriteerd op zijn horloge.

'Mam, ik moet ophangen. Je weet dat ik het niet fijn vind als je me op het werk belt.' Dit met een schuin oog naar haar directeur.

'Goed kind, we praten zondag wel verder.' Met deze onheilspellende belofte nam haar moeder afscheid. Hazel wenste zich op dat moment, net als haar vader, kilometers ver weg in een vreemd land.

Die avond klonk het doordringende geluid van de deurbel in de badkamer op de tweede verdieping. Hazel stond voor de spiegel en probeerde haar weerbarstige, natte haar te kammen. Ze kwam net onder de douche vandaan. Geagiteerd trok ze de deur van de badkamer open.

'Mieke, deur!' riep ze naar de eerste verdieping. De deurbel klonk nog een keer. Met een handdoek om haar hoofd rende ze naar de eerste verdieping. Daar pakte ze de huistelefoon en drukte de ontgrendeling van het slot van de buitendeur in. Een golf koude herfstwind waaide de trap op.

'Hallo allerliefste, allermooiste, allergeweldigste schat van me.' Met een verwaaid, nat hoofd en een enorme grijns op zijn gezicht klom Dirk de trap op. Twee graaiende handen groeven zich in haar pyjama. Ze rook een lichte alcohollucht.

'Wat leuk, hoe kom jij hier zo door de week?' Met een mengeling van vreugde en achterdocht keek ze haar vriend aan.

'Met Jan Willem meegereden. Morgen geen colleges, dus dacht ik jou maar eens te verrassen.' Met zijn neus in haar hals rook hij haar zoete lichaamsgeur.

'Oh, dus je komt hier lekker de hele vrijdag slapen?' Als de troep in zijn kamer te groot werd, kwam hij wel vaker bij haar uitslapen.

'Nee, ik miste mijn schat. Heus, ik heb de hele week aan je lopen denken.' Zijn vingers waren al met de knopen van haar pyjamajasje bezig.

'Ik kan voelen waar je mee hebt lopen denken,' zei ze plagerig, doelend op de erectie die ze tegen haar been voelde. Ze liep naar haar kamer. Dirk stommelde luidruchtig achter haar aan.

'Ja hoor, laat het hele huis maar horen dat je er bent,' zei ze terwijl ze hem afweerde.

Laatst nog had Mieke in bedekte termen laten weten dat de romantische uitspattingen van Hazel en Dirk niet door alle bewoners op prijs werden gesteld. Waarschuwend legde ze haar hand op zijn mond. Ze hield de wijsvinger van haar andere hand tegen haar lippen.

'Stil nou, Dirk.'

Dirk trok met een ruk haar pyjamabroek omlaag. Nog voor ze kans had gezien zijn broek helemaal omlaag te trekken, was hij met zijn brutale erectie bij haar binnengedrongen. Gretig klemde ze zich aan hem vast.

'Dirk, voorzichtig... het bed,' hijgde ze, terwijl hij haar onderdompelde in een zee van genot.

'Oh Haasje, wat heb ik je gemist!'

Tien minuten later hield ze een uitgeputte Dirk in haar armen. Voorzichtig streek ze over zijn haren. Weg waren haar gedachtes van vorige week. Dit voelde helemaal niet als een uitgerekt elastiek. Hij rook zo lekker, ze was zo gelukkig met hem. Zijn lijf was stevig en sportief. Maar het was niet alleen zijn lichaam dat een enorme aantrekkingskracht op haar uitoefende. Het was vooral zijn snelle manier van denken die haar aansprak, zijn intellect was als kwikzilver. Hij leek overal wel verstand van te hebben, ze kon vol bewondering luisteren naar de discussies die hij met haar vrienden voerde.

Met haar vinger volgde ze de lijn van zijn kaak. Gelukkiger dan nu kon ze niet zijn, haar kamer was een paradijs en zij bezat een lichaam dat gemaakt was om lief te hebben. Ze sloot haar ogen en zakte weg in een diepe, tevreden slaap.

De volgende morgen schrok ze wakker door het geluid van haar wekker. Dirk lag op zijn rug te snurken en sliep dwars door de wekker heen. Snel stond ze op en liep naar de badkamer.

Het was vrijdag, een drukke dag op kantoor. Orders die voor het weekend de deur uit moesten, documenten die nog moesten worden opgemaakt, overuren die ingediend, uitgerekend en uitbetaald moesten worden. Pieterse zou laaiend zijn als ze te laat kwam.

In haar kamer lag Dirk nog steeds in dezelfde houding te slapen. Vertederd keek ze naar hem. Zachtjes schudde ze hem heen en weer.

'Dirk, ik ben weg.' Kreunend draaide hij zich op een zij. Hij deed een halfslachtige greep naar haar been, maar ze wist hem handig te ontwijken.

'Dirk, ik moet gaan.' Haar toon werd dwingender.
'Toe, kom nog even in bed.'
'Nee, dat even van jou gaat weer een half uur duren. Ik moet echt weg.' Liefkozend zoende ze de hand die ze van haar been duwde. Hij richtte zich half op in de kussens.
'Heez, kun je me vijftig gulden lenen? Ik moet vanavond weer terug.'
'Blijf je niet in Gouda dan?' Teleurstelling schoot door haar heen. Het perfecte gevoel van de avond ervoor verdween als sneeuw voor de zon.
'Nee, heb dit weekend iets in Amsterdam, dat wist je toch.' Hij gaapte en rekte zich uit. Hazel zag haar moeders reactie al voor zich als ze zondag zonder Dirk zou komen. Ze kon het niet laten. 'Leuk, wat gaan we doen?'
'Sorry, het is 'boys only', een bijeenkomst met mijn jaarclub.'
'Kun je dan in ieder geval vanavond niet hier blijven? We kunnen uit eten gaan.'
'Ben blut, Hazel. Dat weet je toch?' Hij liet zich achterover vallen.
'Dan trakteer ik. Zullen we naar dat nieuwe eetcafé op de Markt gaan?'
'Sorry Haasje, maar ik heb beloofd vanavond te helpen met de voorbereidingen.'
'Er zijn toch nog meer leden in je jaarclub?' Het was de zoveelste keer dat hij zich opofferde.
'Toe, doe niet zo moeilijk.' Hij keek haar fronsend aan. 'Trouwens, je weet zelf ook wel dat je op vrijdagavond niet altijd even vrolijk bent. En jij houdt toch ook niet altijd rekening met mij?' Die kwam hard aan. Hazel wilde een opmerking maken, maar bedacht zich. Hij had gelijk, ze vond haar werk belangrijk en ze had vaak genoeg in het weekend moeten overwerken en hun samenzijn daarvoor opgeofferd. Ineens herinnerde ze zich ook haar afspraak met Josie.
'Ach, wat stom van me. Ik vergeet dat ik zaterdag zelf een feest in Amsterdam heb,' zei ze zo luchtig mogelijk. 'Ik heb met Jocelyn afgesproken om naar een feest van de psycho's te gaan.' Dirk ging rechtop zitten.
'Wat is dat voor feest met die psychoten?' Ze bespeurde een lichte jaloezie in zijn stem en maakte daar gelijk gebruik van.

'Oh, een gemaskerd bal. Het wordt helemaal te gek, ik denk dat ik als gevulde koek ga. Naakt, met een amandel in mijn navel.'

'Haha... kijk je wel uit? Die van psychologie zijn echt maf.' Hazel zocht in haar tas en gaf Dirk het gevraagde bedrag. In haar hoofd was ze al bezig haar moeder uit te leggen waarom ze dit weekend niet konden komen. Nog even keek ze verlangend naar zijn naakte lijf, en met een vluchtige zoen op zijn mond haastte ze zich de kamer uit.

Bij wijze van kostuum had Hazel een knalrode overall van Willem geleend. Ze had zich uitgedost als een van de zangers van de 'Village People'. Met een witte veiligheidshelm op haar dikke kastanjebruine haar en een paar stevige werkschoenen leek ze op Sophia Loren in een stoere avonturenfilm. Josie straalde in haar Schotse retrojurk.

Het feest was best gezellig en toen op het einde een paar studenten op het idee kwamen alle lichten uit te doen en een rolcontainerrace door de gangen te houden, trok een van de jongens die Hazel de hele avond al achterna had gelopen, haar mee een met zeepsop gevulde container in. Samen rolden ze onder luid gejoel van de studenten door de gangen.

Toen ze in de vroege morgen in de kamer van de student haar natte spullen uittrok en in zijn ochtendjas op het balkon naar de stad keek, kon ze maar aan één ding denken. Ze dacht aan Dirk en aan het feit dat ze hem miste.

Het was een paar weken later en een groep accountants had de boeken van het bedrijf doorgewerkt om uiteindelijk tot de conclusie te komen dat PBC gezond te krijgen was door de bedrijfsvoering beter te structureren. De winsten die Pieterse jarenlang gebruikt had om nieuwe technologieën te ontwikkelen, zouden terug moeten vloeien in het uitbreiden van activiteiten. De marketing kon beter en een interne kostenregistratie zou opgezet moeten worden. Alles wat Hazel haar directeur jarenlang had proberen duidelijk te maken, lag in een dik rapport met het stempel 'PricewaterhouseCoopers' erop, op het bureau van Pieterse.

Nadat hij het document had doorgelezen, had Hazel hem triomfantelijk aangekeken en gewacht op zijn reactie. Ze had het gebruikelijke antwoord verwacht; 'management onzin', 'boekentheorie' of 'boekhouders zonder visie'. Maar er kwam helemaal geen reactie. Hij had het rapport simpelweg in de prullenbak laten glijden. Toen was het wekenlang stil geworden, weken waarin Pieterse haar omzichtig meed en ze geen antwoord kreeg op haar smeekbeden om geld om de facturen te voldoen.

Na de accountants waren de onderhandelaars gekomen. Dagenlang had ze met lede ogen toegekeken hoe Pieterse onder druk werd gezet om afstand van zijn geesteskind te doen. Hij had lang geaarzeld, tot een slimme onderhandelaar de sleutel tot de oplossing vond. Pieterse kreeg aandelen in zijn eigen bedrijf aangeboden en mocht aanblijven als CTO, 'Chief Technical Officer'.

Het stoorde Hazel dat ze nergens in gehoord werd. Haar mening over het bedrijf, haar visie werden niet gevraagd. Haar werd alleen maar verzocht de benodigde gegevens aan te dragen en eindeloze kopjes koffie in te schenken.

Toen werd er een fraai bronzen bordje op de deur van hun kantoor gemonteerd met het opschrift 'Chief Technical Officer'. Nog geen week later werd daar een tweede bordje onder gehangen, 'Chief Economical Officer'. Vragend had ze Pieterse aangekeken, maar hij had schouderophalend verteld dat er zo'n 'managementmannetje' van het moederbedrijf zou komen. Haar plaats tegenover Pieterse werd ontruimd en ze kreeg een klein kamertje toegewezen dat vroeger alleen werd gebruikt voor vertrouwelijke gesprekken of hulp bij kleine ongelukjes. Op die deur kwam het bordje 'Staff Secretary'.

Via een schrijven van het hoofdkantoor had ze vernomen dat de man die haar plaats tegenover Pieterse in zou nemen Rob Kramer heette.

Op zijn eerste werkdag stond Hazel toevallig net naar buiten te kijken. Een grote witte auto reed het parkeerterrein op en zocht zelfverzekerd naar een parkeerplek zo dicht mogelijk bij de ingang van het kantoor. Een man van in de dertig stapte uit en keek omhoog. Ze stapte achteruit om niet gezien te worden, maar hun blikken hadden elkaar al gekruist. Ze schudde haar hoofd en probeerde de aanblik van zijn goed geknipte, blonde golvende haar, zijn zelfverzekerde blik en die schrandere blauwe ogen van haar netvlies te krijgen. Deze man was de vijand, gestuurd door de multinational om van 'haar' bedrijf een winstgevende geldput te maken.

Enkele seconden later werd er op haar deur geklopt. Energiek stapte Rob Kramer haar kantoor binnen.

'Goedemorgen… jij moet Hazel zijn!' Het klonk familiair en Hazel voelde een onberedeneerde boosheid opkomen.

'Hazel Hendrikse, 'Staff Secretary'.' Het sarcasme in haar stem ontging hem duidelijk want hij knikte goedkeurend zonder de moeite te nemen om zich aan haar voor te stellen.

'Mijn kamer, waar vind ik die?' Onderzoekend keek hij rond alsof ze de kamer ergens verstopt had.

'Uw kantoor is hiernaast en zal gedeeld worden met de heer Pieterse, onze 'Chief Technical Officer'.' Rob Kramer leek ongevoelig voor haar stekelige opmerkingen.

'Zou je zo vriendelijk willen zijn mij m'n kamer te wijzen?' Alsof het kantoor bestond uit een ondoorgrondelijk labyrint van gangen en kantoren in plaats van uit een gang met slechts twee deuren. Ze liep naar de deur en wees op de deur aan de overkant van haar kantoor waar de twee bordjes met namen gemonteerd waren.

'Mooi, mooi.' De uitdrukking op zijn gezicht sprak de twee woorden tegen toen hij het interieur van het stoffige kantoor in zich opnam.

'Kun je me aangeven wat mijn bureau is?' De man bleef ergerlijk vriendelijk glimlachen. Met tegenzin liep ze voor hem uit. Het bureau dat voor Rob Kramer was bestemd, was haar oude bureau. Hij liep achter haar aan en kwam achter haar staan. Te dichtbij. Een lichte geur van aftershave drong haar neus binnen. Snel stapte ze opzij.

'Het linker bureau is van Pieterse.' Ze keek de kamer rond en nu pas zag ze hoe aftands het kantoor er uitzag. De olievlekken op het bureau van Pieterse die ze nooit echt weggepoetst kreeg, de gele vitrage die niet meer van deze tijd was. Aan de muur hingen de foto's van bruggen die ze gebouwd hadden en van spectaculaire projecten waarvan ze deel uit hadden mogen maken. Podiumbruggen die ze geleverd hadden voor popconcerten van Bruce Springsteen, de Rolling Stones en Pink Floyd, bruggen bij de filmopnames van *Amsterdamned* en *de Aanslag*, een loopbrug bij de officiële opening van de 'Vincent van Gogh 100 jaar'-tentoonstelling door koningin Beatrix, de eerste opdracht in Jemen voor de bouw van een havenbrug. Het was de gedeelde trots van PBC.

'Hij, eh... hij is niet vaak in zijn kantoor. Meestal loopt hij in de fabriek rond.' Haar mond voelde droog aan. Ze had het gevoel dat er iets naars ging gebeuren, dat alles voorgoed ging veranderen. Rob Kramer liep naar zijn bureau, zijn efficiënte gestalte stak schril af bij het rommelige kantoor. Alsof iemand in avondkleding door een varkensstal liep.

'Goed, dank je wel!' Kennelijk was haar aanwezigheid niet langer gewenst. Onwillig om hem alleen te laten, treuzelde ze. Uit zijn bruine kalfsleren koffertje haalde hij een agenda, schrijfblok en een rekenapparaatje. Al gauw was hij verzonken in het opstellen van allerlei lijsten en berekeningen. Hazel had het zithoekje met de folders en tijdschriften al drie keer opgeruimd toen hij opeens opkeek. Verrast, alsof hij niet gemerkt had dat ze nog in zijn kantoor was.

'De koffie drink ik trouwens met melk, zonder suiker.' Met het schaamrood op haar kaken maakte ze dat ze wegkwam. Zelfs Pieterse had haar in al die jaren nooit zo behandeld. Een hartgrondige weerzin tegen de man met het blonde haar nestelde zich in haar.

Na twee uur bij haar moeder hadden ze het voor gezien gehouden. Het was lekker weer en buiten lonkte de eerste voorjaarszon. Hazel had haar auto aan de gracht geparkeerd en voorgesteld de fiets naar de Reeuwijkse plassen te nemen. Na vijf kilometer stopte Dirk.

'Laten we hier gaan zitten.' Hij wees op een beschut plekje in de kromming van de weg. Het was een ideale plek voor een luie middag. Ze stapten af en zetten hun fietsen tegen een afrastering.

De eerste blaadjes stonden voorzichtig aan de bomen en het rietschors aan de oever was nog niet te hoog om de glinsterende plassen te kunnen zien.

Hazel liep in de richting het water en spreidde de geruite deken uit die ze had meegenomen. Dirk plofte met de picknickmand naast haar. Hazel trok haar shirt met lange mouwen uit, het zonlicht streelde haar blote armen.

'Wat is dit heerlijk. Na een half jaar in het donker eindelijk weer zon!' Dirk grinnikte en rolde tegen haar aan.

'Ja, dit is echt lekker.' Ze pakte zijn arm en schoof die onder haar hoofd. Ze drukte een kus op zijn wang.

'Ik zou wel een week lang niets kunnen doen, alleen maar met jou lekker buiten in de natuur...'

Dirk moest lachen.

'Hazel, jij en een week niets doen. Dat kun je niet. Wedden?' Ze tilde haar hoofd op van zijn arm en keek hem aan.

'Wil je wedden? Serieus? Dat ga je zeker verliezen, meneer de dokter.' Haar sterke armen klemden zijn hoofd in een houtgreep. Plagerig ging ze half bovenop hem liggen.

'Waar wedden we dan om?' klonk zijn stem gesmoord.

'Dat jij, eh, dat we...' Ze maakte haar zin niet af en rolde van hem weg.

'Nou, waar wilde je om wedden?' Ongeduldig prikte Dirk in haar zij.

'Nee, dat zeg ik niet.'

'Sinds wanneer durf jij iets niet te zeggen? Kom op.' Hij keek haar onderzoekend aan. 'Is er iets? Zit je ergens mee, Hazel? Is het iets op je werk? Iets met die nieuwe man?'

Hij wist dat ze heen en weer geslingerd werd tussen afkeer en respect voor de nieuwkomer. Rob Kramer wist weinig van de branche, maar hij wist precies hoe hij een goed rendement uit het bedrijf kon halen. Hij was begonnen met overtollige voorraad te verkopen. Daarna had hij afscheid genomen van een aantal werknemers en hij had het mes gezet in de vele projecten van Pieterse die nog in ontwikkeling waren. Hij noemde ze de 'witte olifanten', fata morgana's die nooit werkelijkheid zouden worden. Met de precisie van een chirurg sneed hij de ongezonde gezwellen uit het bedrijf. Binnen een maand had hij een strakke kostenberekening opgezet en niets werd meer aangekocht zonder zijn toestemming.

Hazel wist zeker dat ze een hekel aan hem had, tot hij op een avond nog laat op kantoor was geweest en haar in de kantine had aangetroffen terwijl ze aan het schoonmaken was. Met stomme verbazing had hij haar gevraagd of de schoonmaker ziek was. De volgende dag had hij zonder verder overleg met haar een schoonmaakbedrijf opdracht gegeven voor de dagelijkse schoonmaak zorg te dragen. Een week later werd er een koffiezetapparaat met plastic bekertjes in de kantine geplaatst. Het was afgelopen met de aardewerken mokken en de verse koffie met gekookte melk. Het had haar heel wat tijd bespaard, maar ze vond het ook jammer. Tijdens de koffiepauzes die ze tot dat moment met de mannen had doorgebracht, had ze altijd genoten van alle verhalen.

'Nee, mijn persoonlijke voorkeur heeft er niets mee te maken. Het is wat anders. Het bedrijf wordt volwassen, Dirk. En ik weet niet of ik dat wil.'

'Volwassen worden is nooit leuk,' gaf hij toe. 'Maar je moet het toch fijn vinden dat alles nu beter loopt?' Ze haalde haar schouders op.

'Weet je, we gaan allemaal leuke dingen doen dit weekend. Wat dacht je van een film in Amsterdam? En dan gaan we daarna lekker eten, Argentijns of zo.'

'Dirk... soms denk ik wel eens...' Hij volgde met zijn vinger de rimpel die op haar voorhoofd verscheen.

'Je denkt soms wel eens wat een geluk je met mij hebt, dat is het, hè?' Ze probeerde in zijn vinger te bijten.

'Niet bijten naar de baas!' Hij was blij dat ze weer wat vrolijker werd. 'Wat wilde je wedden? Of durf je niet met mij te wedden? Kom op, schat. Een week lang in de natuur, samen, zonder werk of studie. Ik kan zo het zomerhuisje op Terschelling van de ouders van Jan Willem krijgen. Zeker voor de zomerdrukte. Nemen we in juni gewoon een week vrij.'

'Jij een week vrij in juni?' Ze moest hardop lachen. 'Je kunt geen week zonder je corps!'

'Echt wel!'

'Echt niet!' Een groepje voorbij fietsende bejaarden klakte misprijzend met hun tong toen ze de twee zagen stoeien. Hazel trok een lelijk gezicht naar hun ruggen. Dirk keek haar liefdevol aan.

'Het komt me eigenlijk wel goed uit. Kan ik ongestoord leren voor mijn examens terwijl jij een mooi kleurtje op dat geweldige lijf van je krijgt.'

'Oké, we doen het. Maar dan wil ik wedden om het volgende: Als ik het volhoud, wil ik dat we serieus nadenken over samenwonen.'

'Samenwonen?' zei hij verbaasd, alsof ze voorgesteld had om samen op Mars te gaan wonen.

'Ja, dan kunnen we de kosten delen en zien we elkaar wat vaker. Het lijkt alsof we de tijd die we samen hebben alleen maar doorbrengen met verplichtingen. Als je bij mij bent doen we alleen maar dingen die we moeten doen.'

'Mmm... dat klopt.' Zachtjes beet hij in het stukje blote rug dat onder haar hemdje uitpiepte. Hij probeerde haar naar zich toe te trekken. 'Maar hoe zie je dat dan voor je, Hazel? Ik ben nog lang niet klaar en heb geen inkomen. Jij hebt je baan bij PBC. Ik zie jou niet zomaar een andere baan vinden in Amsterdam. Je bent veel te veel gehecht aan dat bedrijf.' Ze duwde zijn handen van zich af.

'Waarom moet ik naar Amsterdam verhuizen? Je hoeft toch niet zo vaak meer naar de universiteit nu je coschappen loopt. Je zou toch 's ochtends met de trein kunnen?'

'Dat wordt niks. Alles gebeurt in Amsterdam. Wat moet ik hier in Gouda? Hier worden alleen stroopwafels en kaarsen gemaakt, verder is dit achtergebleven gebied.'

'Je ouders wonen hier!'

'Dat is nog geen reden om hier ook te komen wonen. Eerder het tegenovergestelde.' Hij grinnikte om zijn eigen gevatheid. Maar Hazel bleef serieus.

'Amsterdam en je studentenleven daar, dat is niet de wereld, Dirk. Weet je al waar je straks wilt gaan werken? Ik neem aan dat je ook een zekere ambitie hebt?' Haar groene ogen waren fel geworden. 'Je moet toch ook een idee hebben over wat wij samen gaan doen. Wat onze plannen zijn voor de toekomst. Waar we gaan wonen en werken. Of we kinderen willen?' Ze keek hem bijna smekend aan. 'Dirk, denk je eigenlijk wel eens over ons na?'

'Doe niet zo moeilijk. Wat heb jij?' Hij probeerde haar te omhelzen.

Plotseling voelde ze een golf van woede in zich op komen. Ze duwde hem van zich af en stond op.

'Zie je ons samen wel zitten, of ben je bij me uit gemakzucht en gewoonte?' Toen de woorden eruit waren, voelde ze dat ze dit al heel lang had willen vragen. Maar het antwoord kwam niet.

De multinational die het bedrijf van Pieterse ingelijfd had, bleek over een oneindige geldstroom te bezitten. Volgens de informatie die Hazel in kranten en vakbladen over het bedrijf had gevonden, was dat de kracht maar ook het probleem van het consortium. Ze beschikten over meer geld dan ideeën. Als een aasgier op zoek naar nieuwe prooien, zocht de directie van het concern steeds naar bedrijfjes die een groot marktpotentieel beloofden maar niet over voldoende fondsen beschikten om zelfstandig te groeien. PBC was daarom ideaal voor ze. De marktpotentie was heel goed, maar het gebrek aan financiële middelen had al jaren de groeimogelijkheden geblokkeerd. Alles leek nu opeens mogelijk.

Voorzichtig had Rob Kramer bij Pieterse de mogelijkheid geopperd om in het buitenland nieuwe vestigingen op te gaan zetten. Vooral Spanje, waar de Olympische Spelen van 1992 gehouden zouden worden, was een land waar hij zijn oog op had laten vallen.

'Hazel, jij spreekt toch Spaans?' Het was een schijnbaar onschuldige vraag van Pieterse.

'Ja, dat klopt.' Ze had geen zin te vertellen waarom ze Spaans sprak.

'Dat is mooi. Zou jij volgende week een paar dagen met ons naar Barcelona willen?' Achterdochtig keek ze naar Rob Kramer. Hij hing relaxed achter zijn bureau. Met zijn handen achter zijn hoofd gevouwen keek hij haar aan.

'Als ik het doel van de reis zou mogen weten?' Ze hield haar stem zo vlak en koel mogelijk, maar ze voelde haar hart bonken van opwinding.

'Het hoofdkantoor wil binnen tien jaar een vestiging in ieder land van Europa. Ze willen beginnen in Spanje omdat ze denken dat een opdracht voor de Olympische Spelen een geweldige impuls zal zijn.' Hazel kreeg de indruk dat hij keurig het verhaal oplepelde dat hem was uitgelegd. De expansiedrift van Pieterse was tot dan toe altijd beperkt gebleven tot het investeren in nieuwe technologieën. Haar indruk werd nog versterkt door de houding van Kramer. Met zijn ogen op z'n bureau gericht zat hij aandachtig naar het verhaal van Pieterse te luisteren, als een vader die zijn kind het huiswerk overhoort. Weer voelde ze weerzin tegen hem.

'We hebben een familiebedrijf gevonden dat in aanmerking komt voor overname. Dat zou handig zijn, dan hebben we een directe toegang tot de lokale markt,' kwam Rob Kramer tussendoor.

'Spreek je helemaal geen Spaans?' Quasi verbaasd keek ze hem aan, ze kon het niet laten zijn gebrek aan gevoel voor talen te onderstrepen. Zijn Engels was al niet geweldig. Alles wat hij aan correspondentie de deur uit deed, corrigeerde ze stilzwijgend.

Hij bleef achterover hangen en keek haar uitdagend aan terwijl hij antwoordde: 'Señorita, ¡dos cervezas! En daar kom ik normaal een heel eind mee.' Hij leek bijna trots op zijn boerenlullige gedrag.

Ze negeerde hem nadrukkelijk en vroeg aan Pieterse: 'Is het de bedoeling dat het bedrijf in Barcelona zelfstandig gaat opereren onder de holding of zal de aansturing via dit kantoor lopen?' Haar vraag was provocerend, omdat ze het antwoord eigenlijk al wist. De overname zou een promotie voor haar betekenen en dat wisten ze. Ze sprak de taal en had verstand van het product. Het was dus professioneler geweest als ze haar eerst een zakelijk voorstel gedaan hadden. De hulpeloze blik die Pieterse naar Rob Kramer wierp, deed haar bijna overstag gaan. Hij wist de onderhandelingen niet goed te spelen, maar ze had een zwak voor hem. Een ongemakkelijke stilte hing in het kantoor tot Kramer ging verzitten en een stuk papier uit zijn lade pakte.

'Natuurlijk snappen we dat hier wat tegenover zal moeten staan. We hebben een voorstel voor je. Neem het mee en we horen morgen wel wat je vindt.' Hij overhandigde haar het papier waarna hij zich omdraaide en de telefoon oppakte terwijl hij haar met zijn vrije hand wegwuifde. Pieterse keek gegeneerd naar buiten terwijl ze de kamer verliet.

Het voorstel was een eenmalige vergoeding voor de uren in het buitenland, waarbij de kosten van reis en verblijf natuurlijk werden betaald. Verder geen vermelding over de toekomst. Ze was te onervaren en te bescheiden om de multinational op voorhand een promotie af te dwingen en salarisverhoging te vragen voor de uitbreiding van haar taken.

Hazel trok haar schoenen uit, ging op het bed in haar kamer liggen en probeerde haar gevoelens te ordenen. Terwijl ze naar de bladeren van de oude kastanjebomen staarde, drong het gekibbel van haar huisgenoten tot haar door. Het was deze week Frans zijn beurt om te koken, wat inhield dat er weer geen boodschappen gedaan waren.

'Geen tosti 'à la moi', Frans, ik wil gewoon eten. Aardappels, vlees, groente! Ik studeer, ik heb brandstof nodig!' hoorde ze Mieke roepen.

Hazel probeerde haar innerlijke rust terug te vinden. Wat zat haar echt dwars? Het feit dat zij het plan om uit te breiden niet had bedacht? Het salaris? Het feit dat er iets buiten haar om gebeurde? Dat Rob Kramer die maar een paar jaar ouder was, zo neerbuigend kon zijn? Dat hij geen respect toonde voor de kennis en vaardigheden die ze had?

Ze deed haar ogen dicht en dagdroomde dat ze in haar eentje de onderhandelingen in Spanje tot een succesvol einde bracht. Beter nog, ze kreeg daarna een aanstelling als directeur internationale betrekkingen. Nee, nog beter, ze werd de bestuurder van het hele concern, de eerste vrouwelijke op dit vakgebied. Door haar expertise werd ze overal gevraagd als commissaris, ze verscheen wekelijks in de media en Rob Kramer werd haar assistent die haar iedere morgen met een kop koffie en de post opwachtte.

'Kom je een tosti eten?' Ze schrok wakker van Mieke die in de deuropening naar haar stond te kijken. 'Stoor ik? Je deed echt vreemd, Heez. Je had je ogen dicht en je glimlachte als een idioot, alsof je aan een super vrijpartij bezig was of zo. Ik bedoel, ik wil me nergens mee bemoeien, maar als Dirk je zo zag...'

'Nee,' zei Hazel, 'ik had een geweldige ingeving.'

'Oh leuk,' zei Mieke half geïnteresseerd, 'was hij knap?'

'Hij was betoverend,' antwoordde Hazel glimlachend.

Bella

'Casteurs, je moet op.' Nerveus, met iedere zenuw in haar lijf gespannen, liep Bella door de smalle gang naar het toneel.

'België, waar blijf je? We hebben niet de hele dag,' klonk het uit de zaal. In de veilige beschutting van de coulissen wierp ze een blik op het groepje mensen voor in de zaal. Een kleine lamp scheen op het stapeltje papieren op de tafel waarachter de producent van de musical en zijn gevolg zaten. De aankondiging van de hedendaagse bewerking van Shakespeare's komedie *A Midsummer Night's Dream* was uitgebreid in het nieuws geweest en heel Nederland keek uit naar de spectaculaire musical die dit jaar in productie zou gaan. Bella wist in haar hart dat ze geknipt was voor de rol van Hermia, de geliefde van Lysander. Lang en blond, een gezicht met een Grieks profiel, een stem als een klok en een gedegen dansopleiding. *A Midsummer Night's Dream* was een van haar lievelingstukken en het was haar droom de rol van Hermia te mogen spelen. Haar droombaan, waarbij zij de gevierde actrice zou zijn die de beschimmelde stukken van Shakespeare weer nieuw leven wist in te blazen. Geroemd zou ze worden in vakbladen, de media zouden vechten om een interview. Dat was haar droom, maar vandaag was de werkelijkheid het zwarte podium dat zich eindeloos voor haar voeten uitstrekte. De zenuwen hielden haar lichaam in de greep, deden haar stem beven, haar benen trillen. Opeens wist ze niet zeker meer of ze deze rol wel zo graag wilde. Wat als ze hem kreeg? Dan was de droom er niet meer, dan moest ze de droom waarmaken.

'Is er geen Casteurs op komen dagen? Dan gaan we naar de volgende.' De stem uit de zaal klonk ongeduldig en geïrriteerd. Achter zich hoorde ze voeten schuifelen, de volgende kandidaat, een Nederlands meisje met soepel lijf en een poppengezichtje was zich aan de barre aan het opwarmen. Bella probeerde de opkomende paniek de baas te blijven. Het was nu of nooit. Ze deed een stap het toneel op, twee grote lichtbundels schenen in haar gezicht waardoor ze even haar oriëntatie verloor. Ze hield haar adem in en onderdrukte het gevoel te zullen stikken. Plotseling kreeg ze weer lucht. 'Voel de ruimte, neem de ruimte, vul de ruimte', de woordenketting van haar zelfgemaakte mantra vulde haar hoofd. De afstand tot de stip op het toneel waar ze geacht werd haar tekst op te zeggen en haar lied te zingen, leek eindeloos. Ze bedwong haar zenuwen en gebruikte de afstand om het team in de zaal van haar rust te overtuigen. Ze plaatste haar ene voet langzaam voor de andere en liep naar voren. Ze voelde de blikken over haar slanke armen en benen gaan, en om het effect van elegantie te verhogen, liet ze de spanning uit haar lange vingers lopen. Ze strekte haar smalle voeten bewust bij iedere stap die ze zette. De witte, ijle japon die ze gekozen had om het Griekse effect te verhogen, maakte een vloeiende, golvende beweging. Ze stapte in de cirkel van licht die op de stip scheen. De witte lichtbundel maakte van de gestalte in de witte jurk een bovenaards figuur. Ze stond roerloos. Met haar hoofd opzij om haar sterke profiel onder de aandacht te brengen, bouwde ze de spanning op. Haar stem trilde niet meer en zonder haperingen bracht ze haar tekst.

Bella had die morgen al veel kandidates af zien vallen na de eerste, stamelende zinnen. Geen herkansing, gelijk weggestuurd. Met een schuin oog keek ze naar het panel. Ze herkende twee gezichten uit de theaterwereld, maar verder werd het groepje gevormd door assistentes. In het midden van de groep zat Paul van Wadenooyen zelf, het brein achter een serie enorme successen. Haar linker ooglid trilde licht, een tik die ze kreeg wanneer ze nerveus was. Nu niet afzwakken. 'Voel de ruimte, neem de ruimte, vul de ruimte', dwingend reciteerde ze haar mantra.

'Goed België, graag je stemtest.' Graag. Hij zei graag. Aangevuurd door het positieve woord, zette ze de aria in die ze met tientallen meisjes de vorige dag had ingestudeerd. Het was een moderne bewerking van Mendelsohn's originele aria. Eigenlijk was het een verkrachte aria, een klassiek lied met een popdeuntje eronder. Maar het grote publiek was er gek op en dat telde in de showbusiness. Moeiteloos liet ze haar stem over de toonschalen glijden.

Altijd werd ik door jouw toedoen verraden
nooit ben ik aan jouw gehuichel ontsnapt
altijd die snoezige vrouwtjesfaçade
mijn ziel werd voortdurend vertrapt.

'Niet slecht, Casteurs.' Haar achternaam, weer een goed teken. 'Je kunt je voegen bij de selectie voor de dansronde.' Ze was door! Nu alleen nog de danstest, die moest, moest, moest ze halen. Ze vermande zich, koeltjes keek ze naar het panel.

'Is dat vandaag nog?' Even was ze bang te ver gegaan te zijn met deze laatste opmerking.

Het bleef stil bij het lampje.

'Aan het eind van de middag. Probeer je spieren warm te houden.' Een vrouwenstem, een van de assistentes of secretaresses. In haar zenuwen had ze niet gezien van wie de stem was, de laatste opmerking over het warm houden van haar spieren klonk opeens heerlijk moederlijk. Opgelucht haalde ze adem en zonder verder nog iets te zeggen, liep ze naar de kleedkamers.

De kleedkamers in het souterrain van het Nieuwe de la Mar Theater in de Marnixstraat waren oud en stoffig. De naamsaanduiding 'nieuwe' was zeer misleidend. Ondanks het feit dat het theater gefuseerd was met het om de hoek gelegen Bellevue Theater, was er weinig geld voor de renovatie van het oude pand. Bella haalde haar neus op en voelde het oude stof in haar neus prikkelen. Zelf had ze eerst op de Koninklijke Balletschool in Antwerpen haar basisopleiding gehad, daarna was ze naar het Koninklijk Conservatorium in Brussel gegaan. Het woord 'koninklijk' had haar moeder zeer aangestaan, voor haar dochter alleen het beste. In Brussel, in de Regentschapsstraat midden in de kunstenaarswijk had Bella na haar klassieke opleiding opera zich verder gespecialiseerd in musicalzang en dans. Tot groot ongenoegen van haar moeder. Musicals waren immers voor het gewone volk. Bella had naar haar moeder geluisterd, maar na een aantal recitals voor een uitgelezen publiek van kunstliefhebbers op leeftijd, had Bella besloten dat opera haar echt niet bood wat ze zocht. Ze had haar moeder niets verteld en had die morgen de trein naar Amsterdam genomen om auditie te gaan doen. Ze was niet van plan die avond onverrichter zake terug naar huis te keren. Ze ademde nogmaals de muffe lucht in en nam een beslissing. Ze opende de deur van de kleedkamer en liep terug naar boven, naar het toneel.

Daar was niemand te bekennen, in de zaal brandde het lampje boven de tafel, maar geen van de leden van het productieteam was aanwezig. Ze schoot een inspiciënt in de coulissen aan en vroeg hem waar iedereen was. De heren en dames waren in de foyer voor de lunch. Terwijl de toneelknecht weer verder ging met zijn werk dacht ze na. Ze had Paul van Wadenooyen naar haar zien kijken, ze kon zich vergissen maar de blik die hij haar toegeworpen had, was onmiskenbaar. Zijn reputatie was zelfs in België bekend. Ze liep de trappen weer af, op zoek naar zijn kleedkamer. Vlak voor zijn deur rechtte ze haar rug, deed nog een knoopje van haar blouse open en klopte op de deur.

'Binnen.' Hij was in zijn kleedkamer. Haar hand twijfelde bij de deurkruk. Wat als ze zich vergist had en hij geen interesse in haar had? Hij kon haar wegsturen, het kon haar de rol kosten. Voor ze tijd had om na te denken, werd de deur opengetrokken.

'Kom binnen, België,' alsof hij haar verwachtte. Hij streek zijn hand door zijn dikke donkere haar. Het was onnatuurlijk donker voor zijn leeftijd, het moest geverfd zijn. Zijn leeftijd werd in de roddelbladen geschat op achter in de vijftig. Hij was gebruind door de zonnebank, over de band van zijn broek hing een buik die hij probeerde in te houden. Zijn kleedkamer was ingericht op de lange weken repeteren voorafgaand aan de spetterende première. Een keukentje, een bureau, zelfs een fitnessapparaat en een comfortabel bed moesten ervoor zorgen dat het de regisseur aan niets zou ontbreken. De acteurs zouden het met gewone kleedkamers moeten doen met hoogstens een ongemakkelijk bankje waar je even op kon liggen om de vermoeide spieren rust te gunnen.

'Wil je wat drinken?' Zonder naar de reden van haar komst te vragen, schonk hij een glas bruisende champagne in. 'We hebben nog een klein uurtje voordat we weer aan het werk moeten.' Bij het aangeven van het glas raakte hij haar hand aan en keek haar recht in de ogen. Ze haalde diep adem en glimlachte. 'Ja, een heel uur!'

Tevreden nam ze die avond de trein naar huis. Natuurlijk had ze als eerste haar moeder gebeld om het goede nieuws door te geven. Na lang wachten had haar moeders secretaresse haar eindelijk doorverbonden. Zaken gingen voor. Madame Elody Casteurs had als directeur van het door haar zelf opgerichte imperium Elody Mode een bomvolle agenda waar niet zomaar een telefoongesprek met haar dochter in paste.

Maar zoals Bella verwacht had, had haar moeder het krijgen van de rol vanzelfsprekend gevonden. Kosten nog moeite waren gespaard om Bella een goede opleiding te geven. Gouvernantes, kostscholen en een vermaarde kunstopleiding. Het werd dan ook tijd dat Bella resultaat ging afleveren, zoals haar broer Jean Paul al eerder had gedaan.

De trein bereikte het station van Antwerpen. Ze had haar moeder gevraagd de chauffeur te sturen om haar op te halen en ze liep het oude stationsgebouw uit op zoek naar de zwarte Bentley. Het was al laat en het regende, de straat was vergeven van de zwarte paraplu's en gehaaste mensen. Gelukkig zag ze de vertrouwde gestalte van VandeDonkelaere onder een lantaarnpaal staan. De oudere chauffeur begroette haar opgelucht. 'Zo laat nog Bella, dat kan gevaarlijk zijn hier. Komt u maar gauw mee, de wagen staat verderop.' Ze liet zich achterover zakken op de achterbank van de Bentley. De vertrouwde lucht van het luxe leder en een vleugje van haar moeders parfum deden de jaren wegvallen en ze voelde zich weer het meisje van twaalf dat aan het eind van de week opgehaald werd van de kostschool. Ze deed haar ogen dicht. Volgende maand zou ze zesentwintig jaar worden. Ze had een van de hoofdrollen in een belangrijke musical in Nederland gekregen, ze moest daarvoor eerst twee maanden in Amsterdam repeteren en daarna zouden ze het land rondreizen. Het werd tijd dat ze haar eigen onderkomen ging zoeken. Een appartement huren, een huishouden opzetten, zelf beslissen wat ze met haar leven wilde. Het zou betekenen dat ze haar comfortabele vertrekken in het landhuis van haar moeder zou moeten verlaten. Dat ze zelf haar was zou moeten doen, zelf eten koken, zelf... Haar hoofd tolde bij de gedachte aan wat haar te wachten stond. Een lichte misselijkheid golfde uit haar buik omhoog.

Zachtjes veerde de Bentley de oprijlaan van het landgoed op. Een gouden gloed verlichtte de tuin tot aan de halfronde entree van het huis. Muziek en getinkel van glazen klonken uit de hal. Het was niet ongewoon dat moeder een van haar vele soirees georganiseerd had voor haar klanten. Alsof twaalf uur per dag werken niet genoeg was, werden de avonden gebruikt om de banden met haar clientèle aan te halen.

Voordat VandeDonkelaere aan haar kant van de auto kon zijn, was ze al uitgestapt.

'Dank u, ik red me verder zelf wel.' Ze probeerde ongezien door de grote hal naar haar eigen vertrekken te sluipen, maar vanuit de salon ontwaarde haar moeder haar.

'Daar hebben we onze ster!' schalde ze met luide stem. Het geroezemoes verstomde en alle blikken waren op de nieuwkomer gericht. Bella liet haar tas vallen en liep met opgeheven hoofd de salon in.

'Gefeliciteerd chérie, met uw stap naar roem en bekendheid.' Het was een vreemde gewaarwording om voor het eerst van haar leven onverholen trots in haar moeders ogen te zien. Een gelukzalig gevoel spreidde zich als een warme gloed door haar binnenste. Ze nam een glas met roze champagne aan en hief het naar haar moeder.

'Verrassing, Bella! Ik heb snel een paar mensen uitgenodigd om de triomf te vieren.' In de pompeus ingerichte salon hieven alle aanwezigen het glas. In de rij gezichten die haar vrolijk toelachten, zag Bella echter geen van haar vrienden. Langzaam drong de trieste waarheid tot haar door, alle aanwezigen waren zakenrelaties van haar moeder. Ze had van de gelegenheid gebruikt gemaakt om Elody Mode te promoten.

Toen Bella de volgende morgen de ontbijtkamer in liep, zat haar moeder met haar ochtendkrant aan tafel. Ze moest het haar nageven, feest of geen feest, Elody verscheen iedere morgen tot in de puntjes gekapt en gekleed om half acht aan de ontbijttafel. Ze had dan al een half uur gesport in de gym en haar agenda voor die dag geraadpleegd. Ze zag haar moeders afkeurende blik naar haar gekreukelde pyjama gaan.

‘Hebt u niets beters om aan te trekken?’ Heimelijk vroeg Bella zich af of ze opzettelijk probeerde deze afkeurende reactie bij haar moeder op te roepen.

‘Sorry maman, ik was nog moe vanmorgen.’

‘Een rijkostuum kan ik in de ochtend aan het ontbijt tolereren maar een gekreukelde pyjama getuigt van disrespect naar uw huisgenoten.’ Bella was na al die jaren gewend aan het feit dat haar moeder het chic vond haar kinderen met ‘u’ aan te spreken.

‘Gezien mijn nieuwe ‘job’ lijkt het mij verstandig voorlopig geen paard te rijden. Stel dat ik val.’ Handig omzeilde ze haar moeders opmerking.

Elody stond op en liep naar het buffet waar het ontbijt stond opgesteld. Het was onafwendbaar, de vragen zouden nu komen. Over de rand van haar theeglas observeerde ze haar moeder. Haar haren werden met een enkele hoornen haarspeld vastgehouden, haar oorlelletjes waren opgesierd door twee witte parels.

De vrolijke sfeer van de vorige avond was samen met de gasten verdwenen. Het was tijd voor de werkelijkheid. Haar moeder draaide zich om en keek haar aan. Bella wendde haar blik af en keek naar buiten.

‘U zult waarschijnlijk in Amsterdam moeten gaan wonen. Hebt u al wat kunnen regelen?’ Haar moeder schepte intussen een paar lepels fruit over haar schaaltje met yoghurt. Ze was net zo gedisciplineerd in haar eetpatronen als ze was met al haar overige gewoonten. Gebiologeerd keek Bella naar dit proces. Vier lepels yoghurt, drie lepels fruit, daarna een gekookt ei zonder zout, gevolgd door een geroosterde boterham met Engelse marmelade.

‘Ja,’ gaf ze alleen ontwijkend als antwoord.

‘Ja op wat?’ Rustig ging haar moeder door.

‘Ja, ik zal in Amsterdam moeten gaan wonen.’

‘Maar u hebt nog niets gevonden?’ Bella vroeg zich af hoe lang ze de conversatie op deze manier kon rekken. Ze wist dat haar moeder om precies om kwart over acht door VandeDonkelaere naar haar kantoor gereden werd. Ze zakte onderuit en prikte lusteloos in de gebakken eieren met spek. Gisterenavond had ze iets teveel gedronken en een lichte hoofdpijn klopte tegen haar schedeldak. Men zei dat een stevig ontbijt je van een kater af kon helpen, maar echt zin om te eten had ze niet.

'Ik heb daar nog geen tijd voor gehad, maman.' Het woord moeder op z'n Frans uitgesproken, deed altijd wonderen. Het gaf haar moeder het voldane gevoel dat de dure opleiding die ze haar dochter gegeven had, ook loonde. Bella sprak vloeiend Nederlands, waarin geen spoortje Vlaams accent te horen was, Engels, Duits, Frans en Spaans. Elody behandelde haar kinderen net als haar kledinglijn. Alleen het beste was goed genoeg. 'Kwaliteit verkoopt zichzelf' was haar motto.

Haar moeder keek misnoegd naar de lange gestalte in de gekreukelde pyjama. Toen Bella's vader overleed, een zachtaardige, ontwikkelde man die liever met boeken en schilderijen in de weer was dan met zijn kwakkelende groothandel, had haar moeder het bedrijf overgenomen. Tijd om te rouwen had ze nauwelijks gehad want de zaak bleek een puinhoop. Ze had snoeihard moeten saneren, mensen ontslagen en een gigantische voorraad onverkoopbare kleding voor welhaast niets van de hand gedaan. De dag dat de bedrijfsruimte uiteindelijk leeg was, haalde ze opgelucht adem. Ze had nog maar een heel klein kapitaaltje over waar ze met haar beide kinderen van moest leven. In plaats van een veilig baantje te kiezen en het geld weg te zetten voor de opleiding van haar zoon en dochter, had ze besloten in zichzelf te investeren. Wekenlang bezocht ze een onafzienbare rij bankgebouwen en sprak ze met een colonne van zelfingenomen bankdirecteuren die haar steevast weigerden geld te lenen. Totdat haar moeder een Milanees modehuis bereid vond in haar te investeren op voorwaarde dat ze de Italiaanse modelijn in België zou introduceren en vijf jaar lang kleding van ze af zou nemen. Het klikte tussen haar en de Giancomo's. De uiterst elegante creaties stonden haar aan. Haar moeder wist de Italianen te overtuigen kleine aanpassingen aan de kleding te doen zodat de modellen wat beter geschikt waren voor de noordelijke helft van Europa. Bijna twee decennia later was Elody Mode niet alleen in België een begrip, ze had haar keten uitgebreid naar Nederland, Luxemburg en Frankrijk. Ze had een huis in Milaan en een appartement in New York waar ze een aantal malen per jaar naartoe reisde om op de hoogte te blijven van de nieuwste trends.

'Ik zal Sophie vragen onze mensen in Amsterdam te bellen om wat voor u te zoeken. Wanneer begint u?' Natuurlijk zou haar moeders secretaresse in staat zijn een uiterst smaakvol appartement voor haar te vinden, dat was wel het minste waar een dochter van Elody Casteurs recht op had.

'Ja maman, maar ik weet niet of ik daar blijf wonen. Misschien kan ik beter eerst wat huren.'

'Nonsens, ik wil niet dat u in zo'n vieze huurwoning gaat wonen. We zoeken een mooi appartement, dat is een betere investering.'

'Ja maar...'

'Luister eens goed naar me, Bella. U zult nu moeten beslissen hoe u in dit leven wilt staan.' Rustig dronk haar moeder haar kopje Earl Grey thee met een vleugje melk om aanslag op haar tanden te voorkomen. Ze zette het delicate Engelse porselein op tafel en richtte haar staalblauwe ogen op haar dochter.

'Wilt u dit leven leiden met grandeur en een visie op de toekomst of wilt u klein en voorzichtig in de wereld staan met angst voor elke verandering?' Bella haalde adem om haar moeder een ontwijkend antwoord te geven, maar die was haar voor.

'Isabella Casteurs, ik ga deze discussie niet zomaar met u aan. U zult hierover na moeten denken, en moeten handelen al naar gelang uw keuze.' Resoluut stond ze op. 'Voorlopig neem ik de beslissing voor u, tot u uzelf voldoende kent om een keuze te maken.' Door de blik in haar moeders ogen, wist ze dat hier geen discussie mogelijk was.

Bella stond voorzichtig op van het smalle bed waar ze net met Van Wadenooyen gevreeën had. Uitgeput was de gezette man in slaap gevallen, zijn buik hing over de rand van het bed en zijn gezicht lag verfrommeld in de kussens. Haast meewarig keek ze naar hem, de relatie begon haar te vervelen. Ze had genoeg van zijn pathetische attenties en ze zag eigenlijk het nut van het bevredigen van zijn behoeftes niet meer. Ze had de rol, de musical stond al vele maanden met succes in de grotere schouwburgen van Nederland en vervangen kon hij haar op korte termijn met zo'n volle speellijst niet meer. De kritieken waren uitzinnig geweest. Van Wadenooyen werd geprezen om zijn gedurfde vertolking van het klassieke stuk, maar het grote succes van de musical was Bella. Met open armen werd de Belgische door het Nederlandse volk ontvangen. Al snel behoorde ze tot de coryfeeën van de showbusiness en de naam 'Bella' was een merknaam geworden. Ze had zelfs al een aanvraag gekregen om haar naam te gebruiken voor een geurlijn.

De grote regisseur op het smalle bed draaide zich om zonder wakker te worden. Hij gromde een paar onverstaanbare woorden. De weerzin in Bella werd groter.

Terwijl ze zich aankleedde, viel het haar op dat ze magerder geworden was. Het Laura Ashley-jurkje met bloemetjesmotief waar Van Wadenooyen helemaal wild van werd, slobberde om haar lijf. Schuldbewust dacht ze na wanneer ze voor het laatst echt gegeten had.

Ze miste de maaltijden die ze thuis geserveerd kreeg. Elody haatte koken en zo lang als Bella zich kon herinneren, waren de maaltijden verzorgd door Anne-Marie, een gezette weduwe met vijf onhandelbare zoons. Toen haar kinderen ouder en zelfstandiger werden en het huishouden van Elody zich uitbreidde met VandeDonkelaere en het tuinpersoneel, was ze uiteindelijk met haar jongste zoon op het landgoed komen wonen. De vele zakendiners die er gehouden werden, hadden Anne-Marie door de jaren heen tot een vaardige chef-kok gemaakt. Vaak had Bella haar toevlucht gezocht in de grote keuken en gebiologeerd had ze toegekeken hoe de weduwe de meest onwaarschijnlijke ingrediënten wist om te toveren tot heerlijke gerechten. Bella had het culinaire onvermogen van haar moeder geërfd. De laatste maanden had ze vooral 'zondig' gegeten, maar het enige effect was dat ze magerder was geworden. Het beetje babyvet dat ze nog had van haar tienerjaren, was voorgoed verdwenen. Bella was uitgegroeid tot een sierlijke zwaan.

Van Wadenooyen draaide zich weer om in zijn slaap, zijn hand raakte hierbij pijnlijk hard de muur. Hij schrok wakker.

'Ga je al weg?' vroeg hij terwijl hij zich loom uitrekte.

'Ja, het is laat en morgen hebben we voor de voorstelling nog een 'fotoshoot', weet je nog?' En je vrouw zal zich ook wel afvragen waar je blijft, dacht ze erbij. Maar ze had absoluut geen zin om de terechtwijzende maîtresse te gaan spelen. Hij ging rechtop zitten en greep naar zijn pakje sigaretten.

'Ze komen toch voor jou, Bel. Je weet dat je de publiekslieveling bent, onze eigen Belgische Belle.' Hij grinnikte bij de gedachte dat hij haar had ontdekt, hun namen zouden voor altijd onlosmakelijk met elkaar verbonden blijven, net als Brigitte Bardot en regisseur Roger Vadim. Hij hees zich overeind.

'Je moet natuurlijk wel aan je imago blijven werken, meisje. Het is een keiharde wereld. Vandaag sta je nog op de covers van de bladen, maar morgen kan het weer over zijn. Heb je al nagedacht over je volgende rol?'

Ze keek hoe hij de sigarettenrook gulzig inhaleerde. Met moeite glimlachte ze naar de man op het bed.

'Natuurlijk lief, jij gaat vast zorgen voor een volgende kaskraker en dan word ik natuurlijk weer jouw 'leading lady'!' Even gleed er een bedachtzame blik over zijn gezicht. Hij drukte de sigaret uit in de asbak en liep naar haar toe.

'Natuurlijk pop.' Hij ging achter haar staan en drukte zich tegen haar aan. Zijn handen gleden over haar armen. Ze voelde zijn warme adem in haar nek.

'Je wordt mooi slank, Bel.' Zijn handen streelden haar platte borstkas, even aarzelden ze bij haar tepels. Toen gleden ze verder naar beneden, langs haar heupen. 'Je bent bijna een jongen zo.' Hij duwde zijn halfzachte geslacht tegen haar billen en beet in haar nek.

'Pas op! Geen plekken, dat krijgen ze nooit weg.' Het was niet de eerste keer dat Annelous van de make-up afdeling haar wenkbrauwen veelbetekenend had opgehaald bij het zien van de sporen in haar hals. De blauwe plekken op haar lijf had ze verborgen weten te houden.

'Bel, je maakt me gek. Kom hier.' Bruusk trok hij haar jurk omhoog en duwde haar benen van elkaar. Kokhalzend draaide ze haar hoofd weg.

'Paul, je vrouw! Je moet echt gaan.'

'Mmm, aaahh, ah.' Hij gromde als een dier dat gestoord wordt tijdens het voederen.

'Paulie, schat, morgen is er weer een dag! Ik moet echt gaan.' Ze duwde hem van zich af. Resoluut deed ze haar jurk goed en pakte haar tas. Buiten het theater haalde ze diep adem. De prijs voor de rol viel haar de laatste tijd steeds zwaarder.

Ze graaide in haar tas naar de sleutel en opende de deur van haar appartement aan het Singel. Het was laat. Met een boog gooide ze de sleutels in de antieke schaal die Elody haar had geschonken voor haar nieuwe onderkomen. 'Je entree hoort grandeur uit te stralen en daar hoort op zijn minst een antiek stuk bij.' De schaal werd gebruikt voor sleutels, elastiekjes, aanstekers, postzegels, paperclips en lippenstiften. Ze sleepte haar zware kledingtas naar de kamer en plofte op de bank. Oneerbiedig legde ze haar voeten op de salontafel. Haar blik werd getrokken door het knipperende lichtje op haar antwoordapparaat. Landerig drukte ze de afspeelknop in. Feestje, opening, feestje, opening, receptie, bla, bla, bla, ze luisterde half naar de berichten terwijl ze haar voeten masseerde. Ze was moe en verlangde naar een heet bad om de geur van Van Wadenooyen van zich af te spoelen. Het leek wel alsof zijn vrijages heftiger werden naarmate zij slanker werd. Ze stopte met masseren. Of had het niets met haar gewicht te maken? Voelde hij dat ze hem zat begon te worden en werd hij bang dat ze naar een ander zou gaan? Zuchtend stond ze op en liep richting de badkamer. Plotseling klonk de heldere stem van haar moeder uit het apparaat.

'Kindje, omdat u nu een gevierde ster in Nederland bent, leek het mij een leuk idee u bij mijn komende modeshow een aantal modellen te laten showen. Denk er maar over na, maar ik denk dat dit heel goed voor uw carrière is. Belt u me?'

Typisch moeder, ze wist het altijd zo te draaien dat het leek alsof ze je een geweldig voorstel deed, terwijl het in werkelijkheid alleen maar in haar eigen belang was. Nooit had ze Bella gevraagd toen ze nog een onbeduidend studentje was, maar nu ze beroemd was en de goede maten had, was ze te gebruiken. Boosheid welde in haar op. Haar hand ging naar de herhaaltoets van het antwoordapparaat. Ze luisterde het bericht een aantal keren af. Langzaam maakte de boosheid plaats voor een ander gevoel, een heerlijk gevoel. Haar moeder belde haar! Haar moeder had haar nodig! Ze voelde zich trots, want de najaarsshow was een van haar moeders belangrijkste shows. Ze presenteerde dan altijd haar befaamde skikleding. Elody Mode was het enige damesmodemerk dat ieder jaar een eigen skilijn presenteerde. Skiën stond voor haar moeder voor een levensstijl. Voor goedgeklede mannen en vrouwen die elegant de pistes af zoefden om aan het einde van de dag in een rustiek gestileerde bar goed gekapt en vrolijk van een glas glühwein, of liever een glas 'vin chaud' te nippen. Bella dacht na. Dit was eindelijk haar kans om haar illustere broer Jean Paul te evenaren in het respect en de aandacht van haar moeder.

De laatste keer dat ze moeder gesproken had, ging de helft van het gesprek over haar succesvolle broer, zijn marketingbedrijf in Barcelona, zijn geweldige kinderen, het appartement dat hij zich op de Paseo de Gracia kon veroorloven. 'Alles marmer, kind. Geweldig, de hal alleen al in dat gebouw. Helemaal uitgevoerd in roze geaderd marmer, Aurora Dorada uit Portugal nota bene en dat is niet goedkoop.' Natuurlijk had moeder verstand van marmer, net zo goed als ze verstand had van goede wijnen en champagnes, mooie houtsoorten en alles wat maar klasse en elegantie uitstraalde.

Jean Paul deed het goed, hij had de zakelijke genen van moeder geërfd. Hij was een zoon naar haar hart, een zoon om trots op te zijn. Moeder nam het daarbij voor lief dat ze hem nauwelijks zag en hij op alle belangrijke feestdagen schitterde door afwezigheid.

Alsof ze een fraaie edelsteen bestudeerde, zo draaide Bella haar moeders verzoek in haar gedachten rond. Een plan vormde zich in haar hoofd, de volgende morgen zou ze haar moeders secretaresse Sophie bellen. Ze wilde haar moeder duidelijk maken dat dit een zakelijke transactie zou worden.

'Paul,' zei ze die volgende avond vlak voor het optreden tegen de regisseur.

'Ja duifje.' Afwezig keek hij door het gordijn de zaal in. Het publiek in Gouda zat geduldig in het programma te lezen. Ze hadden die middag net een fotosessie voor een glossy tijdschrift achter de rug. Het was de zoveelste publicatie. En ieder blad wenste zijn eigen reportage. Toneelfoto's maken was een zweterig werkje waarbij het geduld van de acteurs en de lichttechnici eindeloos op de proef werd gesteld. Daarna hadden ze nog een aantal oersaaie interviews moeten geven aan redacteuren van de kunstrubrieken die steeds maar weer dezelfde vragen bleven stellen. Het was eigenlijk vreemd dat journalisten nooit met originele vragen kwamen. Altijd weer vroegen ze naar de platgetreden paden.

'Paul!' Bella trok Van Wadenooyen aan zijn mouw.

'Ja, sorry. Ik was in gedachten.'

'Zou ik eind van deze maand een weekend weg kunnen?'

'Over drie weken zitten we middenin de zomervakantie, dan doen we alleen Winschoten, daarna Assen, Groningen...' Over een maand ging hij met zijn gezin verplicht een aantal weken met vakantie. 'Geen probleem lijkt mij. Ga je iets leuks doen?' Meewarig keek Bella hem aan. Het laatste had aardig bedoeld moeten zijn, maar de jaloerse toon van zijn stem verraadde hem.

'Nee, een schnabbel in België.' Ze vertikte het om hem de waarheid te vertellen. Gelukkig had de roddelpers nooit het verband tussen haar achternaam en Elody Mode gelegd. Haar privé-leven ging hem niets aan.

'Oké, ik hoor wel hoe je het gehad hebt.' Hij wilde er nog een waarschuwing aan toevoegen toen hij plotseling een bekende gestalte op de eerste rij ontwaarde.

'We hebben beroemd bezoek, Bella. Leendert Hendrikse zit in de zaal.' Bella keek met hem mee.

'Is dat niet die man van die ontdekkingsprogramma's?' Zonder zijn ogen van de man af te wenden, antwoordde Van Wadenooyen: 'Dat is wat simpel uitgedrukt. Die man wordt praktisch in één adem genoemd met namen als Sir David Attenborough, Jacques-Yves Cousteau en hoe heet hij, die nieuwe uit Australië? Ja, Steve Irwin, de krokodillenman. Het is heel wat voor Nederland om zo'n bekendheid te hebben. En deze man komt naar onze voorstelling...'

Bella kon haar nieuwsgierigheid niet bedwingen.

'Hij zit tussen twee vrouwen, een blonde en een brunette. Familie van hem denk jij?'

'Nou,' zuchtte Van Wadenooyen om de banale gedachte die bij hem opkwam. 'Het zou me niet verbazen als hij met beide vrouwen slaapt.' De gedachte was eruit voordat hij het zich goed en wel realiseerde. Middelmatige, middelbare man met erotische fantasieën die hij niet met zijn echtgenote kon delen. Bella staarde haar minnaar vol verachting na terwijl hij van het toneel liep.

Een beschaafd applaus klonk vanachter het dunne witte doek met de grote goudomrande letters 'Elody Mode'. Het publiek in de zaal, een mengeling van bekende personen en inkopers van grote modezaken, stond op om zich naar de receptie met champagne te begeven. Het echte netwerken kon beginnen. Bella had achter in de zaal de roddelbladfotografen als raven zien samenscholen. Gewapend met hun camera's stonden ze klaar om hun slachtoffers aan te vallen. Haar moeder kwam geanimeerd pratend met een van haar beste klanten aanlopen, ze zag er opgewonden uit. Glimlachend keek ze naar haar dochter.

'U was geweldig. Ik ben werkelijk trots op u!' Ze bood haar dochter haar wang aan om een kus in ontvangst te nemen. De klant, een Nederlandse vrouw met een fors postuur, viel haar moeder bij. 'Je moeder heeft gelijk, met dat figuurtje van je doe je niet onder voor de professionele mannequins.' Schuldbewust streek Bella snel over haar buik. Waar ooit een klein, zacht heuveltje had gezeten, zat een kuil. Haar musicalkostuums begonnen haar ruim te zitten en zelfs haar strakste spijkerbroek begon te slobberen. Ze wilde een gevat antwoord verzinnen maar de vrouw was al weer door gelopen met haar moeder in haar kielzog. Terwijl ze snel in de lege kleedkamer haar eigen kleding aantrok en haar tas zocht in de chaos van kleding en make-up, werd ze door haar moeders assistente benaderd.

'Bella, die Van Wadenooyen heeft weer gebeld, of je terug wilt bellen.' Haar stem klonk geïrriteerd en zonder antwoord af te wachten liep de assistente op een drafje weg. De spichtige Janine had haar rol bij de voorstellingen in Winschoten en Assen overgenomen. Met matig succes. Bella moest ook in Groningen verstek laten gaan. Haar moeder had op het laatste moment een tweede show in Brussel ingelast, en ze was al drie dagen langer weg dan afgesproken. Van Wadenooyen was laaiend, het was al de derde keer dat hij die dag gebeld had. Maar Bella kon de moed niet opbrengen hem terug te bellen. Ze was zijn aanwezigheid, zijn constante vraag om bevestiging zat. Hij leek wel een bloedzuiger die haar jeugd en energie nodig had om te leven. De afgelopen week had aangevoeld als een welverdiende vakantie. Bij de bar pakte ze een glas champagne. Het goudgele, bruisende vocht gleed haar keel in. Een heerlijk licht gevoel trok door haar lichaam. Snel pakte ze nog een glas dat ze meteen leeg dronk. Met een derde glas in haar hand wilde ze naar de prachtig gedekte tafel met hapjes lopen. Plotseling voelde ze een hand onder haar elleboog.

'Hé, rustig aan, zusje. Dat spul is geen melk.'

'Jean Paul, lieverd! Wat leuk dat je er bent. Heb je me zien lopen? Goed hè? Ik lijk wel een professioneel model. Kom, geef je zus een zoen, dan hebben de fotografen een mooi plaatje: 'Beroemd toneeltalent zoent onbekende man'.'

'Onbekende knappe man zul je bedoelen.' Jean Paul drukte zijn zus tegen zich aan terwijl hij haar een kus op haar wang gaf. 'Je wordt mager, Bella. Heb je echt aspiraties om dit vak in te gaan?'

'Nee, ik vergeet te eten. Ben je hier alleen of heb je vrouw en kindjes bij je?' Ze keek om zich heen. Eigenlijk had ze de laatste jaren weinig van zich laten horen. Koortsachtig dacht ze na over haar broers kinderen, de kleine bleke Eduard en zijn zusje Nuria. Hoe oud zouden ze nu zijn? Eerlijk gezegd was ze niet dol op haar schoonzus. Christina was een Catalaanse van geboorte. Haar ouders bezaten een groot bedrijf in Madrid en Jean Paul had haar ontmoet tijdens een afspraak met haar vader. De jonge Christina was net als receptioniste begonnen op kantoor. Ze had schattig en decoratief achter de immense marmeren balie in de hal haar nagels zitten vijlen toen hij zich bij haar meldde. Jean Paul wist niet dat hij met de dochter van de directeur te maken had. Ze had er zo ontwapenend bij gezeten. In een opwelling had hij haar verteld zenuwachtig te zijn voor het gesprek om een grote order die hij hard nodig had. Het was liefde op het eerste gezicht. Voor Christina was de slanke Belg die er met zijn blonde haar en atletische bouw uitzag als een jonge Noorse god, het antwoord op haar dromen.

Terwijl hij met haar praatte, voelde Jean Paul zich rustiger worden, compleet gebiologeerd staarde hij naar dit vrolijke meisje. Gedreven door een oerinstinct ouder dan de mensheid zelf wist Christina precies hoe ze haar kaarten moest spelen om te krijgen wat ze hebben wilde. Voordat Jean Paul het wist, was hij thuis bij de familie Aragonès i Perales uitgenodigd voor een partijtje tennis, en later voor een soireetje en nog veel later was hij een vaste gast aan huis.

'Nee, ben helaas alleen.' Zonder verdere uitleg te geven, laadde hij een bordje vol met delicate hapjes. 'Hier, eet eerst eens wat. Ik herkende je bijna niet meer.'

'Dat komt omdat jij die stevige Spaanse dames gewend bent.'

'Die zien er in ieder geval gezond uit.'

'Bevalt Barcelona?' Ze stak voorzichtig een prachtig opgemaakt torentje van garnalen in haar mond.

'Ja, beter dan Madrid. De Catalanen zijn betere zakenmensen, vind ik. Ze begrijpen het belang van reclame en marketing.'

'Fijn voor je, dus het gaat goed?' Weer voelde ze zich schuldig, ze had geen idee hoe het met het bedrijf van haar broer liep. Jean Paul sprong in het open gat. Enthousiast stortte hij een lading cijfers over haar uit. Haar aandacht dwaalde af.

In de verte zag ze haar moeder omringd door de beau monde, moeiteloos gleed ze van het ene gesprek naar het andere. Hier een elegante zoen op de wang, daar een bemoedigend kneepje in de arm. De pr-machine Elody draaide op volle toeren.

'Hoe vind je dat nou? Geweldig, hè!' Jean Paul keek haar vol verwachting aan. Ze had het laatste deel van zijn verhaal totaal gemist.

'Dus daarom ben je hier?' vroeg ze op goed geluk. Het was een goede gok, haar broer ging gelijk weer verder.

'Ja, kun je het geloven? Mijn eigen moeder heeft mij een opdracht gegeven. Ze wil de Spaanse markt veroveren nu de Olympische Spelen er aankomen.' Weer volgde er een opsomming van feiten en getallen. Ze zag haar moeder in de verte naar haar wenken, het was tijd om haar dochter, de beroemde musicalster, voor te stellen.

'Ik geloof dat ik moet aantreden, Jean Paul. Loop je mee?'

'Dat is goed, maar je moet me wel beloven dat je het doet.'

‘Wat moet ik doen?’ Ze had weer een deel van zijn verhaal gemist.
‘De show, Barcelona. Moeder wil dat je meegaat en de show loopt in Barcelona.’

Het was laf hem het nieuws telefonisch te brengen, maar het kon haar niet schelen. Ze had hem niet meer nodig. Zoals verwacht nam Van Wadenooyen het niet goed op. Hij was kwaad en schold haar uit voor slet en hoer. Ze had hem het hoofd op hol gebracht, ze was de oorzaak van zijn slapeloosheid, van zijn problemen met zijn vrouw, van zijn niet-in-staat-meer-zijn iets te produceren. Gelaten had ze de stortvloed van verwensingen over zich heen laten komen. Ze was opgelucht. Ze hoefde niet meer terug naar de optredens, ze hoefde niet meer terug naar het wankele bed in de kleedkamers. Ze was uitgekeken op de middelbare man die ze bij haar hoofdrol op de koop toe had moeten nemen. En na al die voorstellingen had ze ook genoeg van Hermia, ze was uitgekeken op de rol.

Toen ze het gesprek wilde beëindigen, werd hij wanhopig. Hij probeerde een afspraak met haar te maken.

‘We moeten een reden voor je vertrek verzinnen, Bella. Je kunt niet zomaar wegblijven. Dat zal je carrière enorm schaden. Ik kan je daarbij helpen.’ Zijn stem klonk pathetisch.

‘Je kunt toch zeggen dat ik geblesseerd ben. Of iets aan mijn stem heb gekregen?’

‘Liefje, daar moet je niet mee spotten. Heb publiek kan echt genadeloos zijn.’

‘Of je zegt dat wij ruzie hebben gekregen. Verschil van inzicht!’

‘Doe niet zo dom, Bella. Het inzicht heb ik! Jij bent maar een middel. Onthoud dat goed, jij was ruw materiaal dat door mij gevormd is!’ Het beetje medelijden dat ze aan het begin van het gesprek had, verdween bij deze laatste opmerking. Ingehouden woede borrelde omhoog.

‘Nou, dan ga je toch Janine ‘vormen’. Kun je daar je tanden inzetten,’ voegde ze er sarcastisch aan toe. Even was het stil.

‘Alles heb je aan mij te danken,’ klonk het toen verbeten aan de andere kant van de lijn. ‘Ik zal zorgen dat je nooit meer ergens werk krijgt.’ De verbinding werd verbroken en Bella haalde opgelucht adem.

Mickie

De golven rolden in een eindeloos ritme heen en terug over het strand van de Paseo Marítimo van het Spaanse Rosas. De late middagzon hing laag boven de horizon en gaf de Middellandse Zee een prachtige zilveren gloed, de serene golven spoelden in verschillende tinten zilver aan op het verlaten strand. Daarboven hing een waas die leek te bestaan uit minuscule zilveren lichtjes.

Mickie boorde haar voeten nog verder in het zand. Ze wist niet meer hoe lang ze hier al zat, maar toen ze kwam scheen de zon nog volop en had de zee een heel andere kleur gehad. Eindeloos kon ze naar de zee kijken, ze kende al haar kleuren en buien. Van intens blauw op een mooie dag, naar groen bij naderend onheil tot zwart bij een hevige storm. Ze voelde zich vertrouwd met de zee, de zee begreep haar en voelde met haar mee. Ze had dagen dat ze haar gasten vol overgave van voedsel en plezier voorzag, en dagen dat mensen haar de keel uithingen. Dagen dat ze genoeg had van het grote witte hotel en de nooit aflatende stroom gasten met hun wensen en eisen. Op die dagen zocht ze de zee op. Ze hield ervan wanneer de zee ontembaar en woest was en met grote golven het strand schoonveegde. Het leek alsof de zee na iedere storm haar ongenoegen op het strand uitbraakte en het daarna weer schoonspoelde.

Soms voelde Mickie het verlangen op het strand te gaan liggen en de golven over zich heen te laten spoelen, zich door de zee mee te laten nemen en het gewoon aan haar wijsheid over te laten waarheen ze gebracht zou worden.

Ze rilde en merkte dat ze het koud begon te krijgen. Ze trok het grijze trainingsjasje dat ze die middag in haar haast meegenomen had aan en stond op. Ze sloeg het natte zand van zich af en rekte zich uit. Ze was stijf geworden van het zitten. In de verte, haast onzichtbaar door het verdwijnende licht, stond een wit gebouw. Ze voelde dat het haar riep. Het trok aan haar alsof een onzichtbaar koord hen samenbond en steeds wanneer ze te ver was afgedwaald, werd ze met zachte dwang terug naar huis gelokt. Op het witte gebouw prijkte met elegante letters de naam 'La Baja de Rosas'. Het was het oudste en bekendste hotel van de stad. Een gebouw uit vervlogen tijden, toen Rosas een chique badplaats was waar in plaats van toeristen, nog badgasten kwamen. Badgasten uit Spanje maar ook uit het nabijgelegen Frankrijk. Het hotel werd in de zestiger jaren bezocht door hippe gasten in open sportauto's. Vrouwen met wijde, korte rokken, gebreide vestjes, een sjaaltje losjes om het haar geknoopt zodat de wind daar geen vat op kreeg en mannen met een gebruinde huid in vlotte tennis- of zeilkleding. Ze waren allemaal naar het hotel gekomen om er te zien en gezien te worden. Maar eind jaren zeventig was 'La Baja de Rosas' in verval geraakt.

Zo hadden Mickie en Gary het elf jaar geleden aangetroffen. Na jaren van hard werken, hadden de gasten het hotel uiteindelijk weer gevonden. Dit keer kwamen ze echter niet om gezien te worden maar voor de keuken. De vermaarde keuken van Mickie Jarvis.

Mismoedig keek Mickie naar haar handen, haar huid was eeltig geworden door het harde werken. De nagels die hygiënisch kort gevijld waren, kenden al jaren geen nagellak. Door de jaren heen had het sjouwen met grote bakken groenten, vlees en vis haar gespierd gemaakt. Nadenkend streek ze met twee handen door haar korte, donkerblonde haar, zelfs haar haren waren praktisch. Alle vrouwelijkheid die ze ooit bezeten had, was in de afgelopen jaren verdwenen. Kinderen had ze in haar twaalfjarige huwelijk met Gary niet gekregen, dat voorrecht was klaarblijkelijk niet voor haar weggelegd. Het leek alsof het leven haar alleen geschikt vond om hard te werken, te ploeteren, te sjouwen.

Ze glimlachte wrang naar de handen; wat waren ze jong en enthousiast geweest toen Gary en zij de bouwval kochten. Haar blik dwaalde over de kust terug naar die fascinerende zee. Het landschap hier leek in niets op het gebied waar ze vandaan kwam. Het graafschap Lancashire in het noorden van Engeland was groener van kleur en ouder, donkerder en natter dan het vruchtbare noorden van Spanje. De Costa Brava kende ook groene gebieden. Maar het groen was er door het mediterrane licht van een heel andere aard, vrolijker en minder serieus met duizenden kleurschakeringen in de dichte bossen. Zo anders dan haar geboortestreek. Daar beukte een donkere oceaan onophoudelijk tegen de ruige kust. Zelfs hoog op de kliffen die gegeseld werden door de wind, werd je nat van de sproeimist van de golven. Ze haalde zich de naargeestige nauwe straatjes van haar geboortestad weer voor de geest. En de pub van haar ouders. Ze rook de geur van het oude pand met de van bier doordrenkte vloerbedekking die aan de randen helemaal grijs geworden was van het jarenlange opgehoopte stof. De geur van het vette kroegvoedsel, van de eieren met bacon, worstjes en tomaten die 's ochtends aan de arbeiders op weg naar hun werk werden geserveerd. De tafeltjes en stoelen die al zo vaak in de was waren gezet dat je handen er aan bleven plakken.

Ze keek op haar horloge en schrok hoe laat het was. Met een schouderophalen trok ze haar schoenen aan en liep richting het hotel. Binnensmonds prevelde ze haar vaste bezwering: 'Another day, another problem.'

Op weg naar het hotel werd Mickie door een aantal voorbijgangers gegroet.

'Hola Mickie, ¿qué tal la vida? Hoe gaat het leven? Alles goed met je? We komen binnenkort weer bij je eten.' Ze was na al die jaren een goede bekende in het oude centrum. Haar kookkunst werd door de Spanjaarden zeer gewaardeerd. De hotelkamers waren alleen in de zomer volgeboekt, maar het restaurant was het hele jaar door afgeladen. Voor de zaterdagavond moest zelfs weken van tevoren gereserveerd worden.

Vriendelijk groette Mickie terug. Veel van de mensen kende ze bij naam, nog uit de tijd dat ze de gewoonte had een rondje door het restaurant te maken en haar klanten te begroeten.

Gehaast liep ze het bordes van het hotel op. Het verlichte bord met het menu van het restaurant stond bij de ingang. Snel liet ze haar blik over de kaart gaan. Het dagmenu was bij de vaste kaart gevoegd. Ze liep naar binnen. De ruime marmeren receptie gaf zowel toegang tot het hotel als tot het restaurant. Een geroezemoes klonk vanuit het restaurant, maar de balie van het hotel was onbemand. Plotseling vloog de deur van de keuken open, en een kleine Spaanse vrouw kwam naar buiten.

'Meneer zoekt u. Hij wil weten welke kamers morgen eerst gereed gemaakt moeten worden.' Inma keek haar verwijtend aan. Inma was haar souschef in de keuken en wilde zo weinig mogelijk met de receptie te maken hebben. Dat was niet haar verantwoordelijkheid. Het aansturen van de huishoudelijke dienst hoorde bij Gary; het was zijn taak de lijst van de komende en vertrekkende gasten op te stellen en de planning met de dames van de huishoudelijke dienst door te nemen. Het legertje Spaanse kamermeisjes, dat het hotel al veel langer dan het Engelse echtpaar bestierde, was als een autonoom staatje met een hardnekkig zelfbestuur. Gary had het na een paar jaar strijd opgegeven hen zover te krijgen de kamers per beschikbaarheid schoon te maken. Het was tot hun komst altijd de gewoonte geweest de kamers per verdieping schoon te maken zonder rekening te houden met de aanwezigheid van de gasten. Alleen Mickie was in staat geweest enige verandering hierin te brengen. Het was niet het enige wat ze had moeten veranderen. Ze had het bedienende personeel moeten leren 's ochtends niet met het terrasmeubilair te smijten maar het rustig op zijn plaats te zetten, niet op luide toon in het Catalaans te praten waar de gasten bij waren en ieder verzoek met een glimlach aan te horen en niet gelijk te zuchten alsof je die dag al genoeg te doen had.

Ze liep de bar van het hotel in en trof haar man in gesprek met een van de Engelse gasten.

'Waar was je nou, Mickie? De hele boel loopt hier in het honderd.' Zijn stem werd klagend. 'Je kunt niet zomaar weglopen. Dat heb ik je al zo vaak gezegd.' Snel pakte hij haar arm en loodste haar naar het kantoortje achter de receptie. 'Het restaurant is vanavond weer volgeboekt. En niet alleen met hotelgasten.' Ze wist dat hij haar probeerde te paaien. Ze knikte.

'Waar is de lijst?' vroeg ze zonder verder in te gaan op zijn vleierij. Snel liet ze haar geoefende oog over de mutaties gaan. Ze zette een aantal kruisjes en gaf de lijst terug aan haar echtgenoot.

'Maria kan hier morgen mee aan het werk.' Hij nam de lijst van haar over en ging aan zijn bureau zitten. Zijn gebogen hoofd vertoonde aan de bovenkant een kalende plek. Zijn figuur begon langzaam uit te dijen. Hij zag er meestal verzorgd uit in zijn nette broek met overhemd waarvan hij de bovenste twee knoopjes sportief open droeg. Maar steeds vaker hing zijn buik, op onbewaakte momenten, over zijn riem wat hem een allesbehalve sportief uiterlijk gaf. Zijn enige fysieke inspanning was het hartelijke ontvangen van de gasten en 's avonds een glaasje heffen aan de bar. 'Klantenbinding' noemde hij dat. Weer bekroop haar het zinloze gevoel van die middag waarbij de bodem van haar bestaan leek weg te vallen. Verdrietig keek ze naar het gebogen hoofd van haar man. Was dit die jonge hond, die enthousiaste avonturier die ze jaren geleden in Liverpool, in het hotel waar ze allebei werkten, ontmoet had? Voor de tweede keer die dag dacht ze aan die eerste spannende jaren samen. Ze hadden de taal al werkend moeten leren en waren in het begin tegen honderdduizend problemen aangelopen die ze nooit hadden kunnen voorzien.

'Heeft Inma je het dagmenu doorgegeven?'

'Ja, Josep heeft het al in de menukaart gestopt.' Het was een zinloze vraag, ze had de kaart zelf al gezien. Ze ging naast hem staan en wilde hem aanraken, toen er een rilling door haar heen ging. Ze voelde dat het weer ging gebeuren en sloot haar ogen, maar het hielp niet.

'Stupid, stupid, you are a stupid girl. Ugly, ugly... we'll come and get you!'

De oude angsten lieten haar de laatste tijd steeds minder met rust. De stemmen doken weer op. Ze schudde haar hoofd om ze kwijt te raken. Niet dat ze bang was geweest voor de brutale buurtjongens, die durfde ze met haar vurige blauwe ogen wel aan. Het waren eerder de volwassenen, de buurt. Het nastaren. De kinderen van de pub, zo werden ze genoemd. Maar hun ouders hadden haar en haar broertjes juist verboden ooit in die kroeg te komen. In de ochtend sliepen 'mum and dad' uit en 's avonds werkten ze. Het was haar taak als oudste dochter geweest om haar broertjes op te voeden en liefde te geven. Ze verzon eindeloze avonturen om weg te zijn van het beklemmende huis dat achter de pub gebouwd was. Vaak kwamen ze pas in het donker thuis, met modder op hun kleren en rillend van de gure kou. Toen ze twaalf was, kon ze al een eenvoudige maaltijd van gebraden worstjes, gebakken aardappels en witte bonen in tomatensaus in elkaar flansen. Als een nest honden kropen ze na het eten met zijn drieën tegen elkaar aan op de bank om nog een poosje naar de 'tely' te kijken totdat ze haar broertjes naar bed bracht.

De stemmen hielden aan en stukken van gesprekken, geluiden en geuren drongen zich weer aan haar op. 'Mickie, Mickie... we hebben het koud. Mickie, wat hebben we voor 'tea' vanavond? Petey heeft een gat in zijn broek, Mickie. Niets tegen mama zeggen, hoor!'

Beelden. De muur van rode baksteen, bedekt met groenig mos die achter de arbeiderswoningen liep en waarlangs ze snel naar huis liepen om maar niet gezien te worden. Ze rook de morsige, natte geur van de steeg.

Mickie leunde tegen de muur in het kantoortje, haar adem ging snel. Het zweet stond in haar handen en haar voorhoofd voelde klam aan. Haar knieën leken haar gewicht niet meer te willen dragen. 'Rustig, rustig...' Met grote wilskracht wist ze haar ademhaling onder controle te krijgen. De beelden verdwenen langzaam en het werd weer licht. Ze keek naar de rug van haar echtgenoot die nietsvermoedend over zijn werk gebogen zat. Opgelucht dat hij niets in de gaten had, sloot ze haar ogen weer. Ze moest niet bang zijn, ze kón niet bang zijn. Het was zaak dat ze altijd helder was, in goede conditie en in staat iedere avond een topprestatie te leveren.

'Mickie, kom je me helpen, of blijf je daar wonen?' Ongeduldig klonk de stem van Inma vanuit de keuken. Hoewel ze een paar jaar jonger was dan haar werkgeefster, bestond er weinig hiërarchie tussen de twee. Als een geoliede machine werkten ze al jarenlang samen in de hete keuken, beiden even klein, de een met een Engelse 'peaches and cream' huid, de ander met de olijfkleurige huid van een eeuwenoud ras dat haar herkomst vond in dit Middellandse Zeegebied.

Ze liep snel de krappe keuken in en inspecteerde de koelkasten. Vlees, vis, gesneden groenten, de ovenschotels, alles stond al klaar.

'We moeten de 'crema catalana' nog maken voor vanavond. Jij maakt die beter.' Inma hield Mickie's routineuze handelingen nauwlettend in de gaten. Het favoriete toetje van de Catalanen, de van de Franse buren gestolen 'crème brûlée', was niet moeilijk te maken. Maar het lukte Inma nooit de juiste luchtigheid van de crème te krijgen of de laag suiker gelijkmatig over het toetje aan te brengen. Mickie maakte 's middags vaak al tientallen aardewerken schaaltjes met crema klaar, zodat ze 's avonds alleen nog maar de suikerlaag krokant en bruin hoefden te branden. Inma stond met een stuurse blik naast haar. Mickie staakte haar werkzaamheden en keek haar assistente onderzoekend aan.

Haar huid leek de laatste weken een beetje valer, bleker. Of kwam het door de goedkope tl-verlichting in de keuken? Inma en zij waren altijd twee handen op één buik geweest, maar de laatste tijd kon het minste of geringste de Spaanse al een slecht humeur bezorgen. Zou ze het werk zat zijn? De uren waren lang en het salaris niet geweldig. Maar een baan voor het hele jaar aan de noordkust van Spanje was een unicum. Contracten van vijf of zeven maanden tijdens het toeristenseizoen waren gebruikelijk. Mickie vermande zich. 'Nog even en je gaat spoken zien.' Ze keek op haar horloge. Bijna half acht. De toeristen zouden zo binnen lopen, die aten vroeg. De Spanjaarden aten hun 'cena' pas rond tien uur. Ze zette haar zorgen om Inma aan de kant en concentreerde zich op het werk.

Tegen twaalven werd het eindelijk rustig. Mickie zag er persoonlijk op toe dat de afwasjongen de grote aardewerken schalen voor de 'estofados', de stoofschotels, de bakken voor de 'conejo i cargols a la llauna', konijn met slakken uit de oven, en de bakplaten en roosters waarop alle vis en vlees gebakken en geroosterd werd, goed schoonmaakte.

'De aubergines gingen weer goed vanavond,' zei ze tevreden. Haar 'berenjenas a la cerveza y miel', aubergines die eerst gemarineerd werden in bier en honing, en daarna bestoven met meel werden gebakken in een grote platte pan, vonden altijd gretig aftrek. Net als haar lamskoteletten die ze een dag lang liet marineren in een mengsel van honing, tijm, rozemarijn, zeezout, grove peper en 'balsamico de modena'. De combinatie van het zachte lamsvlees met het zoet en zuur was onovertroffen.

'Ya'. Het antwoord bleef tussen hen in hangen. Mickie wist wat dit Spaanse woord kon uitdrukken. Verveling, desinteresse of zelfs scepsis. Met een schuin oog keek ze naar haar assistente. Inma was bezig met de blauwe kaassaus voor de 'endivias con salsa de queso'. Het was belangrijk dat de saus een nacht lang de tijd kreeg stevig en koud te worden. De salade bestond uit niet meer dan een groot bord met in het midden een schaaltje met koude blauwe kaassaus en daar omheen witlofblaadjes die als lepeltjes gebruikt werden om de saus te eten.

'Ben je moe?' Geen antwoord.

'Het was weer stevig aanpoten vanavond.' Ze ging door alsof ze niet merkte dat er geen antwoord kwam. 'Ik voel mijn rug best wel.' Niets wat Spanjaarden beter uit hun tent lokte dan te praten over hun pijnen. Het Iberische volk kon zwelgen in aandoeningen en kwalen, alsof het hobby's of persoonlijke kwaliteiten waren. Het bleef haar verbazen dat ze in de meest afgelegen dorpen de modernste apotheken en drogisterijen vond die de dorpelingen met een eerbied als ware het een kathedraal betraden.

'Ja, ik voel mijn rug ook.' Ze had beet.

'Draag je die houten slippers nog die ik voor je meegenomen heb uit Duitsland?' Beter nog maar even bij het thema blijven.

'Ja, maar zelfs dan...' De zin stierf weg in een zucht. De spoken van die middag kwamen weer terug. Inma zag er de laatste tijd inderdaad niet goed uit. Wallen onder haar ogen, bleek en een beetje pafferig. Mickie huiverde. Ze moest er niet aan denken dat haar assistente ziek zou worden, ze zou niet weten hoe ze de keuken zonder haar zou moeten draaien. De keukenhulpen waren net in staat het hak- en snijwerk te doen, maar daar hield het bij op. Het bereiden van de gerechten was professioneel werk. Zeker in een land waar de menukaart bestond uit traditionele gerechten die al eeuwenlang door de moeder des huizes waren klaargemaakt. Iedere avond weer moesten ze presteren voor een Spaanse vakjury.

Inma dekte de grote schaal saus af met plastic en zette hem in de koeling. Ze deed haar schort af en liep naar de deur die uitkwam op de achterkant van het hotel. Bij de achterdeur hing een spiegel en stonden de persoonlijke spullen van het keukenpersoneel. Inma hees zich eerst in haar onafscheidelijke spijkerjasje dat ze ooit gekocht had op een vlooienmarkt in Londen.

Ze haalde een lippenstift uit haar tas, kleurde haar lippen roze en werkte haar oog make-up bij met zwarte mascara. Daarna trok ze het elastiek uit haar lange bruine haren. Ze ging voorover staan en haalde er krachtig een borstel door. Toen ze weer overeind kwam en de bos naar achteren wierp, had ze haar exotische uitstraling terug. Koket wierp ze het haar over een schouder.

'Geen zorgen 'jefa', het zal wel weer overgaan.' Ze opende de buitendeur. Een vleug koele avondlucht kwam de keuken binnen. Ze glimlachte naar Mickie en liep naar haar roestige Peugeot, die achter het hotel geparkeerd stond. Mickie liep naar de deuropening en keek haar na. Later schoot haar te binnen dat ze bij het sluiten van de buitendeur iemand in de schaduw van de achtermuur een sigaret had zien roken.

De volgende middag toen Mickie met een krat vol groenten het hotel via de keukendeur binnenstapte, voelde ze dat er iets mis was. Schalen met half afgemaakte gerechten stonden op het werkblad. Ze liet de rest van de boodschappen in haar auto staan en liep door naar de receptie. Daar was ook niemand te bekennen. Ze wilde net teruglopen toen ze stemmen uit het kantoor van Gary hoorde komen. Even wilde ze stiekem aan de deur luisteren, maar ze bedacht zich. Ze opende de deur. Gary stond handenwringend over een stoel gebogen. In de stoel zat Inma, met haar voeten op een bankje. Ze zag spierwit. Naast haar stond de huisarts. Het drietal keek haar tegelijk aan.

'Wat is er gebeurd? Ben je uitgegleden, Inma?' Een verzwikte enkel of erger nog, een gebroken been, was het eerste wat haar te binnen schoot en het laatste wat ze op dit moment kon hebben. Razendsnel deelde ze in gedachten het werk in de keuken opnieuw in. Misschien dat ze met een kruk nog wat werk zou kunnen verrichten. Of zittend het snijwerk doen. Inma zag eruit als een madonna, haar gezicht wasbleek, zelfs haar anders zo rode lippen waren wit. Haar blik was naar beneden gericht en haar hoofd schuin gekanteld. Plotseling wist Mickie waar ze nu op leek. Ze leek op een afbeelding op een schilderij uit het een museum in Florence, waar ze jaren geleden met Gary op een van hun weinige vakanties geweest was. Inma leek op de Flora van Titiaan. Ze straalde een zachte, ingetogen onschuld uit.

'Nee señora, ik ben niet uitgleden.' Inma keek haar niet aan. Ze stond moeizaam op en liep de kamer uit. Mickie staarde haar na.

'Wat is er dan? Wat is er aan de hand? Gary?' Ze keek naar haar echtgenoot die er vreemd verslagen bij stond. Hij antwoordde niet. De oudere arts keek meewarig naar haar.

'Uw medewerkster is zwanger.'

'Inma zwanger?' Met overslaande stem herhaalde Mickie wat de arts haar net had verteld. 'Maar ze heeft niet eens een vriend.'

Het grijzende hoofd van de arts schudde. Het was het laatste decennium van de twintigste eeuw... Nadat ze het nieuws had laten bezinken, vroeg Mickie met zachte stem: 'Hoe ver is ze?'

'Bijna vier maanden,' antwoordde de arts. Vier maanden zwanger. Gary schraapte nerveus zijn keel. De arts stond met zijn rug naar hen toe. Zonder zich om te draaien, zei hij: 'Met een beetje rust en regelmaat kan ze nog een aantal maanden doorwerken.'

'Rustig werken in een keuken!!!' Mickie liep rood aan van woede. 'Hoe had u zich dat voorgesteld?'

'Misschien kan ze zittend op een kruk het snijwerk doen? Ze is niet ziek, ze moet alleen wat rustiger aan doen.' De arts haalde zijn schouders op en keek ze allebei aan. 'U zult het moeten accepteren, uw souschef heeft deze zwangerschap gekozen. U kunt er maar beter het beste van maken.'

'Over vijf maanden is het hoogzomer. Dan moeten wij ons geld verdienen. Dit kan niet waar zijn!' Mickie's stem sloeg over.

De arts nam zijn bril af en wreef vermoeid in zijn ogen.

'Luister eens, mevrouw Jarvis, na dertig jaar als arts in Rosas gewerkt te hebben, ken ik mijn pappenheimers. Het is altijd weer hetzelfde, voor het hoogseizoen probeert iedereen in de ziektewet te komen. Als het seizoen voorbij is, zijn ze opeens weer 'beter' en moet u het salaris tijdens het winterseizoen doorbetalen. Het is de wet van de kust.' Hij legde zijn hand op haar arm en liet zijn stem dalen. 'Wij noemen het ook wel 'de vloek van de toeristenbranche'. Ik geef u één advies... leer er mee leven. Dit is Spanje.'

'U vergist zich, zo is Inma niet. Het moet een ongeluk zijn.' Het kwam er verbeten uit. Ze vroeg zich af waarom ze haar souschef verdedigde. Was het uit schuldgevoel? Had ze haar al die jaren te hard laten werken? Was ze zelf de reden dat haar trouwe keukengezel naar een uitweg had gezocht, een uitweg uit die benauwde keuken? Misschien had ze wel een man gevonden die haar gelukkig wilde maken, die voor haar wilde werken zodat ze niet meer naar Mickie hoefde. Waarom had ze nooit gemerkt dat Inma ongelukkig was? Ze schrok van haar gedachten en zwakjes ging ze verder: 'Ze is al vanaf het begin bij ons, al jaren. Ze is praktisch een familielid.' Ze wist dat ze dit wat overdreef. De arts reageerde niet. 'Ik weet zeker dat dit een ongelukje is,' eindigde ze.

'Tja... het kan zijn. In ieder geval is 'het ongeluk' gezond en over vijf maanden zal het zijn entree in deze wereld zal maken. Ze zal afspraken met de vader moeten gaan maken over de bevalling.'

'Dat kan ze toch ook met mij bespreken?' Haar reactie was een reflex. Jaren had ze gehoopt zwanger te worden, maar het was Gary en haar niet gegeven, en nou was Inma, exotische en mysterieuze Inma, een vrouw waarvan ze niet eens wist of ze er wel een liefdesleven op na hield, zwanger. Het stak haar dat het haar wel gelukt was, het stak haar dat Inma haar nog nooit iets over haar persoonlijke leven verteld had. Het verdriet welde in haar op als een aanzwellende zee. Plotseling leek alles wat ze de afgelopen jaren in dit land bereikt had nietig vergeleken bij haar onvermogen zwanger te raken. Haar hand greep een stoelleuning om steun te vinden.

'O ja,' sprak de arts gniffelend, 'wie weet is het een onbevlekte ontvangenis.' Routinematig pakte hij zijn spullen, zijn gedachten alweer bij het volgende adres waar zijn diensten vereist waren. Maar voor Mickie was de flauwe grap over Inma's naam, Inmaculada – de onbevlekte –, de druppel die haar emmer deed overlopen. Als een furie stond ze plots voor de arts.

'Onbevlekt bestaat niet, ze heeft gewoon geneukt! Ze heeft geneukt met een man. Ze is zwanger van een man.' Steeds harder en hoger ging haar stem. De arts stond aan de grond genageld. Gary wilde net naar zijn vrouw toelopen om haar tot bedaren te brengen, toen de deur openging en Inma binnenkwam. Ze was lijkbleek, haar ogen fonkelden toen ze Mickie aankeek.

'Sí señora, ik heb met een man geneukt en de 'cabrón' die met mij geneukt heeft, staat daar!' Haar vinger wees naar Gary.

De nacht voelde als zwart fluweel, een briesje streelde haar blote armen, benen en hals. Verleidelijk en teder als een minnaar die haar lichaam wilde ontdekken en behagen. Mickie sloot haar ogen en liet het briesje begaan. Beneden haar balkon, op het strand, zat een groepje jongelui bij een vuur. De woorden drongen niet tot haar door, het gemurmel werd opgenomen door de zee. Het rollen van de golven op het nachtelijke strand, het lachen en praten, het had een kalmerende werking op haar gespannen zenuwen. Langzaam liet ze stukje bij beetje de pijn toe. Ze had het geweten, eigenlijk had ze het altijd geweten. Kleine signalen die ze al lang op had moeten pakken. De kamermeisjes die geen respect voor haar man hadden, de manier waarop hij op vreemde tijden verdwenen was. De pijn die in haar maag brandde als een gloeiend hete steen spreidde zich over haar hele lichaam uit. Ze boog voorover en liet de tranen stromen. Als in trance bewoog ze heen en weer. De stemmen en beelden vulden weer haar hoofd. Haar moeder met haar spierwitte borsten opbollend uit de strakke, zijden blouse, half dronken op schoot bij een van de klanten, haar vader aanmoedigend vanachter de bar: 'Toe George, geef nog een rondje weg. Morgen is er weer een dag.' Steeds weer had ze zich 's avonds laat als haar broertjes op bed lagen, verstopt achter het gordijn in de gang. Ze keek en keek naar iets wat ze niet wilde zien in de hoop een reden te vinden waarom haar ouders niet bij Petey, Johnny en haar wilden zijn. Waarom waren de mensen in de kroeg belangrijker, waarom, waarom, waarom? Waren ze geen lieve kinderen? Wat deden ze fout? Maar ze durfde het niet te vragen uit angst dat haar ouders een antwoord zouden geven dat nog veel meer pijn zou doen dan hun afstandelijke gedrag. Misschien schaamden ze zich voor hun kinderen en was het beter dat ze maar zo onzichtbaar mogelijk waren.

Beneden op het strand was het gesprek van het groepje overgegaan in gezang, begeleid door een ritmisch geklap. Mickie herkende de 'Sevillanas'. De melancholische teksten van deze populaire volksliedjes weefden zich als ijle zilveren draden door de nacht. Een, twee, drie... een, twee, drie... een, twee, drie... Ze bewoog heen en weer op het ritme van het geklap. Heen en weer, heen en weer. Ze bleef maar denken aan Inma die moeder ging worden. De stugge Spaanse die een kind droeg. Die haar bedrogen had, die haar vriendschap niet waard was geweest.

Ze werd opgeschrikt door een geluid achter zich. De balkondeur ging open.

'Zit je hier, Mickie?'

'Waar zou ik anders zijn, Gary?' Vermoeid haalde ze haar smalle schouders op. 'Ik ben er toch altijd, ook wanneer je weer een ongelooflijke stomme streek uithaalt.'

Hij kwam naar haar toe en legde zijn hand op de hare.

'Sorry Mimi, ben je boos? Ik kon er echt niets aan doen, het was haar schuld. Ze heeft mij verleid, echt Mimi. Je moet me geloven.' Hoe lang geleden was het dat hij zijn koosnaampje voor haar gebruikt had? Even voelde ze zich week worden.

'Dit doet zo'n pijn!' kreunde ze. Hij keek haar smekend aan.

'Je weet best wel dat we de laatste tijd niet zo...' De rest van de zin liet hij in de lucht hangen, hij hoefde hem niet uit te spreken, want ze wisten allebei het antwoord.

'Dat is niet wat ik horen wil.' Ze draaide zich van hem af.

'Het spijt me, echt het spijt me, het was dom van me.' Zijn zwakke poging haar pijn te verzachten, bleef in de lucht hangen en vermengde zich met het gezang van de jongelui op het strand. Ze had gezworen dat niemand haar meer pijn zou bezorgen zolang ze hier zelf wat aan kon doen. De pijn die hij veroorzaakt had, moest ze wegsnijden, weg uit haar bestaan, weg uit haar leven. Ze haalde diep adem.

'Gary, dit gaat niets worden. We moeten niet huichelen, ons huwelijk is over.' Gary maakte een afwerend gebaar, probeerde haar aan te halen.

'Mickie, je bent zo succesvol maar soms ook zo afwezig. Inma... het leek of Inma echt naar me luisterde. Maar nu zie ik ook dat ze me alleen maar gebruikt heeft.' Hij was op een stoel naast haar gaan zitten.

'Hoe zie je de toekomst dan voor je, Gary? Ga je de baby erkennen, laat je haar hier naar het hotel komen?' Ze keerde haar betraande gezicht naar hem toe.

'Nee, natuurlijk niet. Je weet hoe geweldig ik je vind. Ons huwelijk is me veel meer waard dan zo'n dom avontuurtje.' Smekend keek hij haar aan. 'Mimi, we kunnen toch niet iets weggooien waar we zo veel jaren aan gewerkt hebben, alleen maar door een stomme streek van mij?'

'Ik kan niet met haar om me heen blijven werken, er moet een andere souschef komen.'

'Natuurlijk, schat. Ik ga morgen gelijk voor je op zoek en natuurlijk ga ik je helpen waar ik kan.' Hij sloeg een arm om haar schouders en liet zijn stem zakken. 'Weet je nog vroeger in Liverpool? De problemen die je toen had, daar zijn we samen toch ook doorheen gekomen? We gaan het nu ook weer redden.'

'Maar Inma...'

'Niets Inma, vergeet Inma. Ze heeft ons een loer gedraaid, ze is je verdriet niet waard. Zeker jij niet, schat. Je bent het mooiste wat mij ooit is overkomen, ik zou doodgaan zonder jou.'

'Echt waar, Gary?'

'Echt waar, jij bent me meer waard dan mijn eigen leven. En het spijt me zo dat ik je pijn gedaan heb!' Hij kuste haar zachtjes op haar mond. Mickie voelde zich rustiger worden. Hij had gelijk, ze had vaker gevoeld dat Inma meer wilde. Ze had haar zin gekregen, ze was zwanger van Gary, maar dat was dan ook alles wat ze kreeg. Het hotel en de keuken waren vanaf nu verboden terrein voor de souschef.

Het was twee maanden na het nieuws van Inma. Mickie reed in haar rammelende Seat Panda het dorpje Sant Vincenç de Montalt in. De krant met de advertenties lag op de stoel naast haar. Volgens haar kaart lag het dorp ongeveer 40 kilometer ten noorden van Barcelona op een uitloper van de Pyreneeën. Die morgen had ze in alle vroegte de drukke kustweg naar het zuiden genomen. Voor het eerst in tijden voelde ze zich vrij. Maar het was niet alleen een gevoel van vrijheid, ze voelde zich voor het eerst weer belangrijk. Een vrouw met een doel. Het warme ochtendlicht patineerde het landschap met een gouden zweem. Het zonlicht tilde haar op, ze werd één met de natuur, en eindelijk voelde ze zich licht als een veertje dat alle kanten uit kon zweven.

De eerste twee advertenties waren een verspilling van haar tijd. Het eerste restaurant dat ze bezocht, bleek een oude boerderij die jarenlang dienst had gedaan als wegrestaurant. Nadat er vlakbij een moderner restaurant was geopend, was de boerderij in verval geraakt. Na een kort gesprek met de eigenaren was ze weer in haar auto gestapt. De vraagprijs was onredelijk hoog geweest.

Nu reed ze de kustweg verder af naar het zuiden. Vlak boven Barcelona was de kust van sfeer veranderd. De spoorlijn die vlak langs het strand liep, maakte een strenge scheiding tussen het frivole vakantieleven en het Spaanse bestaan van alle dag. Net voor de industriestad Mataró sloeg ze rechtsaf de bergen in, richting Les Franqueses del Vallès.

Het drukke kustgeluid verstomde en slechts het geluid van haar sputterende Panda en een incidentele tegenligger verstoorden de rust. Het was overweldigend dat de uitloper van de Pyreneeën zo machtig aanwezig was, zo dicht bij de vlakke kust. Dikke groene takken hingen zwaar over de weg. Steeneiken en bergeiken waren doorvlochten met hazelaars en stekelige struiken. Alles kronkelde naar het zonlicht, aangevoerd door de 'pinos', de lariksbomen die als lange dunne kegels omhoog groeiden. Amechtig was haar auto het laatste stukje berg opgereden, bij iedere bocht was ze bang geweest dat de motor het zou begeven. De kuststrook was nog maar een nietig streepje. Plotseling week het groen en reed ze de bebouwde kom in.

Volgens de advertentie lag het 'ter overname' aangeboden restaurant met pension in het centrum van de stad. Behalve een telefoonnummer had de advertentie niet meer informatie geboden. Die morgen had ze gebeld. Een norse mannenstem nam op met de naam José Mateu. Hij was niet scheutig met informatie geweest en had haar gemeld dat hij geen gegevens over de telefoon wilde geven, er waren al genoeg gekken op deze aardkloot. Ze moest maar langskomen.

Het centrum was niet moeilijk te vinden, ze had de toren van de sobere kathedraal gevolgd. Voor de kathedraal lag een door de zon wit gebrand plein. Aan de rand bevond zich een nors gebouw met een reeks gebogen arcades waaronder Mickie een paar terrassen met eenvoudige tafels en stoelen ontwaarde. Ze parkeerde haar auto in een van de zijstraatjes en liep met de krant in haar hand het plein op. Midden op het verstilde plein bleef ze staan om zich te oriënteren, het leek een arena waar een gevecht tussen licht en schaduw, zon en duisternis, goed en kwaad werd uitgevochten. Ze huiverde. Snel wende ze haar blik af en zocht onder de arcade naar de naam van het restaurant met pension. Witte gietijzeren terrasstoeltjes stonden in strakke rijen gerangschikt rond wit gedekte tafels. Slechts een paar tafels waren bezet. Ze keek op haar horloge. Lunchtijd voor de Spanjaarden. Een ober met een doek over zijn arm geslagen stond tegen de arcade geleund in gesprek met een gast. Hij leek geen erg te hebben in de twee honden die tussen de tafeltjes door liepen op zoek naar etensresten. Ze keek naar boven, naar de gevel boven het terras. Daar zou het pension moeten zijn. Ze zag keurige balkonnetjes met houten luiken om de zon te weren. De openstaande glazen balkondeuren lieten hier en daar een hoek van een opgemaakt bed zien. Snel streek ze met haar vochtige handen haar blouse glad en liep richting het restaurant. De ober knikte naar haar: 'You want to eat?' Hij had haar duidelijk niet als Spaanse ingeschat. Ze rechtte haar schouders en vertelde hem dat ze op zoek was naar de eigenaar, José Mateu. Even gleed er een blik van verbazing over zijn gezicht. Catalaans werd zelden door buitenlanders gesproken. Vriendelijk verzocht hij haar binnen aan de bar plaats te nemen terwijl hij op zoek ging naar zijn baas.

Haar eerste indruk binnen was donker, zwaar en Spaans, maar nadat haar ogen zich aangepast hadden aan het schaarse licht, was ze verbaasd over de ruimte. Ze zag een groot, authentiek Spaans restaurant met rijen tafels en stoelen afgewisseld door zware, houten schermen met gedraaide houten spijlen. De roodwit geblokte gordijnen en servetten, de oude houten landbouwgereedschappen en sombere schilderijen aan de muren, gaven het restaurant een zwaarmoedige uitstraling. Dit moest als eerste veranderen. Ze nam plaats op een kruk aan de bar en bestelde een 'café con leche'. Het wachten duurde lang. Ze wilde net opstaan om nog eens rond te lopen toen een kleine gedrongen man naar haar toe kwam.

'José Mateu, aangenaam kennis te maken.' Het was de norse stem van het telefoongesprek. Mateu was een vormelijke, ouderwetse man met dik, zwart naar achteren gekamd haar. Zijn hand hield de hare lang vast. 'Kan ik u iets te drinken aanbieden?'

'Doet u mij maar een vermout.' Hij knikte goedkeurend, zelf bestelde hij een Fernet Branca, een digestief dat eigenlijk voor na het eten bedoeld was. Ze wachtte tot hij het gesprek opende. Hij begon te vertellen hoeveel gelukszoekers er al langs waren gekomen, mensen die dachten snel rijk te worden in dit land. Stadslui of buitenlanders zonder enige kennis van de taal. Het duurde even voor ze door had dat hij hier de Catalaanse taal mee bedoelde. Een tweede glas vermout werd ongevraagd voor haar neergezet. Bij het derde drankje begon ze het benauwd te krijgen. Mateu legde een zweterige hand op haar bovenbeen, terwijl hij dichter naar haar toeschoof. Ze had zijn monoloog weten te doorbreken en vroeg hem naar de omzet. Als door een wesp gestoken keek hij haar aan, de hand verdween van haar bovenbeen. Te vroeg. Ze had hier mee moeten wachten tot de tweede ontmoeting. Ze hield haar adem in, soms was het een voordeel buitenlandse te zijn. Een kruiperig, vals lachje verscheen op zijn gezicht.

'Ach, u wilt gelijk naar de kern, zo typisch...' Hij liet de zin hangen en krabde met de hand die op haar bovenbeen gelegen had over zijn borst. 'Tja, de omzet van het restaurant is goed, de omzet van het pension wat minder, maar daar heb je ook weinig omkijken naar.' Ze wist dat ze ver genoeg gegaan was en durfde geen bedragen meer te vragen. Net wilde ze een voorzichtige vraag stellen over de lunchbezetting en het aantal personeelsleden toen een deur achter in het restaurant open ging en een klein, geheel in het zwart gekleed vrouwtje de zaak binnenkwam.

'Maite, er zijn nog klanten,' snauwde José tegen de vrouw. Ze maakte zonder iets te zeggen rechtsomkeert en verdween weer door de deur. Verbaasd keek Mickie de man aan.

'Mijn vrouw is de kok.' De gladde glimlach was weer terug op zijn gezicht. Uit het niets verscheen een ober met een aantal kleine schalen met eten die op hun tafel gezet werden. Mateu nodigde haar uit toe te tasten. Mickie herkende de gerechten, 'arroz negro con sepia', inktvis met door de inkt zwartgekleurde rijst, 'bacalao a la llauna', stoofvis uit de oven, 'escalivada', een mix van geroosterde en gepelde paprika's, uien en courgettes en een 'estofada', een stoofvleesgerecht. De smaken van de gerechten waren goed maar traditioneel. Mateu wees met zijn vork richting de schalen.

'Dit is wat wij hier serveren. Catalaans eten zonder franje en dat moet zo blijven!' Mickie had genoeg gezien. Na geschrokken op haar horloge gekeken te hebben, nam ze snel afscheid met de belofte hem te bellen voor een tweede afspraak.

Opgelucht en met het gevoel ontsnapt te zijn uit een beklemmend, vreemd oord, reed ze weer richting de kust. Ze wilde het liefst terug naar Rosas, maar er lag nog een advertentie op de zitting van de stoel naast haar. Haar ogen werden steeds naar de woorden 'Traspaso – una Pensión Agradable', ter overname: een aangenaam pension, getrokken. Het was al laat in de middag, weifelend keek ze op haar horloge. Als ze de A7 om Barcelona zou nemen, kon ze het spitsuur vermijden maar dat hield wel kilometers omrijden in. Vanaf de A7 zou ze de snelweg A2 terug naar de kustweg moeten nemen en dan de provinciale weg richting Castelldefels. Ze zou het net met het laatste daglicht kunnen halen. Toen nam ze een beslissing, eentje waar ze later nog vaak aan terug zou denken.

De laatste advertentie die ze uitgekozen had, bracht haar ten zuiden van Barcelona. Op de provinciale weg stonden in de avondspits de hoeren aan de kant van de weg de huiswaarts rijdende stoet vertegenwoordigers op te wachten. Net voor de afslag naar de stenige heuvels van Garraf, bevond zich een plaatsje met een langgerekt strand. Het centrum lag landinwaarts en de kust bestond voornamelijk uit appartementen, villa's en hier en daar een hotel. Bijna aan het einde van de kustlijn, vlak voordat de ruige rotsen van Garraf de zee raakten en het strand de pas afsneden, bevond zich in de kom van de baai een landtong, beschut door het achterliggende gebergte. De natuur had onstuimig bezit genomen van dit laatste stukje grond, bomen en struiken groeiden er welig. Ze reed door een houten hek de bocht om en toen zag ze het. Aan het einde van de landtong, beneden bij de zee stond het pension, een langwerpig wit gebouw met scheefhangende, groene gebladderde luiken. De patio voor het gebouw met de grote notenboom in het midden, de klimop die overal overheen groeide, de verzakte waterput, het was precies zoals ze gedroomd had. Voor haar lag 'El Nogal'.

Het was bijna elf uur 's avonds, het zweet gutste van haar voorhoofd terwijl ze zwoegend in de keuken de enorme lijst bestellingen uit het restaurant stond weg te werken. Op het hoogtepunt van de zomer kon de airconditioning de warmte niet aan. Opnieuw vervloekte ze de Spaanse techniek die nog niet in staat was een ruimte van een kleine twintig vierkante meter afdoende gekoeld te krijgen. Ze werkte al drie maanden zonder Inma en de vermoeidheid begon haar parten te spelen. Ondanks alle beloftes had Gary nog geen nieuwe souschef voor haar gevonden.

'Heb je tafel tweeëntwintig al klaar, Mickie? De mensen worden ongeduldig.' Het was de derde keer al die avond dat hij zich in haar domein waagde. Toen haar souschef er nog was, onderhield ze zelf het contact met de obers en de eetzaal. Nu werd deze taak voor een deel door hem opgevangen, maar de druk van het restaurant kon hij niet goed aan. Het leven bestond voor Gary vooral uit het landerig rondhangen in de receptie of wandelen door het stadje. Hij bleef dan meestal hangen bij een terras van een van de cafés. De laatste tijd merkte ze steeds vaker dat hij dan later terugkwam met een uitgestreken gezicht. Het nieuws dat de eigenaar van het grote witte hotel aan het einde van de boulevard zijn eigen souschef zwanger had gemaakt, was als een lopend vuurtje door Rosas rondgegaan. Gary was in de ogen van de Spaanse mannen een held. In schril contrast met de stijve Engelse beschaving, gaven de mannen in het katholiek opgevoede Spanje elkaar een pluim. Zonde was een menselijk iets, voorbehouden aan de man. Hij genoot zichtbaar van zijn nieuwe status als verwekker van een kind. Zijn vrouw kon dan wel de motor van het hotel zijn, hij bezat ballen. Mickie streek voor de zoveelste keer haar witte schort glad. Onbewust gingen haar handen over haar platte buik, over haar lege baarmoeder, haar onvruchtbare eierstokken. Afwezig staarde ze naar de pan met kokende bouillon en de dampende 'plancha', de plaat waar het dungesneden vlees op werd dichtgeschroeid. Plotseling schoot haar een beeld te binnen. Een gedaante in de nacht, die buiten de keuken in de schaduw van de muur een sigaret had staan roken. Hoe had ze zo dom kunnen zijn haar echtgenoot toen niet te herkennen. Ze liep naar de achterdeur en staarde naar buiten. Haar gedachten dwaalden naar het pension met de grote notenboom. Ze leunde tegen de deurpost, sloot haar ogen en droomde van 'El Nogal'. Ze voelde de lauwwarme avondlucht op haar blote armen en een enorm gewicht leek van haar af te vallen. Ze wist dat ze een keuze had gemaakt.

'Señora, waar moeten deze naartoe?' Een keukenhulpje stond hulpeloos met een paar borden 'pan tostado', geroosterd brood, in zijn handen naar de afwezige cheffin te kijken.

Glimlachend nam ze de twee borden van hem over en liep naar de uitserveerbalie.

'Je bent gek, dit kun je niet maken!' Voor het eerst sinds ze hem kende, ontwaarde ze een vorm van drift in zijn stem. Het was 's avonds laat. Gary was verbaasd toen zijn vrouw hem verteld had dat ze hem wat belangrijks moest vertellen. Het was niets voor Mickie om zo gewichtig te doen.

'Gary, ik meen dit serieus. Ik wil stoppen en ik wil mijn deel uit het hotel om opnieuw te beginnen.'

'Wie moet de keuken dan gaan doen?'

Zijn vraag was niet hoe het verder met hen zou gaan. Zijn eerste zorg lag bij de keuken. De keuken van 'La Baja de Rosas', waar het hotel zo bekend om was geworden.

'Daar had je eerder aan moeten denken voordat je Inma zwanger maakte.' Ze zag dat ze hem pijnlijk getroffen had en even voelde ze voldoening.

'Ah, Mickie toe, doe niet zo flauw. Hoe zou je willen dat ik een deel hieruit haal?' Opnieuw geen woord over hun relatie.

'Je kunt wellicht een andere partner zoeken, misschien heeft Inma's vader wel een spaarpot.'

'Dat kan ik me niet voorstellen.' Zijn drift was weggezakt en hij haalde alleen nog maar hulpeloos zijn schouders op. Ze voelde een ontembare woede in zich opkomen.

'Dan ga je naar de bank en vraag je een lening aan. Je hoeft mij niet alles in één keer te betalen, maar ik wil een startkapitaal.'

'Een startkapitaal? Ga je hier opnieuw beginnen?'

'Nee, Rosas is te klein voor ons allebei.' De opmerking was ongewild ironisch. Eigenlijk wilde ze hem zeggen dat ze niet meer in zijn buurt wilde zijn. Dat ze een droom had. Dat ze niet meer in de plaats wilde wonen, waar zij, Inma en Gary publiek bezit waren geworden en waar iedereen een mening over hen had. Maar dat kon ze niet zeggen. Ze dacht een poosje na, toen zei ze heel beslist: 'Gary, ik meen het. Ik ga bij je weg. Bij het hotel weg. Ik wil ergens anders alleen beginnen.'

Verbaasd keek hij haar aan.

'Waar wil je dan heen?'

'Iets meer naar het zuiden, voorbij Barcelona.' Ze had moeite de plaats Castelldefels te noemen, ze was nog niet bereid haar droom met hem te delen.

'Alleen?' Voor het eerst kwam de mogelijkheid bij hem op dat ze iemand anders zou kunnen hebben.

'Ja, alleen, je denkt toch niet dat ik ook een 'amante' heb, Gary.'

Even leek het of hij wat wilde zeggen, maar hij bedacht zich en zweeg. Mickie keek haar echtgenoot aan, de woede die ze eerder gevoeld had, zonk langzaam weg. Hoe had ze ooit kunnen denken dat deze man haar redder in nood was? De held waar ze hem ooit voor gehouden had, was niets meer dan een grote slappeling. Zijn ronde gezicht met de bleke Engelse huid die nooit echt wilde bruinen, leek te zijn leeggelopen. De blauwe ogen staarden in het niets. De beloftes die hij haar maanden geleden op het balkon gedaan had, waren loos geweest. Het enige wat hij die avond gedaan had, was zijn eigen toekomst veilig stellen.

'Wat zijn je verdere plannen nu je vader gaat worden, Gary? Wat hebben jullie afgesproken?' Ze kon het niet laten een mes in hem te zetten. 'Willen jullie het hotel soms samen exploiteren?'

'Nee Mickie, ik zweer je, daar hebben we het nooit over gehad.' Hij wist dat er antwoorden van hem verlangd werden. Maar die had hij niet. Die had hij eigenlijk nooit gehad.

De afgelopen dagen was het haar opeens allemaal veel duidelijker geworden. Ze was blind geweest. De vermoeidheid van jaren had haar blind gemaakt. De stemmen, de angstaanvallen. Ze had jarenlang vastgezeten in een relatie waarin ze alles gaf en niets ontving. De kamermeisjes die de handtastelijkheden van Gary hadden toegelaten zodat ze hem in hun macht hadden. Gary, die zich de koning van het hotel voelde en met de roem die zijn vrouw verdiende aan de haal ging. Plots dacht ze aan de vrouw van José Mateu, de kleine, in het zwart gehulde kokkin die alleen in het restaurant mocht komen wanneer de gasten weg waren. Tot haar ontzetting realiseerde ze zich dat ze in diezelfde positie zat.

'Mickie, Mickie, toe zeg eens wat.' De stem van Gary drong langzaam tot haar door. 'Begrijp je dan niet dat het niets voorstelde? Echt, die vrouwen vragen er zelf om. Het is alleen maar seks, liefje. Die vrouwen vinden het allemaal geweldig om een kind met blauwe ogen te krijgen. Wat wij hebben is veel belangrijker. Wees nou eerlijk, je bent altijd zo moe en dan wil ik je niet lastig vallen.' Hij keek haar aan. 'Misschien kunnen wij de baby van Inma adopteren, dan heb je ook een kind, Mimi. Dat wilde je toch graag?' Ze scheurde zich los uit zijn blik.

'Ik zal morgen contact opnemen met die man die hier laatst langskwam.'

'Welke man?' Zijn stem klonk afwezig, in zijn gedachten zag hij de oplossing voor zich. Mickie en Inma zouden de keuken blijven draaien. En het kind zou gewoon door hen geadopteerd worden. Dat zou het beste zijn.

'Die Engelsman die onroerend goed zocht aan de Spaanse kust voor die groep projectontwikkelaars,' zei Mickie rustig. 'Je weet wel, die man die van ons hotel een vijfsterren hotel wilde maken. De ligging hier aan de Avenida de Rhode, met uitzicht op zee schijnt de verbouwing wel waard te zijn.'

'Je bedoelt verkopen?' Hij keek haar verschrikt aan.

'Ja.' Ze staarde hem met een stalen blik aan.

'Maar wat wil je dan dat ik ga doen?' Te laat realiseerde hij zich dat hij eigenlijk nooit een eigen wil had gehad. Hij was haar gevolgd naar dit land. En nu wilde ze van hem af.

'Dat is aan jou. Met geld kun je alle kanten op.'

'Ik weet niet of ik dat wel wil.' Hij klonk als een dreinend kind. Ze liep naar de deur van het kantoor, weifelde, en keek hem aan of ze nog iets zeggen wilde, maar ze bedacht zich. Mickie haalde onverschillig haar schouders op en sloot de deur achter zich.

DEEL II

'Voor die zes maanden pak je veel in,' zei hij bedachtzaam.
'Weet je zeker dat je daarna terugkomt?'

Mei 1990

Hazel

Het was haar eerste bezoek aan Barcelona, en de stad liet gelijk een onuitwisbare indruk op haar achter. Toen ze door de straten van het oude centrum liep, werd ze overweldigd door een mêlee van geluiden, geuren en emoties. Het was alsof ze in een middeleeuws maar tegelijk hedendaags landschap terecht was gekomen. Overal waren stalletjes, kiosken, overal was drukte, liepen mensen, stonden mensen, zaten mensen. Iedereen leek intens te leven op een relaxte manier. Niets was geordend en toch was alles harmonieus. Het voelde als een stad uit de verhalen van Duizend-en-een-nacht, warm en exotisch.

De afspraak bij Hnos. Morillo, het Spaanse bedrijf waarmee ze samen wilden werken, was wat vormelijk verlopen. De eerste afkorting 'Hnos.' van het bedrijf stond voor Hermanos, de gebroeders, maar in werkelijkheid was het bedrijf eigendom van een vader en zoon, rigide Catalanen zonder gevoel voor humor maar met een uitstekende handelsgeest. Een alliantie met een buitenlands bedrijf was noodzakelijk om de versnelde ontwikkelingen in Spanje het hoofd te bieden. Daarom waren ze ingegaan op de uitnodiging van PBC. Het eerste gesprek had plaatsgevonden in het kantoor van hun advocaat, het bedrijf was tot dat moment verboden terrein geweest.

De vader en de broer hadden haar uitermate hoffelijk behandeld, maar hun gereserveerdheid naar Pieterse en Rob Kramer was bijna tastbaar geweest. Hazel's Spaans was in het begin wat stroef op gang gekomen, maar het Engels van de advocaat was zo slecht dat ze op haar aangewezen waren. Advocaat Marti de Veses had haar met oprechte bewondering aangestaard. Toen ze later in de hal afscheid namen, had hij voorzichtig geprobeerd haar mee uit te vragen. Beleefd lachend had Hazel aangegeven dat dit waarschijnlijk geen goed idee was.

'Hazel, heb jij het tegenvoorstel van die advocaat al ontvangen?' Rob Kramer stak zijn hoofd om de deur van haar kantoor. Verstoord keek ze op van haar werk.

'Nee, ik had begrepen dat hij daar twee weken voor nodig had.'
'Maar die zijn bijna om. Wil jij hem eens bellen?' Hij liep haar kantoor binnen en ging op de hoek van haar bureau zitten. 'Het zijn toch wel luie donders, hoor!' Afwezig speelde hij met de perforator. Ze voelde zijn nabijheid. Hij liet zijn blik rusten op de bovenste knoopjes van haar blouse. Langzaam kleurden haar wangen rood.

'Zullen we de volgende keer een leuk hotelletje op de Ramblas nemen? Kunnen we 's avonds een beetje flaneren en een terrasje pakken.'

Uit onervarenheid had ze bij de vorige reis een onpersoonlijk hotel vlakbij de luchthaven geboekt. Ze hadden die avond met z'n drieën in het restaurant van het hotel gegeten. Het eten was een onbestendige internationale, naar niets smakende maaltijd geweest. Pieterse had dit nauwelijks gemerkt, opgewonden had hij zijn indrukken over de vader en zoon aan Kramer uiteengezet. Maar Rob Kramer had duidelijk laten merken dat hij zich van hun verblijf in Barcelona wat anders had voorgesteld. Ook Hazel had met spijt de bijzondere stad achter zich gelaten en zich geschikt in 'de internationale allure' van het hotel. Met plaatsvervangende schaamte dacht ze terug aan dat eerste gesprek bij de advocaat. Met handen en voeten had Pieterse geprobeerd met de vader over zijn vak te praten. Enthousiast had hij de Spanjaard de voordelen van zijn noodbruggen uitgelegd. Dat het verkeer bij bouwputten niet zo'n chaos hoefden te veroorzaken zoals hij vanuit de taxi gezien had. 'Your traffic is a big mess!' had Pieterse er ten overvloede aan toegevoegd. Hazel hoopte dat de vader en zoon de belediging niet meekregen, maar aan hun gezichten te zien was haar hoop tevergeefs.

Maar de woorden van Pieterse waren nog niet zo erg geweest als de houding van Rob. Bij het bestuderen van de jaarcijfers van het familiebedrijf had hij slechts de advocaat vragen gesteld, vader en zoon daarbij totaal negerend. Alsof de techniek waarmee het bedrijf haar geld verdiende, een te verwaarlozen element van de transactie was. Intuïtief voelde ze dat de Spanjaarden Pieterse eerder zijn onbeleefde enthousiasme vergaven dan Rob Kramer zijn arrogantie.

'Als we een beetje doorwerken kunnen we ook in een dag op en neer vliegen. Zo ver is het nou ook weer niet.'

'Ach, doe niet zo saai. Een beetje plezier maken hoort erbij, hoor. Of ben jij er zo een die alleen plezier uit het werk haalt en thuis postzegels verzamelt? Volgens mij heeft ons Hazeltje niet eens een liefdesleven, houdt ze alleen van haar lapjeskat en haar oude moeder.'

Zijn opmerking trof doel. Hazel stopte met werken en draaide haar hoofd naar hem toe. Hooghartig keek ze hem aan en antwoordde: 'Toevallig is mijn liefdesleven meer dan oké. En is het niet mijn hobby collega's lastig te vallen.'

'Au, dat doet pijn.' Hij hield zijn handen voor zijn hart en fingeerde een dolksteek.

'En wie mag die Adonis dan wel niet zijn die jou van een boeiend seksleven voorziet?'

'Heb ik het daar over gehad?'

'Nee, maar waarom zou je anders mijn avances weerstaan?'

'Oh, die is mooi. Het zou ook gewoon kunnen zijn dat je niet zo onweerstaanbaar bent, Rob Kramer.'

Dat had ze twee maanden geleden niet durven zeggen. De reis naar Spanje had hun relatie losser gemaakt. Ze kon niet ontkennen dat zij ook stiekem gedacht had aan een leuk hotelletje, aan flaneren over de Ramblas in een luchtig jurkje, aan een zwoele nacht, aan een kan sangria op tafel en een gitarist op de achtergrond. Het mediterrane leven was zo anders als in Nederland. Je dacht daar niet meer aan werk, het was niet meer zo belangrijk. Ze rechtte haar rug en deed het bovenste knoopje van haar blouse dicht zodat de inkijk in haar volle boezem nog minder werd.

'Aaaah, ik word gestraft voor mijn gedrag. Stoute Rob!' Hij boog zich over het bureau naar haar toe. 'Toe, geef een man wat hij zo hard nodig heeft, een beetje vreugde en warmte.'

'Geef mij wat ik nodig heb, een beetje respect en een salaris behorend bij mijn functie,' antwoordde ze hem onverstoorbaar.

'Respect, respect. Dat is alles waar vrouwen het tegenwoordig over hebben. Respect moet je verdienen, dat komt niemand aanwaaien. Ik heb daar ook hard voor moeten werken.' Even kwam die vreemde blik weer in zijn ogen. 'Het zou mooi zijn als die Catalanen op ons voorstel in willen gaan. Het hoofdkantoor zou daar zeer tevreden mee zijn, ze willen nou eenmaal die vestiging in Spanje.' Hij stond op van haar bureau en liep naar het raam boven de werkplaats. 'Ik wil hier niet voor eeuwig blijven,' mompelde hij haast onhoorbaar. Ze keek naar zijn rug en voelde een vreemde combinatie van minachting en medelijden.

'Ik zal om half vijf de advocaat bellen. Het is daar nog lunchpauze.'

Stipt kwam die vrijdag het voorstel van de Spaanse advocaat binnen. Snel las Hazel het door. Toen ze klaar was, legde ze het met een zucht voor zich neer. Dit was niet wat ze verwacht of gehoopt hadden. Vader en zoon verkochten hun huid duur. Niet alleen hadden ze bedongen dat alle belangrijke posities in het bedrijf door de familie bekleed zouden blijven, de salarissen voor deze functies werden ook nog eens van tevoren vastgesteld. Op deze manier kreeg de familie inkomsten uit de verkoop van het bedrijf, en voorzag zich daarnaast van een riant inkomen zonder inspanningsverplichtingen naar het moederbedrijf. En controle op het bedrijf uitoefenen zou vrijwel onmogelijk zijn. De lijst met familieleden die in het bedrijf werkzaam waren, leek langer dan het aantal mensen waar in eerste instantie over gesproken was. Neven, nichten, ooms. Hazel dacht na. Hoewel Pieterse een voorkeur had voor de vader, de zoon was hem te berekenend en had te weinig passie voor de techniek, was het verstandiger alleen de zoon mee te nemen naar het nieuwe bedrijf. De overige directieleden moesten van het moederbedrijf komen. Een team met speciaal opgeleide jonge mannen en vrouwen zouden dit bedrijf binnen de kortste keren tot een 'lean and mean selling machine' maken. Ze bladerde nogmaals teleurgesteld door het voorstel.

Het hoofdkantoor had aangegeven voor het einde van de maand een beslissing te willen horen. Dat bleek onmogelijk. De Spanjaarden hadden een heel ander belang en gevoel voor tijd dan de multinational. Het drong opeens tot haar door dat ze gehoopt had een van de leden van het directieteam te mogen zijn. Die eerste reis had ze het al geweten. Ze wilde laten zien dat zij in die chaos van de overname orde kon scheppen.

Over een half uurtje had ze met Mieke en Jocelyn afgesproken in het 'Centrum'. De vrijdagavondborrel was een traditie geworden.

Het was leuk de week af te sluiten in het café waar de jonge beau monde van Gouda kwam. Terwijl ze de poststukken in een plastic tas stopte, hoorde ze de houten vloer kraken. Ze wist zeker dat het geluid van voetstappen kwam. Maar dat kon eigenlijk niet. Pieterse was naar een afspraak en Rob Kramer was op het hoofdkantoor in Londen.

Ze schudde haar hoofd, het was vast een van de jongens die nog iets wilde vragen. Maar er kwam niemand. Ze haalde haar schouders op en ging verder met het opruimen van haar bureau. Net wilde ze haar jas pakken, toen ze het geluid weer hoorde. Snel liep ze naar de deur en opende deze. Op de gang was niemand te zien. Vreemd, wie had hier wat te zoeken? Ze liep naar het directiekantoor en deed voorzichtig de deur open. Tot haar verbazing zat Rob Kramer aan zijn bureau. Verstoord keek hij op.

'Ik wist niet dat je nog naar kantoor zou komen,' zei Hazel verontschuldigend.

'Ik had een vroege vlucht terug en wilde nog wat afmaken.' Hij keek haar onderzoekend aan. 'Wat zie je er leuk uit, ga je ergens heen?'

'Borrel halen met vrienden,' zei ze schouderophalend.

'Leuk. Is je vriendje er ook?'

'Misschien, misschien ook niet.' Ze keek hem uitdagend aan. 'Heb jij geen mevrouw Kramer, Rob? Of ben je met je werk getrouwd?' Ze was het kantoor binnen gelopen en stond bij zijn bureau. Ze zag dat hij onopvallend een blad vol cijfers bedekte met een kladblok. Opzettelijk ging ze op de punt van het bureau zitten om zijn reactie te zien. Maar hij leek zich te ontspannen, leunde achterover en legde zijn armen in zijn nek.

'Je houdt de persoonlijke dossiers van iedereen bij, Hazel. Dus je moet weten of er een mevrouw Kramer is.'

'Ongetrouwd en niet samenwonend wil nog niet zeggen dat je alleen bent,' gaf ze snel terug.

'Ik houd het liever bij losse relaties. Zijn afwisselender en vergen veel minder onderhoud.' Hij legde zijn hand op een van haar bungelende benen. 'Net als jouw latrelatie met die student van je.'

'Aha,' glimlachte ze, 'dat weet je dus wel.'

'Natuurlijk ben ik nieuwsgierig naar je, ik kon het echt niet laten je dossier te bekijken.' Zijn hand gleed over haar onderbeen. 'Wat een heerlijk gevoel, een vrouwenbeen in een zijdezacht omhulsel. Mmm.' Terwijl zijn hand over haar kuit kroop, keek hij haar ononderbroken aan om haar reactie te peilen. Voorzichtig trok Hazel haar been terug. Ze had die morgen een dure panty aangetrokken, zwart met net iets boven de hiel een drietal kleine steentjes.

'Het tegenvoorstel is binnen uit Spanje.'

'Mooi.' Het klonk niet echt enthousiast.

'Zal ik het brengen? Dan kun je het dit weekend doorlezen.'

'Heb je het vertaald?'

'Nog geen tijd gehad. Zal ik de belangrijkste punten vertalen, dan krijg je het maandag?'

'Ja doe maar.' Het antwoord klonk afwezig.

Het rumoer en de rook waren te snijden in de kroeg aan de Westhavenkade. Een warm bad van gezelligheid omarmde haar. De meiden hadden zich al geïnstalleerd aan de stamtafel. Binnen een uur zou de tafel vol zitten met wat Hazel de aanhangers en de zoekers noemde. De aanhangers waren vriendjes die in het verleden het bed al gedeeld hadden met Jocelyn en nu de veiligheid van de groep gebruikten om 'hun horizon te verbreden'. De zoekers waren de studenten die hoopten op een uitnodiging van een van de meiden voor een gratis maaltijd of een warm bed.

'Heez, bestel gelijk ook wat voor ons arme studentjes.' Jocelyn had een ruime toelage die echter steevast aan het einde van de week verdampt bleek. Hazel was de enige met een eigen inkomen.

'Nou vooruit, één rondje dan. Maar niet meer, ik ga morgen de stad in.'

'Met Dirkje of alleen? Ga je wat nieuws kopen?' Nieuwsgierig keek Jocelyn haar aan.

Mieke zei meteen: 'Iets nieuws? Dat heb jij toch niet nodig, jij ziet er altijd leuk uit, Heez.' Ze keek onverholen jaloers naar Hazel's weelderige vormen, de smalle taille en het bruine haar dat over haar schouders golfde.

'Misschien gaat Heezje wel leuke lingerie kopen. Heeft ze plannetjes voor het weekend.' Jocelyn bleef haar strak aan kijken.

'Ach kom. Wat moet je daar nou mee?' Seksualiteit was een onderwerp waar Mieke niet graag over praatte. Ze kleedde zich het liefst in makkelijk zittende sportkleding en haar liefdesleven beperkte zich tot het in de maag stompen van haar mannelijke jaargenoten en af en toe een snelle stoeipartij. Verder was ze nog nooit gekomen met het onderzoeken van haar verlangens.

'Genoeg, genoeg. Een complimentje is leuk, maar dit valt in de categorie slijmen.'

'Is het voor je nieuwe collega, die Rob Kramer?' De groengouden ogen van Jocelyn registreerden subtiel iedere verandering in Hazel's gezichtsuitdrukking.

'Hoe kom je erbij? Ik zou voor geen goud iets met hem willen. Die man staat me ontzettend tegen.' Te laat realiseerde Hazel zich dat ze te heftig gereageerd had. Ze haalde diep adem en voegde er rustig aan toe: 'Ik ga morgenavond met mijn vader en zijn nieuwe vriendin naar de schouwburg. Musical. Schijnt zij leuk te vinden.'

Ze had hun interesse gewekt, de twee huisgenoten schoven dichter naar haar toe. Leendert Hendrikse was per slot van rekening een bekende Nederlander.

'Vertel ons alles voordat de anderen komen.' Mieke kneep haar in haar arm.

Een gevoel van loyaliteit naar haar vader deed Hazel aarzelen. Maar het was niet te voorkomen dat het nieuws in de roddelbladen zouden verschijnen.

'Ze heet Evelyn, ze is achttien jaar jonger dan mijn vader en hij heeft haar ten huwelijk gevraagd.'

'Achttien jaar! Waar heeft hij haar ontmoet? Op een van zijn expedities?'

'Nee, ze werkt bij een van de omroepen waarvoor mijn vader werkt. Ze is gewoon assistente of secretaresse of zo.' De woorden 'gewoon secretaresse' glipten ongemerkt haar mond uit. Ze kon niet geloven dat ze zich zo denigrerend had uitgelaten over de vriendin van haar vader. Om de kleur op haar gezicht te verbergen, nam ze snel een slok van haar gin-tonic.

'Dan zal ze niet veel ouder zijn dan jij.' Jocelyn keek haar berekenend aan. 'Niet leuk voor je natuurlijk. Geen wonder dat je er flitsend uit wilt zien.'

'Wat vindt je moeder ervan?' Mieke was nog steeds op zoek naar het echte drama achter het verhaal van de jonge vriendin.

'Mijn moeder weet het nog niet. Pa heeft gevraagd het geheim te houden totdat hij het nieuws aan Stephanie verteld heeft.' Hazel nam nog een slok, ze realiseerde zich dat ze haar vader 'pa' had genoemd en haar moeder afstandelijk bij haar voornaam.

Terwijl de eerste vrienden binnenkwamen en aan tafel schoven, keek Hazel afwezig voor zich uit. Haar gedachten waren niet meer bij de gezellige avond.

Om tien uur, toen iedereen naar huis wilde, kwam Dirk de kroeg binnen. Hazel begon te stralen toen ze hem zag. Haar hart maakte een klein sprongetje toen hij zijn koude gezicht in haar nek duwde.

'Ik wist wel dat ik je hier zou vinden.' Hij gooide zijn weekendtas op de grond en pakte een stoel. Ze voelde de aanwezigheid van zijn sterke lijf, het bleef haar van haar stuk brengen. Ze vergeleek hem soms met een leeuw die onder een boom ontspannen ligt te rusten, zijn machtige spieren duidelijk zichtbaar onder de vacht. Bijna aaibaar in rust, maar zo gevaarlijk op het moment dat hij in beweging komt. Uit de tas staken zijn sportschoenen.

'Ben je nog gaan trainen?'

'Ja net, even een uurtje. Had ik even nodig, Haasje.' Sinds haar uitbarsting bij de Reeuwijkse Plassen waren ze voorzichtiger tegen elkaar geworden. Natuurlijk hadden ze de woordenwisseling bijgelegd, maar het woord 'samenwonen' was ongemakkelijk tussen hen in blijven hangen. Ze glimlachte naar hem en nam een slok. Toen ze haar glas neerzette, zag ze dat Jocelyn naar haar zat te kijken. Haar ogen gleden snel weg naar een groepje aan haar kant van de tafel. Dirk trok Hazel bij zich op schoot en sloeg zijn armen om haar heen.

'Wat zijn de plannen voor dit weekend? Gaan we nog wat leuks doen?' Ze vertelde hem over de uitnodiging voor de musical met haar vader en zijn nieuwe vriendin Evelyn.

‘Musical?’ Dirk keek een beetje teleurgesteld. ‘Sorry, ik vind je vader een geweldige vent maar dit doe je me toch niet aan?’ Zijn blik was oprecht smekend.

‘Ik was al bang dat je het niets zou vinden.’ Ze streek hem over zijn stekelige haar en liet haar handen afglijden naar beneden. Ze deed zijn jas open en ving een zweem van zijn geur op.

‘Weet je, ga jij met je vader naar de schouwburg, dan zien we elkaar daarna in de stad. Vraag je vader mee, dat vindt hij vast leuk.’

Het was zaterdagavond zeven uur. Buiten was het ongekend zacht en er hing een heerlijke, veelbelovende geur in de lucht. Het rook naar aarde en groen, verstild zonlicht en een beetje naar gracht. Hazel vergat haar irritatie dat Dirk die middag naar zijn ouders was gegaan en haar alleen gelaten had. Het was zo mooi buiten! Ze was blij dat ze had besloten om te gaan lopen.

Ze voelde zich jong en mooi in haar nieuwe kleren. Ze had die middag een strakke, zwarte kokerrok gekocht en een satijnen groene blouse die dezelfde kleur had als haar ogen. Een smal riempje accentueerde haar wespentaille, het enige deel van haar lichaam waar ze zelf echt trots op was. Het kastanjebruine haar hing golvend op haar schouders.

Voor de schouwburg stond een groepje mensen van het mooie weer te genieten. Ze zag haar vader en Evelyn nog niet. Natuurlijk niet. Leendert Hendrikse zou niet als eerste aankomen om tussen het volk op zijn dochter te wachten. Hij kwam natuurlijk op het laatste moment.

Haar schoenen knelden en ze voelde een blaar opkomen. Ongedurig keek ze op haar horloge. Bijna vijf over acht. Net toen ze naar binnen wilde gaan, kwam er een taxi met hoge snelheid de kade op rijden. Haar vader stapte uit, gevolgd door een sportieve, slanke vrouw met lang blond haar. Haar blauwe ogen werden geaccentueerd door de lichtgebruinde huid. Niet te bruin, niet te blond. Een elegante verschijning.

‘Dag meisje van me.’ Leendert kuste zijn dochter op beide wangen en draaide zich om naar de blonde vrouw. Hij pakte haar hand en trok haar naar zich toe.

'Dit is ze nu, dit is Evelyn.' Hazel herkende haar vaders charmante manier om iemand in het middelpunt te zetten, hij wekte de indruk dat hij zijn dochter veel over zijn nieuwe vriendin verteld had. In werkelijkheid had haar vader alleen het hoognodige prijsgegeven.

'Leuk je te ontmoeten. Pa heeft al zoveel over je verteld.' Ze ontweek de blik die haar vader haar toewierp en ging vlot verder. 'Ik denk dat we echt naar binnen moeten, de derde gong is al gegaan.' Met veel ophef werden ze naar hun plaatsen op de voorste rij geloodst. Een aantal mensen herkende haar vader en als een lopend vuurtje ging de naam door de zaal. Even zag Hazel een van de gordijnen op het toneel op een kier geopend worden maar al snel doofden de lichten en begon de voorstelling.

Aan het begin van *De Midzomernachtsdroom* had ze steelse blikken geworpen op haar vader en zijn nieuwe vriendin. Evelyn had het rustige zelfvertrouwen van een mooie vrouw die zich geliefd wist. Maar al snel liet ze zich meeslepen door Hermia die met haar geliefde het bos in vluchtte om niet te hoeven trouwen met de keuze van haar vader. De jubelende kritieken voor Hermia waren niet onterecht. De hoofdrolspeelster had een bijzondere uitstraling, een haast magische kracht ging van haar uit.

Tegen het einde van de voorstelling voelde ze haar vaders elleboog in haar ribben.

'Laten we gaan voordat de rest opstaat,' fluisterde hij. Terwijl de artiesten het applaus in ontvangst namen, slopen ze snel voor het publiek langs naar de uitgang. Buiten op straat was het inmiddels wat koeler.

'Zullen we nog een afzakkertje doen?' vroeg haar vader terwijl hij een bezitterige arm om Evelyn sloeg. 'De avond is nog jong.'

'Prima, ik weet wel een leuke kroeg in de buurt.' Ze had met Dirk in de 'Blue Star' afgesproken. Evelyn stak haar arm in die van haar vader en van Hazel. Ze liepen als een menselijke sandwich, met Evelyn in het midden, richting het centrum.

'Zo Hazel, hoe is het op je werk? Houd je de boeken een beetje op orde?' De ondertoon in zijn opmerking ging aan zijn nieuwe vriendin verloren, maar zijn dochter pikte deze feilloos op.

'Tuurlijk pa, zonder mij zijn ze nergens.'

'Doe je de administratie daar helemaal alleen, Hazel, of heb je nog collegaatjes?' Met onschuldige blauwe ogen keek Evelyn haar aan. Hazel overwoog haar antwoord een paar seconden.

'Nee, ik heb het rijk gelukkig alleen.' Wat had het voor zin de oude strijd weer aan te gaan? Nooit zou de baan van zijn dochter goed genoeg zijn voor Leendert Hendrikse. Wat ze ook deed, hij verwachtte altijd meer.

Terwijl het gesprek voortkabbelde, waren ze bij het café aangekomen. Tegen de gevel stonden een paar jongens. Ze waren niet veel ouder dan 18 jaar en keken het trio bevreemd aan. Leendert liep met bravoure naar de deur en hield die voor zijn vriendin en dochter open alsof hij een vaste gast was. Zelfverzekerd baande hij zich een weg door de mensenmassa naar de bar waar hij een plekje voor zijn gezelschap vond.

Langzaam zochten haar ogen de mensen in de kroeg af, maar nergens een spoor van Dirk. Ongeduldig keek ze op haar horloge. Misschien was hij van gedachten veranderd en thuisgebleven? Haar vader was een gesprek begonnen met twee mannen. Hazel zag dat Evelyn een opkomende geeuw achter haar hand probeerde te verbergen. Plotseling had ze medelijden met de jonge vrouw. Hoe vaak had ze al niet moeten luisteren naar de verhalen van haar vader? Hazel stond op van haar kruk en mengde zich in het gesprek.

'Hallo, ik ben Hazel.' De mannen keken haar afwachtend aan. Ze liet haar vader de ruimte om te vertellen dat ze met zijn dochter te maken hadden, maar Leendert zweeg. Na een ongemakkelijke pauze hervatte hij zijn verhaal. Hazel wist niet of ze het zich verbeeldde maar even leek het of Evelyn haar vol sympathie aankeek. Als twee mooie accessoires stonden de vrouwen nu in het groepje mannen dat elkaar met sterke verhalen trachtte te overtroeven. Een lange man die 'Bertje' werd genoemd, vroeg of de dames ook wat wilden drinken. Dit was voor Hazel het moment om in te grijpen.

'Het is al laat, ik denk dat we naar huis moeten. Toch, pa?' Ze wendde zich met een glimlach naar Leendert. Verbaasd keek het groepje naar Hazel alsof ze haar nu pas opmerkten. Bertje probeerde het nog een keer.

'Nou, eentje kan toch nog wel?'

'Nee, het spijt me. We moeten echt weg.'

'Ja, Leendert, ik wil ook graag weg, we hebben morgen weer een lange dag.' Evelyn viel Hazel bij. Leendert nam afscheid en liep achter de vrouwen aan naar buiten.

'Waar vinden we hier een taxi, Hazel?' Opeens had haar vader haast om weg te komen.

'Vaak op de Grote Markt, loop maar met me mee, ik moet toch die kant op.' Ze stonden met z'n drieën bij de lege taxistandplaats toen het zachtjes begon te regenen.

'Waarom gaan jullie niet mee naar mijn kamer, het is vlakbij. Dan bel ik daar wel een taxi.' Terwijl ze gedwee achter haar aan liepen, realiseerde Hazel zich opeens dat haar vader nog nooit bij haar op bezoek geweest was. Ze had een grote puinhoop in haar kamer achtergelaten. En wat als Dirk zich al in haar bed genesteld had? Dat zou een geweldige binnenkomst zijn. Op de gracht liep ze snel vooruit en opende de deur. Met het tweetal achter zich aan liep ze de lange gang in. Toen ze voorbij de kamer van Frans liep, zweefden muziek en vrolijk gelach uit de openstaande deur naar haar toe.

Ze duwde de deur verder open, haar vader en Evelyn liepen vlak achter haar zodat ze naar binnen werd geduwd.

Op het uitgezakte meubilair zat een groepje mensen. Toen haar ogen gewend waren aan het halve duister, zag ze in de gloed van het kaarslicht Dirk op de bank zitten met Jocelyn tegen zich aan. Dirk verstijfde toen hij haar zag. Even weigerde haar stem. Ze schraapte haar keel.

'Hé hallo, wat een eer! Jongens, maak even plaats!' Frans liep naar de achterkamer om een paar stoelen te halen. Hazel zag Mieke die met grote ogen naar de vriendin van haar vader staarde.

'Hallo, wij komen zomaar binnen vallen, maar zie je...' Weer weigerde Hazel's stem.

'Nee, geeft niets.' Frans kwam terug met twee gammele klapstoeltjes die hij tussen de bank en de grote fauteuil in probeerde te wurmen. 'Het komt wel mooi uit, we hadden net een discussie. Medicijnmannen tegen de economen.'

Onzeker bleef Hazel in de deuropening staan, haar vader en Evelyn waren op de klapstoelen gaan zitten. Niemand keek nog naar haar om of maakte plaats voor haar. Dirk had zich naar haar vader toegebogen om hem de discussie uit te leggen. Het stak haar dat hij niet opstond om haar te begroeten. Ze wilde haar blik afwenden, maar haar ogen werden getrokken door Jocelyn. Die staarde haar aan met een blik die ze vaker bij haar gezien had, wanneer ze weer wat van Hazel geleend had of wanneer ze Mieke zover had gekregen een essay voor haar te schijven. Haar hart hamerde in haar borstkast, maar een stemmetje in haar nam de controle over.

'Zal ik wat te drinken halen?' Opgewekt liep ze naar de tafel en bekeek de flessen wijn. 'Zo te zien drinken jullie rood. Frans, dit is allemaal op. Ik loop even naar de keuken, kijken wat wij nog hebben.'

In de koelkast stond alleen nog een aangebroken fles witte wijn. Ze rook aan de kurk. Een zurige lucht prikkelde haar neus. Ze liet de fles voor wat hij was en liep naar haar kamer. Daar schopte ze haar schoenen uit en trok een paar slippers aan. Voor de spiegel bracht ze een extra laagje lippenstift op. Onder in haar kast stond een kerstpakket van het afgelopen jaar, gekregen van een dankbare klant. Ze maakte het kistje open en haalde een fles witte Chardonnay en een rode Bourgogne tevoorschijn. Eigenlijk had ze de flessen bewaard voor een bijzondere gelegenheid, om ze samen met Dirk op te drinken. Opgelucht dat haar voeten geen pijn meer deden, liep ze geruisloos de trap af naar de kamer van Frans. Ze hoorde de stem van haar vader.

'Nee, dat hoef je niet aan ons Hazeltje te vragen. Laat die gewoon de boekhouding bij dat bedrijfje doen, dan is ze op haar best. Mijn dochter is geen academica.' Ze hoorde zijn zelfingenomen lach. Voor ze iets kon zeggen, klonk de stem van Jocelyn. 'Maar ook geen avonturier zoals haar vader, ze is echt het doktersvrouwtje!' Een instemmend gelach van Dirk volgde.

Met de twee flessen onder haar arm stapte ze de kamer binnen. Ze keek Dirk recht aan en zei rustig: 'Kijk eens wat ik nog had. Twee flessen heerlijke wijn. Die had ik samen met jou op willen drinken maar deze gelegenheid is net zo feestelijk.'

De dagen na het bezoek van haar vader was Hazel in een terneergeslagen stemming. Dirk had haar al een aantal keren uitgelegd dat ze de dingen niet zo zwaar moest opnemen, maar ze voelde zich verraden. Verraden omdat hij niet voor haar opgekomen was. Verraden omdat hij met Jocelyn op de bank in het huis was blijven hangen en niet naar de 'Blue Star' gekomen was.

Opeens vielen al die weekenden dat hij in Amsterdam bleef in plaats van naar haar te komen, haar zwaar. Van het ene op het andere moment was Dirk een vreemde voor haar geworden.

De sfeer in het huis aan de gracht was te snijden. Jocelyn en Hazel wisselden alleen de hoognodige woorden met elkaar. Alleen Frans was onaangedaan door de hele situatie. Dirk had hem gevraagd als 'postillon d'amour' te fungeren en met Hazel te praten maar Frans zag daar de noodzaak niet echt van in.

Voor de zoveelste keer die dag merkte ze dat haar gedachten niet bij haar werk waren. De telefoon op haar bureau was al een aantal keren overgegaan. Geïrriteerd nam ze op.

'PBC, goedemorgen. U spreekt met Hazel Hendrikse.'

'Lieverd, met je moeder. Heb je even?'

'Mam, dit is al de vijfde keer dat je deze week belt.' Hazel begon het gezeur van haar moeder over de relatie en het huwelijk van haar vader met Evelyn zat te worden.

'Ja, maar kind, het is toch belachelijk, dat ze in het wit wil trouwen.'

'Mam, het is haar eerste huwelijk. Gun haar dat toch. Jullie zijn al eeuwen gescheiden, je had toch niet verwacht dat het nog wat tussen jullie zou worden?' Een pijnlijke stilte aan de andere kant.

'Ben je ongesteld, Hazel? Dan ben je altijd zo kortaf.' Het kwetsen was begonnen en er was geen weg terug. Ze kon alleen nog maar het gesprek afkappen.

'Nee mam, ik heb een enorme hoeveelheid werk liggen en ik heb geen tijd om over dat verrekte huwelijk te praten.'

'Je kunt niet tegen stress, kind. Ik heb je altijd al gezegd dat je niet zoveel hooi op je vork moet nemen.'

'Mam, ik ga ophangen. Ik bel je dit weekend, oké?' Ze wachtte het antwoord niet af en hing op. Net op dat moment ging de deur open en kwam Rob Kramer binnen. Hij leunde met zijn armen over elkaar tegen haar bureau.

'Wat zie ik, een verdrietige blik?' Een innemende glimlach speelde om zijn mond. 'Trouble in paradise?'

'Nee, nee. Het is niets. Ik heb gewoon veel werk.' Maar zijn belangstelling deed haar goed. Ze strekte haar rug en gooide haar kastanjebruine haar achterover. Rob haalde onopgemerkt diep adem.

'Het is jammer dat het niets geworden is met die Spaanse familie.'

De onderhandelingen met de familie Morillo hadden zoals Hazel al ingeschat had, weken voortgesleept. De familie bleek niet echt geïnteresseerd. Ze wilden eigenlijk alleen een financiële injectie in hun bedrijf en verder moest alles bij het oude blijven.

'Ja, we zijn weer terug bij af.' Rob was op de punt van haar bureau gaan zitten, zoals hij de laatste tijd wel vaker deed.

'Jammer voor Pieterse. Die omzetvergroting had hem goed kunnen helpen.' Ze draaide zich abrupt naar hem toe.

'Hoe bedoel je?'

'Nou ja, het gaat jou natuurlijk niet aan, maar...'

'Maar wat?'

'Ze zijn niet echt blij met zijn prestaties, de groei moet sneller en...' Weer liet hij de zin hangen. 'Ik ben bang dat ze Pieterse eruit gaan werken.'

'Maar dat kan toch niet!' Gefrustreerd keek ze hem aan terwijl de waarheid langzaam tot haar doordrong.

'Zo is het spel en zo wordt het gespeeld.'

'Rob, dit is zijn bedrijf, hij heeft het opgezet. Ze kunnen hem er toch niet uitwerken?'

Met een vreemde glimlach keek hij haar aan.

'Wees eerlijk Hazel, wat heeft hij de laatste tijd bijgedragen?' Ze zocht naar voorbeelden, maar vond er geen.

'De man kost te veel en dat weet jij ook. Hij gedraagt zich nog steeds of de zaak van hem is en dat past niet in het beleid van het hoofdkantoor.' Hij keek haar recht aan, zijn stem werd lager, vertrouwelijker.

'Dit bedrijf heeft veel potentieel, Hazel. We kunnen er een geweldig imperium van maken. Samen kunnen wij de wereld aan.' Onderzoekend keek ze in zijn ogen. Hij had voor een deel gelijk. Ze hadden de zaak samen gestroomlijnd en alles liep beter dan voorheen.

'Hoe denk jij dat imperium dan op te bouwen, Rob? De Nederlandse markt hebben we zo goed als helemaal in handen. Voor het buitenland zijn we nog te klein, daar zullen we veel kapitaal voor nodig hebben en ik weet niet of het moederbedrijf dat zal verschaffen.'

'Ze willen nog steeds een vestiging in Spanje om daar nieuwe afzetmarkten aan te boren. Spanje gaat de komende jaren een gigantische economische groei meemaken en wij kunnen daar een graantje van meepikken. Om te beginnen met de Olympische Spelen.' Hij zuchtte diep. 'Als het ons lukt om daar een succesvolle vestiging te openen, dan is het hoofdkantoor vast bereid om verdere plannen te steunen.' Hij keek haar aan alsof hij plotseling een briljant idee kreeg.

'Waarom neem jij dit niet op je? Alles loopt hier goed. Je zou het erbij kunnen doen.'

'Ik?' zei Hazel verbaasd.

Hij stond op van haar bureau en liep naar het raam.

'Ja waarom niet? Ik zal hier moeten blijven om Pieterse in de gaten te houden. Voor je het weet, is het bedrijf anders weer terug bij af.' Hazel keek hem met opgetrokken wenkbrauwen aan. 'Het is jou in ieder geval al die jaren ook niet gelukt om hem in toom te houden.' Beschaamd wendde ze haar blik af, terwijl Rob Kramer verder ging met zijn betoog.

'Luister, het stelt heus niet zoveel voor. Eerst een marktonderzoek, daarna een mailing versturen, contacten leggen en een locatie voor het bedrijf zoeken. Dat moet in een half jaar te doen zijn.'

'Dat is alles, een vestiging opzetten en klanten vinden?' Haar stem klonk sarcastisch.

'Tja, dat is echt geen wetenschap. We kunnen natuurlijk een advertentie plaatsen om kandidaten te zoeken. Maar eerlijk gezegd is het zonde van het geld. We zouden dit zelf kunnen doen. Jij en ik samen, vanuit Nederland.'

'Een mailing, klanten benaderen en een locatie zoeken voor het bedrijf.' Alsof ze in trance was, vormen de woorden zich in haar hoofd.

Een project in het buitenland. Het zou goed zijn om een poosje afstand van Dirk te nemen. Ook al had hij haar omstandig uitgelegd dat die avond met Jocelyn niets voorstelde, dat ze gedronken hadden, toch bleef de herinnering aan haar knagen. Het deed haar teveel denken aan vroeger. Weer hoorde ze die pleitende stem van haar vader, dat hij haar moeder waardeerde en respecteerde maar dat hij zijn gang moest kunnen gaan. Ze had geen zin in een huis te wonen waar ze steeds weer die triomfantelijke blik van Jocelyn moest ondergaan. Ze moest een daad stellen, ze moest laten zien dat ze meetelde.

'Ja, dat is in principe wat er moet gebeuren,' zei Kramer. Vanuit zijn ooghoeken keek hij naar de brunette. Plotseling stond ze op alsof ze een teken wilde geven dat het gesprek ten einde was. Met een resoluut gebaar veegde ze de papieren op haar bureau op een stapel. 'Ik doe het, ik ga naar Barcelona en zal het voorwerk doen. Geef me een paar maanden en jij hebt je vestiging.'

Twee weken later, op een vrijdagavond, lag Dirk op bed en bestudeerde zijn vriendin alsof ze een nieuwe bacterie was. De vrouw die verwoed haar spullen in een grote koffer gooide, leek uiterlijk op zijn vriendin Hazel. Maar verder was ze anders. Haar optreden was afgemeten. Ze had geen tijd meer om eindeloos met hem op bed te liggen en te filosoferen over de dagelijkse dingen. Dirk merkte dat ze veranderd was. Na lang praten hadden ze hun ruzie bijgelegd, maar er was een kilte tussen hen ontstaan.

Langzaamaan werd de gezellige kamer, hun jarenlange liefdesnest, ontdaan van alle warmte. De sjaal die over de schemerlamp hing om het licht te dempen, werd opgevouwen en ging in de koffer. Net als de prullaria van generlei waarde maar voor hen relikwieën van avonturen die ze drie jaar lang samen hadden meegemaakt. De posters van films waar ze samen naar toe waren geweest, werden opgerold. Langzaam veranderde het warme nest in een kille kamer.

Hazel had een zachte, soepele grijze joggingbroek aan met een wit T-shirtje dat strak om haar borsten en buik spande. Het kastanjebruine haar viel steeds voor haar gezicht. Hij kon de neiging om haar haar aan te raken, haar naar zich toe te trekken, bijna niet weerstaan.

'Voor die zes maanden pak je veel in,' zei hij bedachtzaam. 'Weet je zeker dat je daarna terugkomt?'

'Maak je niet ongerust,' antwoordde ze afwezig terwijl ze over het lot van een tweetal knuffels probeerde te beslissen. 'Zal ik deze alle twee meenemen? Nee, geef ze maar aan je nichtjes.'

Dirk dacht terug aan de avond waarop het tussen hen mis was gelopen. Hij was dat jaar begonnen met het lopen van zijn coschappen. De verantwoordelijkheden van een coassistent waren niet gering, vaak kon hij aan het eind van de dag niet zoals gewoonlijk meteen naar huis, maar moest hij nog rapporten schrijven, beoordelingen maken. Hij schaamde zich ervoor, maar de eindeloze gesprekken die gevoerd moesten worden met de patiënten en de familie maakten hem onrustig. Het boeide hem niet. Langzamerhand was hij tot de conclusie gekomen dat alleen het technische aspect van de geneeskunde hem interesseerde. Hij liep al een tijdje met de gedachte te spelen voor chirurgie te kiezen. Snijden en repareren, dat trok hem. Glorieuze operaties waarbij het 'softe' gedeelte overgelaten werd aan de staf. Hij had dit die avond dat ze in de 'Blue Star' afgesproken hadden, met Hazel willen bespreken, haar mening willen vragen. Maar alles was die avond zo anders gelopen. Zijn ouders hadden hem die dag onder druk gezet over zijn studie. Zij wilden dat hij huisarts werd. Huisarts, een beroep dat hij zelf niet zag zitten. Hij had de fiets gepakt en was Gouda ingegaan, eigenlijk hij had alleen maar een verzetje gezocht. Jocelyn had hem uitgenodigd wat bij Frans te gaan drinken. Hij schudde zijn hoofd. Hij viel niet eens op haar, met haar rode haar en haar aanstellerige maniertjes, was zij niet zijn type.

'Je kunt toch tussendoor een weekend terug komen?' probeerde hij voorzichtig.

'Gaat allemaal van mijn budget af,' was het korte antwoord.

'Dan neem je een goedkoper hotel.'

'Ik heb een heel goede deal met een klein pension net buiten de stad. Het schijnt pas geopend te zijn. Volgens het reisbureau heb ik geluk gehad. Het is niet makkelijk wat fatsoenlijks te vinden dat ook nog betaalbaar is.' Ze liet zich naast hem op het bed vallen. 'Of anders kom jij mij opzoeken. Het pension ligt vlak bij het strand. Het heet 'El Nogal', de notenboom.'

'Aan het strand! En jij gaat voor je werk naar Spanje?' zei hij zogenaamd verontwaardigd.

'Ja, binnen een maand ben ik zo bruin dat je me niet meer zult herkennen.'

'Geweldig. Terwijl ik hier het zware werk mag doen!'

'Nou, niet dat ik het makkelijk zal krijgen. Wat denk je van al die Spanjaarden die ik van me af zal moeten slaan. Nederlandse meisjes zijn daar populair, hoor!'

'Omdat ze makkelijker in bed te krijgen zijn dan die Spaanse dames.'

'Heb je daar ook al ervaring mee?' Hazel had meteen spijt van haar laatste opmerking.

'Hazel!..'

'Sorry, dat was niet aardig.' Ze streek even over zijn haar.

'Haasje, ik beloof je naar je toe te komen wanneer ik kan, maar het wordt een lastig jaar.' Hij keek haar aan. 'Ik zal je missen.'

Hazel voelde haar koude hart smelten. 'Misschien ben ik binnen een paar maanden weer terug. Hangt het feestvieren me snel de keel uit.'

'Ja, misschien,' zei hij terwijl hij afwezig met het stapeltje spullen dat daar voor hem klaar lag, speelde. Zijn gedachten leken ver weg. Hij was al weer in Amsterdam, bij zijn jaarclub, zijn verplichtingen, zijn studie. Opnieuw voelde Hazel zich verharden. Voor de zoveelste keer vroeg ze zich af wat haar aandeel in zijn leven was.

Mickie

Onder de vaardige handen van aannemer Martínez, begon 'El Nogal' langzaam tot leven te komen. Een warme zomerzon scheen op de lichtblauw geverfde luiken en de natuurstenen voorgevel. Het was hard werken geweest, maar langzaam herrees de oude dame weer in haar volle glorie.

Mickie had op het gemeentehuis de naam van de architect en de tekening van het pension proberen te achterhalen, maar dat was niet gelukt. Alles wat met het pension te maken had, leek op mysterieuze wijze verdwenen. De enige die haar veel over het pand wist te vertellen, was Martínez, de lokale aannemer die ze in de arm had genomen.

Het pension was indertijd goed doordacht gebouwd. Aan de voorzijde bij de notenboom waren het terras en de openslaande deuren naar het restaurant. Daar klonk tot 's avonds laat het geroezemoes van de etende gasten. Aan de achterzijde lagen de privé-vertrekken en de vijftien kamers met uitzicht op zee. De kamers op de eerste verdieping hadden allemaal een ruim balkon. Vanaf het terras aan de achterkant liep een smal pad de flauwe kusthelling af naar zee. Daar lag de verborgen schat, een beschut strandje. Het was een heerlijke plek om ongezien te zonnebaden.

Een van de oudere bouwvakkers had haar verteld dat het pension ooit gebouwd was voor mensen uit de grote stad die hier hun geheime geliefde mee naar toe brachten. Eeuwenlang had de katholieke burgerij van Barcelona buitenechtelijke relaties getolereerd vanwege de onaantastbare positie van de echtgenote. Eenmaal getrouwd, altijd getrouwd. Deze instelling moedigde getrouwde vrouwen niet aan om blijvend op hun uiterlijk te letten. Na een aantal kinderen gebaard te hebben, verloren ze snel hun schoonheid en veranderden in dikke matrones. Mannen hielden er vaak een jongere vriendin op na om mee te nemen naar gelegenheden waar ze met hun 'nichtje' konden pronken.

Mickie lag op een oude plastic ligstoel op het achterterras en koesterde zich in het licht van de ondergaande zon. Dit was het moment van de dag waar ze het meest van genoot. Iedereen was naar huis en zij had tijd om van de natuur te genieten. Maar vandaag wilde het genieten niet lukken. De laatste dagen waren haar problemen steeds groter aan het worden. Met haar ogen hardnekkig gesloten, zuchtte ze diep. Denkrimpels vormden zich op haar voorhoofd. Het geld dat 'La Baja de Rosas' opgebracht had, was meer geweest dan Gary en zij verwacht hadden. Maar het sluiten van het hotel, de vertrekpremies van het personeel en de afdracht aan de Spaanse belastingdienst, hadden een groot deel van de opbrengst opgeëist. Ondanks haar zorgvuldige berekeningen voor de verbouwing van 'El Nogal' was haar geld nagenoeg op. Het compliment dat de mannen vandaag over de maaltijd gemaakt hadden, deed haar verlangen naar het moment dat ze haar nieuwe keuken kon gebruiken. Ze had geen kosten gespaard bij het inrichten daarvan. Er was een goede koelruimte, ruime werkbladen en branders en een perfecte afzuiginstallatie. Ze had zelfs airconditioning aan laten leggen. Terugdenkend aan het witte hotel had ze ook alle kamers voorzien van een moderne badkamer. Dit alles had wel een enorm gat in haar budget geslagen. Ze had het oude meubilair van de eetzaal zelf gerestaureerd, ze had de stoelen met de rieten zittingen allemaal in hetzelfde blauw als de luiken geverfd, maar de pensionkamers waren nog helemaal leeg. De oude bedden waren te vies geweest, ze had alles weg moeten gooien.

'¡Señora! ¡Señora!'

De stem kwam van heel dichtbij. Ze moest in slaap gevallen zijn, met een ruk ging ze rechtop zitten. Er stond iemand over haar heen gebogen. Een zwarte schaduw die haar bijna beroerde.

'Jorge, wat doe je hier? De anderen zijn al lang weg.' Ze herkende een van de jongere bouwvakkers. Een stille jongen die de gewoonte had aan het einde van de dag een half uur langer door te werken om de bouwplaats netjes achter te laten.

'Mevrouw, ik wilde u wat vragen.' Zijn stem klonk laag, hees.

'Wat? Sorry, ik moet in slaap gevallen zijn.' Moeizaam keek ze naar de wijzerplaat van haar horloge, het was bijna negen uur. De mist in haar hoofd trok langzaam op. Ze rekte zich uit en zag zijn blik naar haar lichaam gaan. Snel liet ze haar armen zakken. Haar blonde haar plakte tegen haar voorhoofd en haar nek. Ze voelde een straaltje zweet naar haar boezem glijden. Zijn ogen volgden het straaltje tot het punt waar het verdween in de ruimte tussen haar kleine borsten. De blikken voelden aangenaam en maakten emoties in haar los die ze lang niet meer gevoeld had. Zonder iets te zeggen, keken ze elkaar aan. Ze zag zijn tanige gespierde lichaam, zijn handen eeltig van het harde werk, zijn huid droog door metselzand en houtzaagsel. Een onbeheerst verlangen maakte zich van haar meester, het was zo lang geleden dat ze zich vrouw gevoeld had. Het leek een eeuwigheid te duren voor ze van haar stoel was opgestaan. Zijn donkerbruine ogen vastgezogen aan haar blauwe ogen. Ze gaf haar weerstand op. Een stem die niet de hare leek, sprak. 'Wat wilde je vragen?' Hij probeerde zijn blik van haar borsten af te wenden en rommelde in zijn zakken op zoek naar een pakje sigaretten. Hij hield haar het pakje voor.

'U ook?'

'Ja goed.' Ze rookte niet, maar begreep het gebaar. Jorge kwam dichterbij om haar de sigaret te overhandigen en aan te steken. Hij pakte er zelf ook een en nam plaats naast haar op de ligstoel.

'Het is mooi hier bij de zee. Als mijn gedachten te druk worden, kijk ik naar de zee.'

'Ja, ik ook.' Ze zwegen. Ze trok haar benen naar zich toe om hem meer ruimte te geven. Deze beweging leek een berusting in het feit dat ze samen de ligstoel bewoonden. Onverwachts draaide hij zich naar haar toe en nam een van haar kleine voeten in zijn eeltige hand. De hand voelde heerlijk warm. Hij streelde de voet, zijn hand gleed verder over haar onderbeen. Mickie leunde achterover en sloot haar ogen. Even voelde ze niets anders dan zijn handen die haar lichaam streelden. De avondgeur van de bomen en de zilte zee vermengde zich met de geur van tabak. De loodzware vermoeidheid die ze de laatste weken steeds voelde, leek zich opeens op te lossen in het niets. Jorge doofde zijn sigaret en voor ze het wist werd ze door twee sterke armen opgetild. Hij droeg haar het terras af naar de strook grond die bedekt was met een zachte laag zanderig mos. Langzaam kleedde hij haar uit. Ze wist niet of ze dit wilde, maar ze was tegelijkertijd ook niet in staat hem te stoppen. Zijn overhemd hing open. Om zijn hals droeg hij een dunne gouden ketting met een kruisje. Haar blik gleed verder over zijn borstkas, over de gladde olijfkleurige huid die zacht glom in het goudgele licht van de ondergaande zon.

'Jorge, ik...'

'Niet praten, het is goed.' Hij knielde voor haar neer en maakte een kussen van haar kleding. Snel trok hij zijn kleren uit en kwam naast haar liggen. Zijn handen gleden over haar buik, over haar borsten die als kleine puntige torentjes naar boven wezen. Hij trok haar naar zich toe en kuste haar vurig. Ze voelde zijn erectie. Een golf van hartstocht overspoelde haar. Als een drenkeling klemde ze zich aan hem vast, niet bereid hem weer los te laten. Ze bedreven snel en gretig de liefde. Even later lagen ze naar de fluweelblauwe avondhemel te staren. Hij draaide zich op zijn zij en keek haar aan.

'U bent zo mooi.' Tranen sprongen in haar ogen. Het was het verdriet dat zich diep in haar verstopt had en dat nu naar boven kwam. Ze kneep haar ogen dicht om de tranen tegen te houden. Ze kromp in elkaar en draaide zich van hem af. Haar schouders schokten. Hij legde een bezorgde hand op haar schouder.

'Waarom huilt u, heb ik iets fout gedaan? Was het niet goed?'

'Ja Jorge, het was goed. Maar ik ben verdrietig. Laat me maar.'

'Wilt u dat ik wegga?'

'Ja, ga maar. Het komt weer goed.' Ze draaide zich naar hem toe en keek naar zijn bezorgde gezicht. Ze herhaalde haar woorden met haar ogen op de zijne gericht.

'Het is niets, echt.' Voorzichtig veegde hij de tranen van haar gezicht. Ze pakte de liefdevolle hand en zoende zijn vingers.

'Nee, het is goed.' Zijn gezicht ontspande zich.

'Wat wilde je me eigenlijk vragen?'

'Oh, ziet u, mijn zusje is kamermeisje en ik dacht dat u straks misschien personeel nodig zou hebben.' Ze zuchtte, terwijl ze haar kleding bij elkaar zocht.

'Ja, het is goed, laat haar maar een keer komen voor een gesprek.'

De volgende morgen werd Mickie met hoofdpijn wakker. Ze was vergeten de rolluiken voor het raam te laten zakken en de zon scheen fel de kamer in. De ontlading die ze gisteren had gevoeld met Jorge was veranderd in een schuldgevoel. Hoe had ze zich kunnen laten gaan met een van de werkers. Haar positie als alleenstaande vrouwelijke ondernemer werd er zo niet makkelijker op. Ze kreunde terwijl ze zich op haar rug draaide. Stiekeme blikken wanneer ze niet keek, gelach achter haar rug, gefluister, dubbelzinnige opmerkingen. Ze kreunde nog een keer. Ze was dom, dom. Hoe had ze dit kunnen doen? Wat had haar bezield? Ze liet haar voeten over de rand van het bed op de vloer bungelen. De tegels voelden aangenaam koel. Ze rekte zich uit en liep naar de badkamer. Voor een immens groot schilderij bleef ze staan. Het bestond uit een rood vlak met daarop de gestileerde contouren van een groep mensen. Altijd wanneer ze ernaar keek, voelde ze zich onderdeel worden van een groter geheel. Glimlachend keek ze naar de groep mensen. 'Doen jullie nooit iets stoms?' Ze haalde haar schouders op en liep door naar de badkamer. Onder het stromende water van de douche masseerde ze haar hoofd. Ze kon het zich niet veroorloven zich zielig te voelen. Ze was bijna door haar geld heen en het pension moest geopend worden. De bedden, kasten en stoelen van 'La Baja de Rosas' had Gary gehouden om ergens anders een hotel te beginnen. Het was allemaal zo snel gegaan, de verkoop, de scheiding, Inma. Het leek nog steeds een boze droom waar ze uit moest ontwaken.

Ze moest nodig het meubilair voor 'El Nogal' gaan zoeken, vijftien lege kamers... Ze trok snel een makkelijk zittende spijkerbroek met een witte blouse aan, en liep met een kop koffie in haar hand naar buiten. De bouwvakkers waren de laatste hand aan het terras aan het leggen. Ze moest laten zien dat ze zich niet schaamde, dat het heel normaal was om met een minstens twaalf jaar jongere werknemer seks te hebben.

'Goedemorgen mevrouw, het terras wordt mooi zo, vindt u niet?' Martínez kwam naast haar staan, terwijl hij een goedkeurende blik over het terras liet gaan.

'Ja, ik ben er erg blij mee.' Geen afkeurende blikken, geen insinuaties. Opgelucht haalde ze adem.

'U kijkt bedenkelijk. Bent u echt tevreden?'

'Ja echt, het ziet er precies uit zoals ik het wilde.' Ze had de muren aan weerszijden van het terras wat hoger op laten metselen. Door deze beschutting zou ze wat langer in het seizoen van het buitenterras gebruik kunnen maken. Het gaf ook iets intiems. Je kon hier heerlijk met je geliefde tot de late uurtjes dineren zonder gezien te worden.

'Vindt u het goed dat ik het laatste deel van de rekening deze week meteen betaald krijg?' Hij wist uit ervaring dat de laatste peseta's het moeilijkst te innen waren. Klanten zochten altijd redenen om de laatste termijn niet te betalen. Onderzoekend keek hij de kleine Engelse vrouw aan. Hij moest toegeven dat hij haar moed bewonderde. Veel gegadigden hadden om het oude pension heen gelopen, maar niemand had het aangedurfd.

'Eh Martínez, dat wilde ik je vragen. Kan ik een regeling treffen voor de laatste termijn? Ik moet de gastenkamers nog inrichten en ik ben bijna door mijn geld heen.' Ze keek hem recht aan.

'Tja, ik wil niet lastig zijn, maar...' zei hij weifelend.

'Je zult dit natuurlijk altijd horen, dat begrijp ik, maar zonder gastenkamers kan ik geen geld verdienen.'

'U hebt het restaurant toch?'

'Ja, maar het zal even duren voordat ik mijn reputatie hier opgebouwd heb. De kamers zullen nu mijn belangrijkste inkomstenbron zijn.' Een idee vormde zich plotseling in haar hoofd. De meeste Catalanen waren beruchte spaarders.

'Martínez, mag ik je een ander voorstel doen? Je hebt vast wel wat geld weggelegd al die jaren. Zou je niet in het pension willen investeren? Je leent mij geld om de inrichting van de kamers te betalen en ik betaal je het geld terug met rente, en de laatste termijn natuurlijk.' Het was de enige mogelijkheid, want de bank zou nooit investeren in een alleenstaande, gescheiden vrouw.

'Dan worden we partners,' zei hij opeens en zijn hele gezicht lichtte op.

'Ja, zo zou je het kunnen zien, en dan houd je de meubels als onderpand,' glimlachte ze. Ze zag dat Martínez duidelijk plezier had bij het idee.

'Waar ga je die meubels kopen?' wilde hij weten.

'Ik heb al wat rondgekeken, maar een Ikea bestaat hier nog niet.'

'Een wat?'

'Een zaak waar je meubels koopt die je zelf in elkaar zet.' De aannemer moest lachen.

'Dat bestaat hier inderdaad niet. De meubels die wij hebben, gaan van generatie op generatie mee.' Ze discussieerden over de stijl die 'El Nogal' moest uitstralen, maar tussen het ouderwetse Spaanse meubilair van het platteland of het ultramoderne design dat in de hoofdstad werd aangeboden, gaapte een groot gat. Plotseling lichtten de ogen van de aannemer op.

'We kunnen het meubilair ook kopen op de *'Mercat des les Encants'* bij de Plaza de las Glorias.' Mickie had wel eens van die beruchte vlooienmarkt gehoord. Aan de rand van Barcelona bij de Avenida Diagonal lag een enorm terrein waar werkelijk van alles verkocht en verhandeld werd. Van antieke spulletjes tot gestolen waar. Vragend keek ze Martínez aan.

'Bedden met gratis vlooien?'

'Nee, echt niet. Gewoon nog in plastic verpakt. We kunnen mijn bus nemen en alles ophalen.' Zijn enthousiasme werd steeds groter. Aarzelend stemde ze in om de eerstvolgende zaterdag naar de beroemde 'Betoverde Markt' te gaan. Langer wachten kon niet. De advertenties voor een aantal toeristische bladen lagen al klaar. Ze maakte een snelle rekensom wat ze voor de kamers nodig had. Bedden, matrassen, nachtkastjes, stoelen, gordijnen, lampen. De aannemer zag haar sombere blik. Vertrouwelijk kneep hij in haar arm.

'Je moet je niet van je stuk laten brengen door wat er gezegd wordt, hoor!'

'Wat er gezegd wordt?' Opnieuw schoot de vorige avond door haar hoofd.

'Het verhaal over dit pension.'

'Welk verhaal?' Mickie keek hem nieuwsgierig aan. Hij stond duidelijk te popelen om het verhaal te vertellen.

'Señora, het is natuurlijk maar een verzinsel. Maar het verhaal gaat dat hier ooit, voordat het pension gebouwd werd, drie zussen gewoond hebben. Mooie meiden, maar koppig! Veel te koppig voor het gewone manvolk hier in Castelldefels. Ze hadden prachtige namen. De oudste heette Angelina, een meisje met een echt engelengezichtje, de middelste heette Aureliana, zij had bruin haar waar als het zonlicht erop scheen, gouden lokken in te zien waren. En de jongste heette Azucena, zij was de mooiste, ze had een lelieblanke huid en een prachtige stem. Hun ouders waren op jonge leeftijd overleden en de drie zussen woonden hier samen. De grotten hier... Je zult ze wel gezien hebben... waren uitstekende plekken om smokkelwaar te verbergen. Daar hielden de zussen zich mee bezig. Met smokkelwaar. Ze kochten alles wat verboden was van de smokkelaars en sloegen dat op in de grotten.' Mickie zag uit haar ooghoek Jorge aankomen met iemand in zijn kielzog.

'... Jarenlang gedaan. Niemand kwam erachter totdat...' Ze voelde het bloed naar haar hoofd stijgen.

'... Was natuurlijk geen engeltje maar wel de liefste...' Het verhaal van Martínez ging volkomen langs haar heen. Ze deed een paar passen opzij zodat Jorge haar niet recht kon aankijken.

'... Maar uiteindelijk overwon de liefde... De jongste is toen vertrokken naar Amerika en de middelste...' Het was een jonge vrouw die achter Jorge liep.

'... Niemand meer iets van gehoord. Wat zie je er vreemd uit? Je moet je niets van zo'n verhaal aantrekken, want dat van die ruzie zal best overtrokken zijn geweest. Je weet hoe mensen kletsen.'

'Señora, dit is mijn zus, dit is Merche.' Jorge stond voor haar. Hij keek haar veelbetekenend aan. Mickie reageerde niet op zijn blik en bekeek de vrouw die nerveus aan haar kleding stond te plukken. Het was een tengere vrouw van net in de twintig. Ze droeg een wit bloesje op een zwarte broek, met daaronder een paar afgetrapte leren schoenen. Het uniform van het leger dienstbodes, dat in de toeristenindustrie werkte. Het lusteloze bruine haar was met een elastiekje vastgebonden tot een piekerig staartje. Opeens keek ze op. De onverwacht vurige blik in haar ogen weersprak alles wat haar lichaam uitdrukte. Mickie moest glimlachen. Misschien was ze wel tot meer in staat dan ze vermoedde. Ze stak haar hand uit.

'Welkom Merche, ik ben Mickie Jarvis. Zal ik je rondleiden?' Ze had haar eerste nieuwe personeelslid aangenomen.

Bella

De eerste weken in Barcelona bracht ze door met het verkennen van haar nieuwe thuis. Door de ondraaglijke hitte van augustus lag de stad er verlaten bij. Alleen toeristen trotseerden de hoge temperaturen, de inwoners waren gevlucht naar hun huizen aan de kust. Ze dwaalde door de oude wijk Raval, langs de Plaza de los Diamantes waar vroeger de diamantslijpers werkten naar de Barrio Gótico met in het midden de grote kathedraal, door de Calle Banys Nous, de straat vol antiekwinkeltjes, naar het monument van Columbus aan het einde van de Ramblas. Van daar liep ze omhoog naar de Plaza de España. Aan dit drukke plein stond het beurscomplex 'La Feria' waar over een aantal weken de grote internationale modebeurs gehouden zou worden, de beurs waar Elody Mode haar entree zou maken in de Spaanse modewereld. Over het beursterrein liep ze verder omhoog richting het paleis op de Montjuic. Daar zat ze samen met honderden toeristen op de trappen bij de fonteinen. Ze liet de zon op haar gezicht schijnen en voelde zich heerlijk vrij. In een bar kocht ze een 'bocata de butifarra', een broodje witte worst en een blikje cola. Maar het meest genoot ze van een bezoek aan 'Menkes', de balletwinkel halverwege de grote Avenida de las Corts Catalanes. Gefascineerd staarde ze naar de serie kleine etalages die eruit zagen als kijkdozen vol met balletkleding en schoenen, maar ook met bizarre toneelkostuums, prachtige flamencojurken, stierenvechtershoedjes en castagnetten.

Barcelona was zo anders als Amsterdam. Daar waar de Nederlandse stad de artistieke uiting was van de Hollandse kneuterigheid, met pittoreske plaatjes van gevels en grachten, hofjes, straatjes en pleinen, was deze stad een weergave in steen van de Catalaanse burgerlijkheid. Barcelona kende nette wijken voor de gegoede stand met keurige winkels, theaters en restaurants maar daarnaast bezat zij ook wijken met uitgaansgelegenheden waar de katholieke huisvader zijn fantasieën kon uitleven in nauwe straatjes met lokalen vol nachtplezier.

Bella hield van de stad die zo wereldse leek maar in wier hart een dorp schuilde, met de normen en waarden van een klein gehucht. Voor het eerst in haar leven wist ze wat ze echt wilde, ze wilde hier blijven. Ze wilde niet terug naar Amsterdam, er was niets wat haar daar nog bond. En voor het eerst in haar leven was ze haar moeder oprecht dankbaar dat die haar haar wil had opgelegd.

Achter de schermen, in de hel verlichte kleedruimte was het een heksenketel. Het was de avond waar heel Barcelona al weken naar had uitgekeken. De avond van 'La Moda', de avond waarop modeontwerpers uit binnen- en buitenland hun nieuwste ontwerpen lieten zien. Opgewonden stylisten zoemden als drukke bijen om de uitgemergelde modellen. Hysterische ontwerpers hielden angstvallig de rekken vol creaties in de gaten, bang voor spionage op het laatste moment.

In de hoek die toebedeeld was aan Elody Mode heerste rust. Met een koele blik overzag Elody het rek met haar creaties. Speciaal voor de Spaanse markt had ze haar elegante modellen iets meer 'pit' gegeven. De Spaanse vrouw kleedde zich beduidend anders dan de Italiaanse of Franse vrouw. Iets minder elegant, maar uitdagender en temperamentvoller.

'We zullen nu zien of uw campagne zijn vruchten af gaat werpen, Jean Paul.' Elody keek haar zoon aan.

'Maman, de fluistertechniek voor een modemerk is nieuw hier. Ik weet zeker dat het gaat werken,' zei Jean Paul zelfverzekerd. De fluistertechniek werd vaak gebruikt bij de introductie van een cosmeticamerk, maar nog nooit was het bij een modelabel gebruikt. Wekenlang had Jean Paul zogenaamd geheime informatie naar bronnen in de modebranche laten 'lekken' over de komst van een buitenlands merk met weergaloze modellen die werkelijk niemand kon weerstaan. Maar niet alleen de modewereld was van dit 'geheim' op de hoogte, ook de pers had er lucht van gekregen. Een week voor de modeshow werd er in alle toonaangevende bladen gespeculeerd over het nieuwe merk.

'Maar het is aan Bella om de reputatie waar te maken.' Ze keken allebei naar Bella die in de openingscreatie klaar stond. De beige jurk van een soepele stof leek aan haar lichaam te kleven. Het modebeeld dat jaar werd gedomineerd door harde kleuren en kleding met veel laagjes. Maar Elody had juist gekozen voor de elegante kleuren beige, wit, mauve en 'periwinkle', een zachtpaarse kleur. Van de modellen die klaar hingen voor deze modeshow, had Elody een simpelere versie voorbereid die meteen de volgende week in de warenhuizen verkocht zou worden. Bella's lange haar was opgestoken en kwam in een blond-gouden waterval naar beneden.

'Blijft dat wel zitten?' Jean Paul staarde naar zijn zus.

'Potten gel en lak doen wonderen, ma chérie. Volgens mij bent u nog nooit achter de schermen van een modeshow geweest.' Elody zag haar zoon met grote ogen staren naar de modellen die alleen in ondergoed ongegeneerd door de kleedruimte liepen.

'Wat zijn die vrouwen dun. En zo onwerkelijk.'

'Make-up, Jean Paul. Veel make-up, weinig eten, een paar lange benen en een goede kapper doen veel.' Een donkere mannequin liep in een schaamteloos klein broekje langs en keek uitdagend naar Jean Paul. Haar kleine borsten met pikzwarte tepels staken trots vooruit.

'No te empeñes con mi hijo, chica, la modista soy yo. Doe geen moeite voor mijn zoon, ik ben de modeontwerper.' Elody's Spaans was vlekkeloos, maar stijfjes. Zonder te reageren liep het donkere meisje verder. Jean Paul keek zijn moeder verbaasd aan.

'Waar is dat goed voor moeder?'

'Het zijn allemaal 'golddiggers'. Een man in de kleedkamers moet wel of een ontwerper, een klant, of een 'celebrity' zijn.'

'Een 'celebrity'?' Jean Paul begon zich een provinciaaltje te voelen naast zijn wereldse moeder.

'Ja, filmsterren, ministers, regisseurs, op zoek naar een mooie vrouw, voor wat voor reden dan ook,' zei ze koeltjes.

'Dus de zoon van een modeontwerpster is een 'nobody',' lachte Jean Paul.

'Verdoe uw tijd niet met deze meisjes,' was het enige commentaar van zijn moeder. Net wilde Jean Paul reageren toen iemand op een enorme gong sloeg. Het geroezemoes verstomde tot een doodse stilte. Een van de meisjes sloeg haastig een kruis. Elody keek haar dochter aan.

'Het is zo ver! De show gaat beginnen,' fluisterde ze.

Elody stelde de rij modellen in volgorde op met haar eigen dochter voorop. Snel draaide ze Bella voor een laatste inspectie naar zich toe.

'U weet wat u doen moet! Kijk vooral naar rechts, naar de eerste rij, daar zitten de belangrijkste klanten.'

Bella duwde de corrigerende hand van haar moeder van zich af. Ze liep alvast richting de catwalk, maar haar moeder greep haar hardhandig bij haar arm.

'Luistert u goed, dit is niet een van uw spelletjes. Hier wordt het echte geld verdiend waarmee wij een goed leven kunnen leiden. Ik verwacht het allerbeste van u. Begrepen?'

Bella rukte zich los en liep zonder nog naar haar moeder te kijken naar het witte scherm met daarop, in grote gouden letters, het woord Elody. 'Alsof ik dat ooit zou vergeten, moeder,' mompelde ze voordat ze met grote passen de meterslange catwalk op heupwiegde.

De dag na de show zat Bella nog vol adrenaline. Deze show was zoveel groter geweest dan de shows die ze in België voor haar moeder had gelopen. Het grote gebouw aan de 'Recinto Ferial' op de Plaza de España was afgeladen met gasten geweest. Uit heel Spanje waren modeontwerpers, modeliefhebbers en recensenten gekomen om de mode voor de komende winter te zien. De rijen langs de catwalk waren afgeladen met beroemdheden. Voetbalvrouwen, zangers, popsterren, filmsterren, vrouwen van ministers, puissant rijke mensen, extravagante mensen. Hier en daar had Bella een gezicht herkend. Steeds wanneer zij in een nieuwe creatie tevoorschijn kwam, ging er een geroezemoes door de zaal. Om zich heen hoorde ze opgewonden stemmen. Haar moeder was tevreden geweest, ze was met een goed gevuld opdrachtenboek naar huis gegaan.

Zonder haar familie wakker te maken, sloop Bella naar beneden. De stad sliep nog, de nacht hing vochtig in de smalle straten. In een bar had zij een 'café con leche' besteld. Ze was de enige klant. Zoals veel van dit soort Spaanse barretjes was het pand niet breder dan drie meter. Net groot genoeg voor een bar met daarvoor een aantal krukken. Langs de muur stonden een paar kleine tafels. De barman sprak niet veel. Dat werd ook niet verwacht, zo vroeg in de ochtend. Zonder op te kijken maakte hij een kop koffie met melk voor Bella klaar, daarna ging hij verder met het rangschikken van de croissants, 'palmeras' en chocoladebroodjes. Langzaam liep de bar vol met mensen die hun ontbijt kwamen halen. Een man kwam naast Bella zitten, hij spreidde een krant voor zich uit en begon te lezen terwijl hij zijn croissant in de koffie doopte. Tergend langzaam las hij iedere pagina van boven naar beneden alvorens door te gaan naar de volgende. Eindelijk kwam hij op de modepagina. Bella durfde niet mee te kijken. De man was geen modeliefhebber, deze pagina hield minder lang zijn aandacht vast. Vlak voordat hij wilde omslaan, keek ze. En daar, midden op de pagina, stond een levensgrote foto van Bella in moeders meest sexy gewaad. Een strakke zijden avondjurk in een schakering van lichtpaars naar donkerlila.

Het was oktober en de stad veranderde opnieuw van gedaante. De temperatuur was aangenaam, de gekte van de zomer met de brandende hitte die het werken bijna onmogelijk maakte, was verdwenen. De stad had haar eeuwenoude ritme weer opgepakt. 's Morgens, in een schoongeveegde stad, trok het leger kantoormensen tegen negen uur naar de kantoren in de oude statige gebouwen om, tegen half elf, weer af te zakken naar de vele barretjes in de plinten van de hoge gebouwen. De koffiemachines werkten op volle toeren om de vele 'cortados, cafés con leche, americanos, carrajillos en trifacios' te maken die vaak staand gedronken werden. Na een half uurtje ontspanning liepen de barretjes weer leeg.

Het geweldige succes op de 'Feria de la Moda' was al weer een paar weken geleden. De campagne van Jean Paul werd afgerond met metershoge aanplakbiljetten van Bella in Elody's mooiste creatie. De posters hingen verspreid door de hele stad en Jean Paul was bezig de campagne uit te breiden naar Madrid, Sevilla, Valencia en Granada.

Bella had net koffie gedronken in haar favoriete bar 'Els Quatre Gats', een café waar ooit Picasso en zijn vrienden rondhingen. Het etablissement met de naam 'de vier katten' lag verstopt in de Gothische wijk. Bella vond het heerlijk om hier aan het begin van de morgen haar koffie te drinken; het was dan nog rustig en de obers stonden slaperig achter de bar de glazen op te poetsen. Ze pakte haar portemonnee uit haar tas om af te rekenen. Er zat niet veel geld meer in. Het geld dat ze van Van Wadenooyen Producties had gekregen voor haar rol in *De Midzomernachtsdroom* was bijna op. Van haar moeder had ze niets voor de modeshows gekregen omdat ze het appartement in Amsterdam voor haar gekocht had, hoewel dat wel gewoon op naam van Elody Mode stond en niet op Bella's naam.

Elody Casteurs had haar dochter voorgesteld om de volgende reeks modeshows in Milaan voor haar te lopen, ze zou dan een gage overwegen. Maar Bella had geweigerd. Haar passie lag niet in de modewereld. Daarna had Jean Paul namens hun moeder een poging ondernomen.

'Je bent meer dan welkom in ons huis, Bella. Je kunt blijven zo lang je wilt, en zou je toch niet overwegen om een carrière als model te beginnen? Het verdient ontzettend goed en al die belangrijke mensen die komen kijken... Misschien krijg je wel een filmrol aangeboden. Je zou niet het eerste model zijn dat zo op het witte doek terechtkwam!' Misschien had hij gelijk, maar zijn woorden kwamen hard aan. 'Je bent 26 jaar. Tot nu toe heb je de ene na de andere opleiding gevolgd. Moeder heeft je naar de beste instituten gestuurd. Je moet toch onderhand eens weten wat je wilt!'

'Je moet toch weten wat je wilt!' Als een hinderlijke echo bleven deze woorden in haar hoofd hangen.

Het probleem was dat ze echt niet wist wat ze wilde met haar leven. Teruggaan naar Van Wadenooyen wilde ze niet, maar modeshows lopen was ook niet wat ze ambieerde. Boos had Elody tegen Jean Paul de opmerking gemaakt die ze al zo vaak van haar moeder had moeten horen. 'Jean Paul, uw zus is anders, zij is artistiek!' En met die woorden had ze de deur achter zich dichtgetrokken. Zonder haar dochter verder op de hoogte te stellen, had haar moeder het appartement in Amsterdam met alles erin verkocht. Bella had dus geen eigen woning meer, geen baan en geen inkomen. Voorlopig moest ze Jean Paul om een lening vragen.

'¡Olé guapa!' zei Bella zachtjes tegen haar spiegelbeeld in de smalle spiegel op haar kledingkast.

Die morgen had ze bij 'Menkes' een paar caractère schoenen met hak en een zware flamencorok, 'una falda de ensayo' gekocht. De rok was volgens de verkoopster een oefenrok. Het gewicht was nodig om haar te leren de bewegingen van de dans met zo veel mogelijk kracht te maken. De flamenco was niet voor slappe dansers. Deze danskunst vereiste passie, overgave en vooral kracht.

De verkoopster had haar een adres gegeven waar ze de dans kon leren. Het adres bevond zich bijna aan de rand van de stad, in een verlaten wijk vlak bij de 'Depuradora', de waterzuiveringsinstallatie van Barcelona. De stank ervan zorgde ervoor dat niemand hier vrijwillig wilde wonen. Alleen de allerarmsten woonden hier. In deze afgelegen wijk woonde ook een grote groep Spanjaarden uit het zuiden van het land. Kleiner van postuur en donkerder van huid dan de noordelingen; met hun vurige ogen en schelle stemmen leken ze een heel ander volk dan de Catalanen. Gastarbeiders in eigen land waren het. Mensen die het arme zuiden verlaten hadden om in het rijke noorden hun geld te verdienen.

Snel trok Bella haar danskleding uit en trok een spijkerbroek met een eenvoudig T-shirt aan. Ze liep naar buiten, naar de Paseo de Gracia en hield een taxi aan. Zonder omhaal gaf ze de chauffeur het adres dat ze van de verkoopster gekregen had. Na een lange rit stopte hij in een straat met aan weerszijden een rij vervallen huizen.

'Dit is het adres. Weet u zeker dat u hier moet zijn?'

De rommelige woningen leken bijeengehouden door verroeste golfplaten en grote, plastic dekkleden. Overal hingen waslijnen kriskras door de straat.

'Ja, dit is goed,' zei ze met meer zelfvertrouwen dan ze op dat moment voelde. Ze rekende af en stapte uit. Opeens was ze omringd door een horde kinderen. Het wantrouwen op de gezichten was duidelijk zichtbaar. Loslopende honden snuffelden aan haar spijkerbroek en schoenen.

De vrouw die ze in de winkel alleen maar Rosario genoemd hadden, deed open en staarde haar stilzwijgend aan. Onzeker stamelde Bella zonder omhaal haar verzoek. Of ze les kon krijgen. De vrouw leek haar niet gehoord te hebben en bleef haar aanstaren.

Het briefje van vijfduizend peseta's dat Bella vervolgens uit haar tas haalde en op tafel legde, deed wonderen. Vliegensvlug nam de vrouw het briefje aan en met haar hoofd maakte ze een beweging richting een deur die uitkwam op een rommelig binnenplaatsje. Daar werden de lessen gegeven.

Het leren van de vier coupletten van de 'Sevillanas' had Bella een aantal weken gekost. Voor een noordeling was dit een hele opgaaf. De dans was niet zozeer gecompliceerd door de wisselende passen en ritmes, de dans moest vooral hevig en intens gevoeld worden. De bewegingen hadden tot doel de partner beurtelings aan te trekken en weer af te stoten. Het ene moment draaide je verleidelijk om je partner heen, zonder je ogen van hem af te houden, het volgende moment lieten je voeten met een 'zapato' duidelijk horen dat de grond waarop je staat van jou is, en dat er een echte man voor nodig is om je hier vanaf te krijgen. Rosario had Bella lachend aangekeken.

Met een kloppend hart liep Bella naar het adres dat ze in de 'páginas amarillas' had gevonden. In Calle Aribau bevond zich 'El Patio Andaluz'. Volgens de advertentie in de Gouden Gids was het de beste flamencoclub in Barcelona. Dagenlang had ze met de advertentie in haar tas rondgelopen.

Weer keek ze naar het adres uit het telefoonboek, ze was er bijna. Plotseling zag ze het uithangbord. Een groene luifel omlijst met Arabische motieven stak uit de gevel. De naam van de club stond er in witte letters boven. De entree was minder imposant dan ze verwacht had. Slechts een smalle gang leidde naar de club. Ze duwde tegen de groene klapdeuren die toegang gaven tot een ruime receptie. Er was niemand te bekennen. Bella schraapte na verloop van tijd luidruchtig haar keel, maar het bleef stil. Ze keek op haar horloge, half vier. Dat was de tijd die ze afgesproken had met de eigenaar. Nieuwsgierig keek ze rond. In de ruimte hing een keur aan zwart-wit foto's van bekende Spaanse artiesten en gekleurde aanplakbiljetten met aankondigingen van gevechten tussen man 'el Torero' en stier 'el Toro'. Hardop liet Bella de namen van de stierenvechters over haar tong rollen. José Miguel Arroyo Delgado, door het volk liefkozend 'Joselito' genoemd,

Jesulín de Ubrique in 'el traje de luces' het strakke pak met pailletten, en zijn handlanger Finito de Córdoba. Samen hadden zij vele 'orejas cortadas', afgesneden stierenoren, op hun naam staan.

'Daarom zullen wij dit nooit opgeven, stierenvechten zit in ons bloed!' Bella draaide zich verschrikt om. Een slanke man met gitzwart haar en een hooghartige blik keek haar aan.

'Tesifonte Cabreras, uw dienaar.' Hij knikte vanuit zijn middel en klikte zijn hakken tegen elkaar.

'Bella Casteurs, aangenaam. Tja, ik stond meer de namen te bewonderen.'

'Wij houden van onze stierenvechters. Het zijn onze helden. Het vereist moed, durf en elegantie.'

'Om een stier dood te steken?'

'Om een stier te bevechten. De stierenvechter raakt net zo vaak gewond. Soms zelfs dodelijk.' Hij was naast haar komen staan en keek haar indringend aan.

'Maar de stier gaat uiteindelijk altijd dood.'

'Natuurlijk gaat de stier dood. Het stierenvechten is ontwikkeld om de stier te testen, zijn kracht, zijn bloed. Het is een eervolle dood! Beter dan anoniem geslacht te worden in een of ander abattoir. Wat voor eer kan het dier daar in vinden? Maar laten wij hier niet over twisten, señora Casteurs. Buitenlanders zullen dit nooit van ons begrijpen.' Hij nam haar elleboog en leidde haar verder het pand in. Opeens stond ze op een overdekte binnenplaats. Op de vloer lagen rode plavuizen, tegen de witgestuukte muren stonden grote potten met 'palmeras' en agaves en in een cirkel in het midden stonden houten tafels met daaromheen smalle, hoge stoelen met rieten zittingen. Tegen de achterkant van de binnenplaats was een smal podium gebouwd. Tesifonte bood haar een stoel aan vlak bij het podium. Vervolgens ging hij tegenover haar zitten. Zijn lange slanke vingers trommelden op de tafel. Hij nam haar lange tijd van top tot teen op. Bella voelde de spanning stijgen. Na een lange stilte sprak hij opeens. 'Over de telefoon gaf u aan in Nederland en België opgetreden te hebben. Maar zoals u ziet, is dit hier een authentieke Spaanse club. De show die wij onze klanten bieden, is van hoog niveau. Wij hebben hier de beste zangers, dansers en gitaristen van Spanje.' Toen Bella hem niet antwoordde, vroeg hij opeens: 'Namen als Christina Hoyos, Carmen Amaya, Antonio Gades zeggen die u wat?'

Bella schudde haar hoofd. Triomfantelijk keek Tesifonte haar aan.

'Of de drie Paco's, Paco Peña, Paco de Lucía en Paco Cortés, de beste gitaristen die Spanje op dit moment kent?'

Weer schudde Bella haar hoofd.

'Daar was ik al bang voor. U weet weinig van de Spaanse cultuur en toch denkt u mij wat te bieden te hebben?'

'Ik... eh, ik kan zingen en ik heb de 'Sevillanas' leren dansen.' Het optimisme waarmee ze die morgen naar de club gebeld had, begon langzaam te verdwijnen.

'De 'Sevillanas'... laat eens zien, uit welke streek heeft u ze geleerd? De klassieke versie? Bij wie heeft u les gehad?' Met iedere vraag leek hij haar een mokerslag te geven. Bella kromp in elkaar. Toen ze geen antwoord gaf, stond hij op en liep naar het podium. Achter een rieten kamerscherm stond een geluidsinstallatie. Hij drukte een cd in het apparaat en de eerste klanken van de 'Sevillanas' klonken in de patio. Hij gebaarde haar naast hem op het podium te komen. Ze had het goed ingeschat, Tesifonte Cabreras was niet alleen eigenaar van de club, hij was ook een klassiek opgeleide danser. Fier stak zijn borst vooruit, zijn armen bogen zich voor zijn borst naar zijn zij. Bella probeerde het ritme van het couplet 'el Compás' af te tellen. Net iets te laat zette ze de dans in. De minachtende blik van Tesifonte maakte haar nog onzekerder. Verwoed probeerde ze zijn aanwijzingen te volgen. De rol van de man in deze dans leek veel op die van een stierenvechter. Vol passie probeerde hij de vrouw te veroveren, terwijl de vrouw zijn avances trachtte te weerstaan. Ze had tot nu toe alleen maar met haar docente Rosario gedanst. Maar dit was anders, ze moest de spanning echt opbouwen. Zwetend danste Bella de vier coupletten. Na afloop liep Tesifonte zonder iets te zeggen naar de geluidsinstallatie en schakelde de muziek uit. Een akelige stilte nam de ruimte over. Bella liep terug naar haar stoel.

'Waarom, señora Casteurs, waarom wilt u hier komen werken?' klonk zijn stem vanachter het scherm. Het was vreemd dat hij haar na deze dans nog steeds vormelijk met u bleef aanspreken.

'Omdat ik dit nooit gedaan heb.' Het was waarschijnlijk het eerlijkste wat zij ooit in haar leven opgebiecht had. De eerlijkheid in haar stem moest Tesifonte opgevallen zijn, want voor het eerst die middag ontdooide hij. Hij kwam weer tegenover haar zitten.

'Bella, wat wij hier brengen is geen dans en zang. Het is een kunstvorm waar je mee opgegroeid moet zijn, die generaties door je bloed heeft moeten stromen. Je kunt het niet zomaar aanleren.' Hij probeerde zijn beslissing met deze woorden te verzachten.

'Waarom hebt u mij dan uitgenodigd?' vroeg Bella teleurgesteld. 'U wist dat ik buitenlandse was.'

'Nee... eh, ik had u gezien tijdens de modebeurs hier in Barcelona.' Het was nu zijn beurt om eerlijk te zijn. 'Echte Spaanse kunst is duur. Onze klantenkring wordt steeds kleiner en de laatste tijd krijgen wij steeds vaker groepen toeristen die het niet veel uitmaakt wat wij hier brengen. Zij zien het verschil niet. Japanners en Duitsers met camera's op hun buik, Amerikanen die niet op kleine hoge stoeltjes willen zitten maar onderuitgezakt in comfortabele fauteuils vermaakt willen worden. Het wordt steeds moeilijker de patio authentiek te houden. We hebben er over gedacht een internationaal gedeelte aan onze show toe te voegen maar...' Wederom verviel hij in een afwezige stilte. Bella voelde de zweetdruppels van het dansen over haar rug lopen. Had hij dan niet gezien hoe ze had genoten van het dansen? Een internationaal gedeelte! Dat was wel het laatste wat ze zelf wilde. Opeens keek Tesifonte haar aan.

'Kunt u mij iets voorzingen?'

'Maakt niet uit wat?'

'Nee. Ik wil uw stem graag horen.' Bella stond op en ging voor hem staan. Ze zong het zelfde lied dat ze indertijd tijdens de audities voor Paul van Wadenooyen gezongen had. Het lied had haar toen geluk gebracht. Toen ze klaar was, klapte Tesifonte even in zijn handen.

'Goed, goed. Niet onze stijl, maar goed.' Hij stond op en liep weg om even later met een pen en een stukje papier terug te komen.

'Ik zou dit normaal gesproken nooit doen, maar ik ga u aanbevelen bij een van mijn grootste concurrenten. Maar u zult zich daar op uw plaats voelen. Kent u 'Club Sutton' in de Calle Tuset?'

'Nee, helaas. Is dat ook een flamencoclub?' Hij glimlachte terwijl hij wat op het papiertje schreef.

'Nee, verre van. Maar het is wel een van de beste uitgaansgelegenheden van Barcelona, met de grootste big band en de bekendste artiesten. Het is de club van Antonio Blanch, een perfectionist in hart en nieren. Beroemd tot ver in Frankrijk voor zijn shows. Ieder weekend zit het daar barstensvol met rijke en beroemde mensen.' Hij overhandigde haar het papiertje.

'Dit is een persoonlijke aanbeveling aan Antonio Blanch. Ik denk dat u uitstekend in zijn shows zult passen.'

Het was telkens weer een haast zinnelijk genot de grote deur naar de entree te openen en dan plotseling in de plechtig stille, marmeren hal te staan waar de tijd bevroren leek en het geluid van alle dag verdwenen. Ze snoof de vertrouwde geur van het gebouw op. Het rook er naar de boenwas die op alle deuren, vloeren en op de houten trapleuning zat. De marmeren trap naar boven leek haar plots eindeloos hoog. Een enorme moeheid maakte zich van haar meester en met moeite klom ze de trap op. Eenmaal boven liep ze naar de personeelsingang van het appartement van haar broer. Bella bewoonde de gastenslaapkamer met eigen badkamer aan het einde van de lange gang waar de aparte ingang voor het personeel zich bevond.

Ze liep voorbij haar kamer naar de keuken. De lange wandeling door de stad had haar hongerig gemaakt. Die morgen had zij de hulp, Almudena, een aardappelomelet voor de lunch zien maken, als ze geluk had was er nog wat over. Ze stond met de deur van de enorme koelkast in haar hand toen ze opeens een geluid hoorde. Een geluid dat ze niet thuis kon brengen. Bevreemd keek ze op haar horloge. Het was zes uur in de middag. Op dit tijdstip was het appartement normaliter leeg. De kinderen nog op school, haar broer naar kantoor, Christina en de hulp waren om deze tijd nooit thuis.

'O no... Dios o no.' Angst greep haar naar de keel. Een vrouwenstem. Het waren kreten om hulp. Voorzichtig liep ze de gang in. De kreten werden sterker. Verderop in de hal stond een deur open, de deur van de slaapkamer van haar broer.

'Ay no, ay...'

De geluiden kwamen uit de slaapkamer. Plotseling herkende ze het. Het waren de geluiden van een vrouw in de apotheose van een heftige vrijpartij. De kreten van een vrouw en... een man. Als aan de grond genageld bleef Bella staan, niet in staat om nog te bewegen. Ze herkende de stem van haar schoonzuster Christina. Bella bevroor bij het horen van deze geluiden. Tot nu toe had ze niets gemerkt van enige intimiteit tussen haar broer en schoonzus. Het liefdesleven van haar broer was iets waar zij geen gedachten bij gehad had. Dit was onzinnig. Natuurlijk had haar ambitieuze broer, haar altijd perfecte en correcte broer, een vrouw waar hij de liefde mee bedreef.

'¡Oh sí, mi amor... Sí, ya, ven ahora!' Bella stopte haar vingers in haar oren. Ze deed haar ogen dicht, maar beelden schoten door haar hoofd. Haar schoonzus die niet leek te lijden onder het glazen plafond dat ook in dit land voor vrouwen bestond. Aan de maatschappelijke beperkingen waar haar milieu haar genadeloos aan hield. Christina die zich opmaakte om met haar vaste groepje vriendinnen uit te gaan. Ze zag er dan uit om door een ringetje te halen, gekleed in een strakke lichte spijkerbroek met daarop een witte blouse en een getailleerd suède jasje. Het altijd verzorgde haar met lichte 'mechas' danste op haar schouders wanneer ze met haar open schoenen de marmeren trap afklepperde.

Iedere dag sprak zij met haar groepje 'titis', haar vriendinnen af om te gaan winkelen, tennissen, koffie of 'una copita' te drinken. Nooit leek ze er behoefte aan te hebben alleen te zijn, of zelf iets te bereiken. Op de tijden dat de kinderen, keurig gekleed in uniform, uit school kwamen voor de drie uur durende lunchpauze, was ze aanwezig. Maar na de siësta vertrok ze wederom naar een van haar vele sociale verplichtingen. 's Avonds om half acht, wanneer de kinderen opnieuw uit het 'Colegio' kwamen, was ze in de rol van onberispelijke huisvrouw aanwezig om ze een lichte maaltijd voor te schotelen. Na twee uurtjes spelen, werden de kinderen onverbiddelijk naar bed gestuurd, want haar avondeten, haar 'cena' at zij samen met Jean Paul later op de avond.

Plotseling hoorde ze het lage gebrom van een mannenstem. De geluiden bereikten hun hoogtepunt. Een misselijkmakend gevoel overspoelde Bella. Ze sloop haar badkamer in. Daar ging ze op de grond zitten. Na verloop van tijd hoorde ze eerst de slaapkamerdeur en even later de voordeur. Het was niet de stem van haar broer die ze gehoord had. Het was een veel lagere stem geweest. Een hese stem die in het Catalaans haar schoonzus 'la meva noia', mijn meisje, genoemd had.

Na een oneindig lange tijd strekte ze voorzichtig haar benen. Haar broer, moeders gouden jongen, de zoon met de succesvolle carrière, met een appartement in de duurste straat van Barcelona, werd bedrogen door zijn vrouw. Stukje bij beetje liet ze de nieuwe wetenschap tot zich doordringen. Ze haalde diep adem en de misselijkheid verdween, langzaam werd haar ademhaling rustiger. Na een tijdje hoorde ze helemaal niets meer in het appartement. Christina was waarschijnlijk ook vertrokken. De stilte drukte op haar. Langzaam voelde ze tranen opkomen. Tranen die zich niet lieten stoppen. Tranen om het leven van haar broer, tranen om de mislukking die ze zelf was, en tranen van teleurstelling over die middag, ze had zo graag willen optreden in 'El Patio Andaluz'. De passie die ze voelde wanneer ze danste op de intrigerende muziek van de 'gitanos', de zwevende klanken die je alle gevoel voor tijd deden verliezen, die wilde ze voelen, dan was ze gelukkig.

Na een poosje liet ze het bidet vollopen met water en waste haar voeten die zwart geworden waren van het lopen op slippers. Resoluut trok ze een paar schoenen met hoge hakken uit haar kast. Ze wist wat haar te doen stond.

Een paar weken later sprak Christina haar man tijdens de lunch in de keuken aan. 'Pol, ik ben vanmiddag niet op tijd thuis voor de kinderen. Almudena is om zeven uur hier om ze op te vangen.' Hoewel Bella al bijna weer vier maanden in Spanje woonde, kon ze maar niet wennen aan de Spaanse tijdsaanduiding die de avond pas rond negen uur in liet gaan. Zeven uur 's avonds was voor de Spanjaarden laat in de middag.

'Mmm,' bromde Jean Paul vanachter zijn krant. Bella zat met haar knieën opgetrokken aan de keukentafel. Ze was net uit bed. Ze werd pas om zes uur 's middags in 'Club Sutton' verwacht voor de doorloop van de show. De deuren van de club gingen om elf uur open voor het publiek, de show begon om twaalf uur, wanneer alle gasten voorzien waren van cocktails en champagne. Na een twee uur durende show werd het podium vrijgemaakt voor een enorm orkest dat tot vroeg in de ochtend dansnummers speelde. Bella was niet verplicht te blijven, maar de gevierde ster van 'Club Sutton' hoorde bij de entourage. Vaak bleef ze tot vier, vijf uur 's nachts.

Het gebeurde niet vaak dat ze zoals nu, bij het middageten in de keuken haar broer aantrof. Meestal ging hij lunchen met een zakenrelatie. Het leek wel of Christina niet verwacht had dat hij hier zou zijn. Bella zag dat ze nerveus was. Tot op heden was er geen herhaling meer geweest van de geluiden uit de 'master bedroom'.

'Ik ga met mijn vriendinnen tennissen, we hebben een uitwedstrijd in Vilafranca del Penedès, en je weet hoe het verkeer is rond zeven uur.' Ze ratelde door, terwijl ze de kinderen van hun lunch voorzag. Eduard en de kleine Nuria werkten de maaltijd zo snel mogelijk naar binnen. De tijd die over was van hun lunchpauze hoorden ze aan de siësta te besteden, maar liever keken ze een video in de huiskamer.

'Mmm,' klonk het weer.

Koket zwiepte Christina haar bruine haar naar achteren. Ze vermeed het om haar schoonzus aan te kijken. Ze nam een stukje stokbrood en stak dat in haar mond. Verder had ze niets van de maaltijd die door Almudena die morgen was voorbereid, genomen. Toen ze haar mond leeg had, ging ze verder.

'De 'cinturón', de ring is een drama met al die werkzaamheden. Laatst vertelde Paquita dat ze wel twee uur vast had gestaan voordat ze de stad in kon. Echt Pol, dat gedoe met die Olympische Spelen zet onze hele stad op z'n kop.'

'Wat een gedoe!' De krant ging opzij en Jean Paul keek zijn vrouw aan. 'Ja Chrissie, dat is zo.' Hij stond op en streek haar liefdevol over haar arm en kuste haar in haar nek. 'Maar denk eens aan wat die Spelen straks voor de stad zullen betekenen. Een beetje ongemak moeten we maar op de koop toe nemen.'

Jean Paul zag er moe uit. Buiten de grote opdracht die hij van zijn moeder gekregen had om Elody Mode in heel Spanje bekend te maken, liepen de opdrachten van buitenlandse bedrijven die een graantje van het succes van Barcelona mee wilden pikken, binnen. Hij had dit jaren geleden goed ingeschat, Barcelona was 'hot'. Iedereen wilde zijn product op de Spaanse markt zetten.

'Ik moet zo weg. Vanmiddag krijg ik een nieuwe klant.' Hij zocht naar zijn sleutels.

'Pol, ik wil je nog wat vragen.' Christina gebaarde de kinderen van tafel op te staan. 'Geef papa een kus.' Plichtsmatig omhelsden de kinderen hun vader. Toen de keukendeur achter hen dicht viel, liep Christina terug naar de tafel.

'Pol, ik weet dat je het druk hebt en dat je dit niet nu wilt bespreken. Maar het 'Colegio' wil antwoord. De kinderen zijn oud genoeg om de lunch op school te gebruiken. Het kost maar tienduizend peseta's extra per maand, je verdient toch genoeg...' Het laatste zei ze met een verleidelijk glimlachje.

'Ik weet het niet, Chrissie, we zien ze toch al zo weinig.' Christina vleide zich tegen hem aan.

'Maar het zou Almudena zoveel werk schelen. We kunnen haar dan minder uren laten werken.' Het intrigeerde Bella hoe goed haar schoonzus haar broer wist te bewerken.

'Ik dacht dat je het leuk vond om ze 's middags thuis te hebben,' zei Jean Paul verbaasd.

'Ja natuurlijk, cariño. Maar nu ik steeds hoger kom in de tennis-competitie, wordt het steeds moeilijker om alles georganiseerd te krijgen.' Hulpeloos keek Jean Paul naar zijn zus. Bella voelde dat hij twijfelde tussen het welzijn van zijn kinderen en zijn vrouw.

'Bovendien is overblijven op school leuk voor ze. Ik hoorde ze pas nog een opmerking maken dat ze hun vriendjes misten. Ze hebben de beweging van het speeluur nodig.' Bella kon het niet langer aanhoren. Ze besloot olie op het vuur te gooien.

'Ik vond het vroeger anders maar wat gezellig om met Anne-Marie in de keuken rond te hangen.' De ogen van haar schoonzus spoten vuur.

'Jullie zaten op kostschool, dat is heel wat anders. Overblijven op 'Colegio' is heel normaal in Spanje. Je hoort er niet eens bij als je niet overblijft.' Met deze laatste opmerking had ze gewonnen. Jean Paul had het altijd vreselijk gevonden nergens bij te horen.

'Al goed, al goed, 'mi niña'.' Ongeduldig keek hij op zijn horloge. Hij gaf Christina snel een kus op de mond. 'Regel het maar.'

Hij maakte aanstalten om de keuken uit te lopen, maar bleef even staan bij de stoel waarop zijn zus zat.

'En hoe gaat het met onze ster? Heb je de culturele pagina's van de *Vanguardia* al gelezen? Je optreden in 'Club Sutton' wordt geprezen als een van de hoogtepunten van deze maand. Vooral je vertolking van 'The Rose' heeft alle harten doen smelten.' Trots keek hij naar haar. Hij durfde het niet toe te geven, maar toen hij bij haar eerste optreden stiekem achter in de zaal had gestaan, had hij een traan in zijn ooghoek voelen branden.

'Nee nog niet.' Ze probeerde zo koel mogelijk te klinken, maar haar hart sloeg een paar slagen over. *La Vanguardia* was een van de meest toonaangevende dagbladen van Spanje en had een recensie over haar optreden geschreven! Dat zou zeker inhouden dat de directeur van de club, Antonio Blanch, haar een nog grotere rol zou geven.

'Het kan zijn dat ik een paar klanten meeneem naar de club vanavond. Kan ik lekker indruk op ze maken met mijn formidabele zuster.' Hij gaf haar een kus op het voorhoofd en vertrok. Wat hij niet zag was de blik vol ingehouden afgunst waarmee zijn vrouw op dat moment naar Bella staarde.

DEEL III

In de diepte zag ze de golven die langzaam als een ademhaling het strand oprolden en zich weer terugtrokken.

Najaar 1990

Hazel

Hazel stond op het vliegveld El Prat en keek om zich heen. De namiddagzon schitterde op het hete asfalt. Ze liep naar het rijtje klaarstaande gele taxi's. Uit het groepje chauffeurs, dat in de schaduw van het afdak stond, kwam een man naar voren. Zonder iets te zeggen, greep hij haar koffer en plaatste hem in de kofferbak van de voorste auto. Daarna deed hij het achterportier voor haar open. Zwijgend nam ze plaats en overhandigde hem het papiertje met het adres van het pension waar ze naar toe moest. De chauffeur bromde.

'Dat is buiten de stad. Is duurder.'

'Vale,' zei Hazel onzeker. Haar eerste woorden in haar nieuwe vaderland. Ze was moe en besloot het onderhandelen over prijzen maar voor later te bewaren. Zonder veel omhaal reed de man weg. Voorzichtig liet ze zich verder in de doorgezakte achterbank zakken. De taxi rook naar oud stof en sigarettenrook. Na een paar eindeloos lange op- en afritten van de snelweg zag ze de borden naar Castelldefels. De vrouw aan de telefoon had haar verteld dat ze die weg nemen moest. Opgelucht haalde ze adem. De zon hing laag boven de snelweg.

'Mira las putas!' zei de tot dan toe zwijgzame chauffeur plotseling. Nieuwsgierig volgde ze z'n uitgestoken vinger. Langs de kant van de weg stonden om de zoveel meter meisjes in zeer schaarse kleding. Hazel vond het een vreemd gezicht de prostituees zo aan de kant van de weg te zien staan. Sommige hoeren zaten op een plastic tuinstoel, andere hadden zelfs een bank buiten staan. Aan de auto's te zien die in het graanveld geparkeerd stonden, werden de klanten in hun wagen bediend.

'Nooit langs de kant van de weg op de bus wachten, señora. Altijd een taxi nemen,' adviseerde de chauffeur. Met mannen kon hij grapjes maken over al dat uitgestalde moois, maar met dames lag dat anders. Na een aantal kilometer nam de chauffeur een afslag naar links, richting de zee. Ze passeerden het uitgaanscentrum van het plaatsje met drukke cafeetjes en bars. Toeristen versperden de straatjes die zich gaandeweg leken te vernauwen. Af en toe drong een sliert dreunende popmuziek de taxi binnen. Geroep en geschreeuw. De toeristen bewogen traag en belemmerden de taxi de doorgang. De chauffeur verwenste de toeristen even hartgrondig als hij daarvoor de hoeren had gedaan. Driftig maakte hij gebruik van de claxon. Na zeker tien minuten richting het strand gekropen te zijn, draaide de taxi de ruime boulevard op naar het zuiden. Na tien minuten hield de bebouwing op. Aan het eind van de boulevard zag Hazel een smalle weg naar de zee. Rammelend over het slechte wegdek reden ze de kronkelende weg af. Bij iedere bocht leek het of ze zo de flonkerende zilveren zee in zouden rijden. Bij de volgende bocht ontwaarde ze een landtong. Haar hart ging sneller kloppen, want aan het einde van de streep land bevond zich een langgerekt gebouw met een grote notenboom. Ze was aangekomen bij 'El Nogal'.

'Hi, ik ben Mickie, de eigenaresse. Jij bent vast Hazel Hendrikse.' Een kleine blonde vrouw met intens blauwe ogen was naar buiten komen lopen en had haar koffer aangepakt. Ze wachtte tot Hazel had afgerekend en liep voor haar uit naar het pension. Er hing een heerlijke geur van zondoorstoofde kruiden, naaldbomen, zand, zee en iets wat ze niet kon plaatsen. Ze snoof de geur diep op. Naarmate ze dichter bij het pension kwam, werd de geur sterker. Het was een heerlijke geur van vers bereid eten. Knoflook, rozemarijn...

Het pension leek uitgestorven, een huivering ging door haar heen, wat was het er stil... De informatie in de advertentie was niet uitgebreid maar de dame van het toeristenbureau had haar aangegeven dat de kamerprijzen zeer gunstig waren. Daar had ze uiteindelijk op beslist. Bezorgd vroeg Hazel zich af wat ze hier zonder eigen vervoer moest beginnen. Ze zou voor dit halve jaar een auto nodig hebben. Alsof de eigenaresse haar gedachten kon lezen zei ze: 'Je hebt hier wel een auto nodig om ergens te komen. Tenzij je alleen naar het strand wilt. Er gaat een trap rechtstreeks naar beneden. Maar ik neem aan dat je daarvoor niet hier bent, niet om een half jaar op het strand te gaan liggen.' Ze sjouwde met een verbazend gemak de zware koffer de trap op. 'Helaas hebben we geen lift, maar het is maar één trap.' Op de eerste verdieping liep ze naar het einde van de gang en wierp daar met een ruim gebaar de deur open. Daarna stapte ze achteruit om Hazel voor te laten gaan. Hazel liep de kamer in en plotseling stokte de adem in haar keel. Het interieur ontging haar, het enige wat ze zag was het enorme balkon met uitzicht op het strand en de zee. In de diepte zag ze de golven die langzaam als een ademhaling het strand oprolden en zich weer terugtrokken.

'Mooi hè?' glimlachte de eigenaresse tevreden. Hazel knikte. Ze draaide zich om en bestudeerde de rest. De kamer was zeer ruim en geverfd in zonnige tinten. Het meubilair van de zitkamer was smaakvol en authentiek, zo te zien stukken die al jaren tot het pension behoorden. Mickie had de koffer op de grond gezet en ging haar voor naar het gangetje dat de zitkamer met de slaapkamer verbond. In het midden van de slaapkamer prijkte een groot bed met een klamboe erom heen gedrapeerd. De luiken in de kamer waren gesloten en lieten een mysterieus wazig licht door. Hazel bleef in de deuropening staan, dit zou haar domein voor de komende zes maanden worden. Voordat ze alles op zich in had laten werken, had de vrouw een tweede deur in het gangetje geopend. 'En hier is de badkamer,' sprak ze trots. De badkamer zag er gloednieuw uit. Hazel twijfelde even wat ze zeggen moest.

'Dank je wel, het is mooi,' zei ze koeltjes, ze wilde niet gelijk te vriendschappelijk omgaan met de eigenaresse. 'Zijn mijn spullen uit Nederland al gebracht?'

'Nee. Dat kan soms even duren. Zitten er belangrijke dingen in?'

'Nee hoor, ik kan voorlopig vooruit.' De grote rieten mand die ze bij het vrachtbedrijf had afgegeven, bevatte voornamelijk persoonlijke dingen waar ze de kamers mee had willen inrichten, waardoor ze zich een beetje thuis zou voelen. Ze liep terug en opende de luiken en de balkondeuren, de avondzon stroomde de kamer binnen. Ze keek nog een keer de kamer rond. Plotseling wilde ze die spullen niet eens hier hebben. Ze was een nieuwe weg ingeslagen, er was geen plaats meer voor oud sentiment.

'Ik hoor het graag als ik iets voor je kan doen.' De moederlijke ondertoon van haar hospita was moeilijk te negeren. Nu het zonlicht op haar gezicht scheen, zag Hazel dat de vrouw ouder was dan ze gedacht had. Midden dertig schatte ze haar. Het was haar energieke manier van lopen en haar lichte stem die haar veel jonger deden lijken. Opeens voelde Hazel dat ze al die tijd haar schouders hoog had opgetrokken, een gewoonte die ze had wanneer ze gespannen was. Ze liet haar schouders zakken en glimlachte naar de vrouw.

'Graag, waarschijnlijk heb ik wel een auto nodig tijdens mijn verblijf hier.'

'Geen probleem, er zijn genoeg verhuurbedrijven in het dorp.' Terwijl ze naar de deur van de zitkamer liep, zei ze over haar schouder: 'Het eten voor de pensiongasten wordt om acht uur geserveerd in de eetzaal, maar je bent voor die tijd welkom om een drankje te drinken op het terras.' Toen trok ze de deur achter zich dicht en liet Hazel alleen.

Mickie

Hazel was een tijdje haar enige gast geweest. De afgelegen ligging van het pension bleek voor gewone toeristen een groot obstakel. Wekenlang bleef de telefoon stil. In vertwijfeling had ze af en toe geluisterd of hij niet stuk was. De advertenties die ze geplaatst had, hadden weinig opgeleverd en Martínez kwam iedere week even 'buurten' in afwachting van zijn geld. Uiteindelijk had een internationaal bureau een aantal klanten geleverd. Ze hadden een groep jonge Zweden, allemaal seizoenarbeiders in de toeristische sector, naar het pension gestuurd. Vier Engelse ingenieurs die aan een hotel in het centrum van de stad werkten, volgden een paar weken later. De jongste van de groep, Roger Kendrick, was de enige die deze baan als een belangrijke stap in zijn carrière zag. De rest had zich ingesteld op een jaar plezier in Spanje.

De laatste gast van het pension, een bleke man met een Schots accent die veel te warm gekleed was, was zomaar binnen komen wandelen. Hij droeg een slecht gesneden tweed jasje op een versleten ribbroek, donkerblonde haarslierten leken een eigen leven te leiden bovenop een vrijwel kaal hoofd.

Net op het moment dat Mickie deze zonderling vriendelijk wilde verzoeken elders te zoeken, haalde de man een bundel ponden uit zijn binnenzak. Hij was bereid de kamer een half jaar vooruit te betalen omdat 'de omgeving hem rust bood'. Uit het inschrijfregister wist ze dat zijn naam Gray MacAllister was. Iedere morgen, steevast om acht uur, at hij een uitgebreid traditioneel Engels ontbijt van gebakken eieren, spek, worstjes, tomaat en toast met marmelade. Waarna hij na een strandwandeling van een uur, in zijn kamer verdween om pas tegen het avondeten weer tevoorschijn te komen. Omdat Merche, het kamermeisje, in zijn kamer een ouderwetse typemachine op een tafeltje bij het raam had zien staan, werd hij door iedereen 'el escritor', de schrijver, genoemd.

De vaste bewoners van het pension hadden de gewoonte om 's avonds om acht uur op het terras onder de notenboom de werkdag met een koel glas wijn af te ronden. Mickie rende heen en weer tussen het terras en de keuken. Naast de zus van Jorge die de kamers schoonhield, kon ze zich slechts het salaris van een ober in het restaurant veroorloven en een hulpje in de keuken.

Mickie zette schaaltjes met olijven en worst op de tafeltjes voor haar vaste gasten. Ze had onverwacht veel aanloop gekregen in het restaurant en ze liep uit. Het liefst serveerde ze haar gasten precies om negen uur het avondeten. De jonge mensen waren altijd hongerig na een dag werken. MacAllister maakte het niet veel uit. Stoïcijns kon hij uren met zijn glas whisky over de zee staren.

'Het diner is over een half uurtje. Het is een beetje druk in het restaurant, jullie zullen even moeten wachten.'

Heel even keek Hazel haar huisbazin aan. 'Moet ik je helpen, Mickie?' vroeg ze vriendelijk. Maar Mickie schudde haar hoofd en liep snel terug naar de keuken. De eerste weken was de verhouding tussen de pensionhoudster en haar eerste gast wat onwennig geweest. Hazel had geprobeerd zo zelfverzekerd en mondain mogelijk over te komen, maar na de teleurstellende afspraken waarbij het haar niet lukte haar producten aan de man te brengen, had ze op een avond haar hart uitgestort.

Mickie had haar getrakteerd op de beste troost die zij kon bedenken, een paar glazen twaalf jaar oude cognac, gemengd met rode, stroperige port. Vijf glazen later was Hazel ongracieus met haar mond open op de bank van haar 'landlady' in slaap gevallen, en de vriendschap was beklonken.

Het was al laat toen ze zijn voetstappen achter het pension herkende. Snel liep ze naar de openslaande deuren naar het terras om hem in haar woonkamer binnen te laten. De nachten begonnen frisser te worden en ze had een vuurtje in de open haard gemaakt. Het licht van het haardvuur en de enkele kaars die ze had aangestoken, verlichtten de wanden die ze in aardetinten had laten verven. Hij omhelsde haar. Zijn adem rook naar koffie met anisette en sigaretten.

'Hola, ¿qué tal, qué me cuentas?' Het was hun gebruikelijke begroetingsritueel. 'Hoe gaat het, wat heb je me te vertellen?'

'Het was druk, maar goed.' Mickie had niet veel zin over haar werk uit te wijden. Zonder te vragen, schonk ze zijn favoriete drankje in en liep met de Bacardi-cola naar het openhaardvuur. Hij nam het drankje aan en nam een slok.

'Ik had een rotdag. Die Martínez laat ons hard werken voor weinig geld...' Ze luisterde niet naar hem terwijl hij doorging over de werkomstandigheden in de bouw. Haar zenuwen waren nog gespannen van die avond werken. Als een hardloper na een lange marathon stonden haar spieren strak. Ze kon ook wel een drankje gebruiken. Ze mompelde instemmende geluiden als enig commentaar op het verhaal van Jorge terwijl ze een gin-tonic inschonk. Met één hand trok ze een aantal kussens van de bank en legde ze voor de open haard. Ze tikte met haar hand op de kussens naast haar.

Gedwee nam Jorge plaats.

'Maar het is niet eerlijk, Mickie. Het is hard werken, je weet ik doe altijd mijn best, maar als je om een loonsverhoging vraagt dan kan het niet uit of werk je niet hard genoeg.' Langzaam voelde ze zich meer ontspannen. Ze vlijde zich in de kussens en staarde naar het vuur. Jorge zette zijn glas neer en schoof zijn arm onder haar, plagend speelde hij met de knoopjes van haar blouse.

'Wat heb je hierachter verstopt?' Hij zoende haar in haar nek en likte aan haar oorlelletjes.

'Mmm. Iets wat jij mag zoeken.' Een voor één opende hij de knoopjes waarbij hij bij iedere knoop een zoen steeds lager in haar decolleté plantte. Golven van genot spoelden over haar lichaam. Ze voelde zijn sterke handen over haar lijf, met zijn knieën duwde hij haar benen uit elkaar.

Toen ze een half uur later uitgeput achterover lag en in het vuur staarde, kwam er een gedachte bij Mickie op. Ze vroeg zich af waar ze meer van genoot, de ongeremde vrijages met de jonge bouwvakker, of het feit dat hij na hun liefdesspel weer vertrok.

Hazel

Het was oktober. Hazel staarde voor zich uit. In Nederland begon de herfst, alle bomen aan de gracht zouden langzaam een roodgouden kleur aannemen, de ochtenden werden fris en mistig en de avonden steeds korter. Maar in Spanje had de warme zon alleen maar haar zomerse kracht verloren.

Op het terras, onder de notenboom, was de temperatuur 's avonds nog heerlijk mild. Het groepje vaste gasten van het pension had zich zoals iedere avond verzameld voor een drankje.

'Heb jij ook zo'n vreselijke dag achter de rug?' Etta, een van de jonge Zweedse gidsen plofte naast Hazel op een terrasstoel.

'Ja, absoluut dramatisch, ik heb een serie afspraken gehad die allemaal op niets uitliepen. Het enige wat al die Julio's willen, is in mijn blouse kijken.' Na bijna drie maanden ploeteren, had Hazel nog niet één opdracht gekregen. Het lag niet aan haar en ook niet aan haar product. Daar was ze van overtuigd. Het was de Spaanse machocultuur die haar parten speelde. Het 'Julio Iglesias'-syndroom. Alle mannelijke contacten zongen hetzelfde romantische lied, maar daar bleef het vervolgens bij.

'Echt?' Etta keek heimelijk naar haar eigen platte borsten.

'Soms lukt het me niet eens een afspraak te krijgen. De Spanjaarden hebben geen vertrouwen in een buitenlander, laat staan een vrouw.' Hazel nam een slok van haar gin-tonic en zuchtte. 'Volgens mij is de emancipatie bij ons een stuk verder.' Maar ze had het nog niet gezegd of ze begon te twijfelen. Was dat wel zo? Had Pieterse haar ook niet altijd als 'kantoorjuffrouw' behandeld? Zelfs Dirk, haar eigen vriend, twijfelde aan haar capaciteiten. Een pijnsteek schoot door haar maag. De keren dat ze had gebeld, was hij druk en gehaast geweest. Zijn brieven waren kort. Op haar vragen hoe het met hem ging, kreeg ze nauwelijks antwoord. Hij ondertekende vaak alleen met 'je Dirk'. Geen 'liefs' of 'ik houd van je'. Zelfs geen vraag wanneer ze terug zou komen.

'Daar heb ik met die toeristen gelukkig geen last van. Die luisteren gedwee naar mijn adviezen, of ze zijn te dronken.' Etta nam een slok. Zwijgend staarden de vrouwen voor zich uit; van alle glamour die het baantje in Spanje had beloofd, was weinig uitgekomen.

'Hoe laat moet je vanavond opdraven?'

'Ik heb om half tien spreekuur.' Een paar keer per week had Etta spreekuur in de hotels van haar reisorganisatie. De gasten konden dan vragen stellen over uitstapjes in de omgeving, maar vaak werd het spreekuur alleen gebruikt om te klagen over het hotel. 'Het is gelukkig de laatste. Het zit er voor mij op. Nog een weekje hier om bij te komen en dan gaan we terug naar Zweden.' Ze rekte haar lange lichaam uit terwijl ze heimelijk naar de ingenieurs verderop keek.

'Ben je nog bij dat bouwbedrijf Entrecanales geweest, Hazel?' Het was de stem van Roger Kendrick, een van de Engelse ingenieurs. Hij stond op van het tafeltje en kwam naar hen toe. Hij was klein van stuk en droeg zijn haar in een ouderwets pagekapsel. Hazel had hem een keer van het strand terug zien komen, alleen gekleed in een zwembroek met een handdoek over zijn schouders. Zijn lijf had niets Engels, Roger was van top tot teen gespierd en gebruind. Zijn zwembroek liet geen randje wit zien. Soms betrapte Hazel zich erop dat zij hem in gedachten ergens naakt achter de rotsen zag zonnen.

Roger had zich in de tijd dat hij in het pension woonde tot het energieke hart van de groep ontpopt. Altijd vol ideeën, nooit uit het veld geslagen en met een eeuwig goed humeur. Hij ging bij Etta en Hazel aan tafel zitten. Etta schoof onopgemerkt iets dichter naar hem toe, maar de aandacht van Roger ging alleen naar Hazel.

'Daar moet je naar toe, Hazel. Zij zijn de grootste opdrachtgever voor civiele werken in Barcelona.'

'Heb ik geprobeerd en ik kwam niet eens langs de telefoniste.'

'Heb je wel de naam van die hoofdinkoper genoemd?'

'Natuurlijk. Dat heb ik wel geleerd. Niet aarzelen. Net doen of de hoofdinkoper mij gebeld heeft en ik op zijn verzoek terugbel. Alle trucs die ik maar verzinnen kan.'

'Tja...'

'Roger, ik zweer het je. Ze horen gewoon dat mijn accent buitenlands is, dat ik het Catalaans nog niet goed beheers, dat ik vrouw ben!' Wanhopig haalde Hazel het elastiek uit haar haren. Het kastanjebruine haar vonkte in de ondergaande zon en danste op haar schouders. Roger zag in gedachten zijn handen woelen in de dikke krullen. Hazel haalde moedeloos haar schouders op.

'Ach, ze moeten me niet en dat is wat me het meest frustreert. Zelfs de telefonistes geven me geen kans.'

Roger dwong zijn gedachten weer naar het onderwerp van gesprek.

'Wat had je dan verwacht?' Ze was niet bereid haar uiterlijk te gebruiken, dat was hem wel duidelijk geworden. Ze was trots, wilde de markt veroveren met een goed product. Bedachtzaam keek hij haar aan.

'Je zult het de klanten aantrekkelijk moeten maken, Hazel. Ze stappen niet zomaar van hun vaste contacten af omdat jij daar op je hakken binnen komt.'

'Ik weet dat je het goed bedoelt...' Vertwijfeld keek ze hem aan. 'Maar weet jij iets anders behalve met iedere hitsige inkoper het bed in te duiken?'

'Je moet iets verzinnen. Wij noemen dat in Engeland 'an edge', het voordeel dat aan jouw product zit. Iets wat speciaal is, nieuw is of anders.' De drie andere ingenieurs schoven aan en binnen de kortste tijd waren ze in een discussie verwikkeld wat Hazel's 'edge' zou kunnen zijn.

Na het eten was ze gelijk naar bed gegaan. Etta had iedereen overgehaald die avond laat nog de stad in te gaan om haar laatste week vakantie in Spanje te vieren, maar Hazel had geen zin gehad om mee te gaan. Op haar kamer had ze niet eens puf gehad zich uit te kleden, in plaats daarvan was ze op haar bed gaan zitten. Het was allemaal zo anders gelopen dan ze verwacht had. Rob Kramer had haar bij zijn laatste bezoek verteld dat het hoofdkantoor verwachtte dat ze eerst met een paar tastbare orders zou komen, voordat ze budget zouden krijgen om een vestiging op te zetten.

Haar eerste actie in Spanje, een mailing naar de directies van vijfduizend bedrijven, had een groot gat in haar budget geslagen. Dagenlang had ze in haar kamer achter de mailing aan zitten bellen. Maar daar was niet veel uitgekomen. Ze had een aantal offertes mogen maken, maar wanneer ze daar achteraan belde, bleek het bedrijf toch geen interesse te hebben. Vermoedelijk werden haar offertes alleen gebruikt om de prijzen van de concurrent te vergelijken.

Buiten voer een groot cruiseschip met alle lichten aan vlak onder de kust richting Barcelona. In de stille nacht waren de geluiden van de muziek aan boord te horen. Apathisch staarde Hazel naar het schip. Haar optimisme over de hele onderneming begon langzaam af te nemen. Iedere morgen bij het wakker worden, voelde de dag loodzwaar aan. Een knagend gevoel dat ze haar kantoorbaan miste, liet haar niet meer los. Een week of wat terug had ze van Mieke een kaartje ontvangen met de mededeling dat Jocelyn haar kamer tijdelijk aan een ander verhuurd had. Het was een haastig gekrabbelde notitie waar ze bijna om had moeten glimlachen, de goeiige meeloopster had ook nu weer de hete kastanjes voor haar vriendin uit het vuur gehaald.

De vrijheid die ze in Spanje dacht te vinden, was slechts een illusie, een schijnvrijheid. De werkelijkheid was dat ze een weg gekozen had waar geen kaart van was. Ze moest zelf de route bepalen, pionieren in een donker onbegaanbaar gebied waar ze niet wist welke gevaren en valkuilen op de loer lagen.

Haar mond was droog. Het was kwart over tien. Voor de zoveelste keer keek ze nerveus in haar agenda. Daar stond het. Tien uur, afspraak bij JP Promotions aan de Calle de Mallorca. De luxueuze wachtruimte waar ze door een vriendelijke receptioniste heen was gebracht, maakte haar onzeker. Was dit wel het juiste bureau voor haar? Roger had gehoord dat ze hier wonderen voor haar konden verrichten. Maar in niets leek het kantoor op een reclamebureau, het had meer weg van een luxe advocatenkantoor of een privé-kliniek. Aan de strakke witte muren hingen mooi uitgelichte moderne schilderijen en de dikke vloerbedekking absorbeerde ieder geluid. Geen gehaaste mensen met presentatiemappen, opgerolde tekeningen of maquettes. Alleen maar stilte.

Ze probeerde rustig te blijven en deed nog een laagje lippenstift op.

‘Mevrouw Hendrikse?’ Opeens stond daar een man in de wachtruimte. Hazel keek verschikt op. Een lange slanke verschijning liep met uitgestoken hand op haar toe.

‘Jean Paul Devillaine, aangenaam kennis te maken.’

Ze was zo verbaasd dat het even duurde voor het tot haar doordrong dat de man Nederlands tegen haar sprak.

‘Het spijt mij vreselijk dat u hebt moeten wachten. Het is niet onze gewoonte, mijn excuses.’ Zijn stem was aangenaam met een licht accent dat Hazel niet gelijk thuis kon brengen. Grijsblauwe ogen keken haar vriendelijk aan. Hij ging haar voor naar zijn kantoor dat smaakvol was ingericht. Het meest opvallende in de kamer waren de enorme reclameposters die de wanden bedekten.

Hazel bleef staan en bekeek ze een voor een nauwkeurig. Een aantal van de posters kwam haar bekend voor, een grote poster voor een Frans automerk, een kleinere poster voor een Belgisch biermerk. Plotseling viel haar oog op een poster van een vrouw in een prachtige avondjurk.

‘Hé, die vrouw ken ik,’ riep Hazel enthousiast. Jean Paul kwam naast haar staan.

‘Dat is Bella Casteurs, een Belgische, net als ik.’

‘Ja, dat is die musicalster. Ik heb haar in een voorstelling in Gouda gezien. Wat leuk dat ze ook mode doet.’ Ze draaide zich om naar de slanke man. Even leek het alsof hij een glimlach onderdrukte.

‘Ons bureau heeft een gerenommeerde klantenkring die wij graag het allerbeste bieden.’ Met deze woorden liep hij naar zijn bureau waar een presentatiemap klaar lag. Hazel voelde haar mond nog droger worden. Contracten met sterren als Bella Casteurs waren niet gering, dit was vast een heel duur bureau. Ze verwenste Roger dat hij haar dit bedrijf en deze slanke Belg had aangeraden. Dit kon ze zich nooit veroorloven. Koortsachtig dacht ze na, ze zou een offerte voor een reclamecampagne op kunnen vragen en daarna beleefd bedanken met het excuus dat ze geen akkoord van het moederbedrijf had gekregen. Of ze kon gewoon eerlijk zijn en hem vragen wat een goedkope campagne ging kosten omdat zij maar een klein budget had. Maar dat was zo huisvrouwachtig. Dat wilde ze liever niet.

Jean Paul had de bladen van het portfolio een voor een omgeslagen, maar hield daar abrupt mee op. 'Ik merk dat onze projecten u niet aanspreken. Mijn excuses, ik draaf natuurlijk maar door. Het is veel beter dat u mij eerst toelicht welke marketingcampagne u voor uw product in gedachten had.' Hazel schrok op uit haar overpeinzingen. Opeens wist ze het.

'Ik wil Leendert Hendrikse gebruiken als boegbeeld van mijn reclamecampagne. Hij wordt de man die mijn product zal aanbevelen.'

'Leendert Hendrikse, de bekende ontdekkingsreiziger? Dat zal u niet weinig kosten.'

'Dat zal mij niets kosten, het is mijn vader,' zei Hazel resoluut, 'en ik betaal u de campagnekosten pas op het moment dat mijn eerste opdracht binnen is.'

In het hiërarchische Spanje deed haar nieuwe 'edge' tot haar grote vreugde wonderen. De boeiende documentaires van Leendert Hendrikse waren ook in Spanje op de televisie geweest en men wilde maar al te graag een afspraak maken met zijn dochter. De prachtige brochure die het bureau van Jean Paul Devillaine naar een selecte groep potentiële klanten had gestuurd, liet een foto van de ontdekkingsreiziger zien bij een afbeelding van een mobiel brugsysteem dat haar vader voor filmopnames gebruikte.

Maar een afspraak was nog niet alles, een daadwerkelijke opdracht moest nog komen.

Ze had die ochtend, als gebruikelijk, uren zitten bellen. Ze stond op van haar bureau en liep naar de kledingkast in haar slaapkamer. Het was tijd om op pad te gaan, bouwplaatsen en aannemers bezoeken. Mismoedig staarde ze naar het rijtje blouses. Ze was bijna door haar voorraad nette kleding heen. Spaanse zakelijke etiquette vroeg om een mantelpakje met blouse, pumps en nylon kousen, zelfs bij temperaturen boven de dertig graden. Door de vele uren die ze in haar gehuurde auto doorbracht, begonnen haar rokken glimmende plekken op het zitvlak te vertonen. Moedeloos haalde ze een groene blouse met een spannend decolleté uit haar kast. Deze feestelijke blouse had ze destijds in Gouda gekocht voor het theaterbezoek met haar vader en zijn vriendin Evelyn. In gedachte staarde ze voor zich uit. Tot op heden had ze niets meer van hem en zijn jonge bruid vernomen.

Ze zuchtte, het leek allemaal zo lang geleden. De bruiloft van haar vader met een stralende Evelyn was tot in de puntjes georganiseerd. Dat kon je Evelyn wel nageven. Maar aan het eind van de dag toen de vermoeidheid haar vader parten begon te spelen, viel het op dat Leendert Hendrikse niet meer de avonturier zonder grenzen was. Zijn bruine huid had hier en daar grauwe plekken vertoond.

Met moeite perste ze haar weelderige vormen in de kokerrok die ze samen met de blouse had gekocht. In de spiegel zag ze dat haar buikje onder de ceintuur uit piepte.

'Ook dat nog, ik ben aangekomen,' mompelde ze tegen haar spiegelbeeld.

'Eigen schuld,' zei het spiegelbeeld terug, 'je eet ook te veel!'

'Ja, ik weet het...!' riep ze boos. Ze was gewend geraakt aan de kookkunsten van Mickie. Ze dronk bij de lunch en het diner een goed glas wijn. De ene gin-tonic 's avonds op het terras waren er een aantal geworden.

Berustend trok ze een kanten bh uit een la en deed deze aan. Het kant piepte ondeugend uit het decolleté van de groene blouse. Een glimlach speelde om haar mond. 'Ik kan altijd nog een rijke aannemer aan de haak slaan,' zei ze in de richting van haar boezem. Verwoed kamde ze het dikke haar tot het glansde. Plotseling liet ze de borstel zakken. Ze deed een aantal passen richting de spiegel met een denkbeeldige man aan haar arm. 'Mam, dit is Juan, we komen de kerstdagen gezellig in Nederland doorbrengen!' Ze zag het gezicht van haar moeder voor zich, en haar reactie 'kind, waar ben je mee bezig!'. Ze liet de denkbeeldige man los, het had geen zin. Ze had zelf deze weg gekozen, ze moest hem afmaken ook. Vertwijfeld zocht ze naar een paar panty's zonder ladder. Toen ze haar pumps aan wilde trekken, ontdekte ze een beschadigde hak. Waarschijnlijk was dat die keer gebeurd dat ze in een rooster op straat was blijven haken. Opeens voelde ze de tranen omhoog komen. Dit was zo zinloos. Woest trok ze haar kleren weer uit, zonder te kijken waar ze terechtkwamen. Ze gooide zich voorover op het bed en huilde ongegeneerd in het kussen.

Een rinkelend geluid bleef hinderlijk aanhouden. Ze tilde haar hoofd op. Nu hoorde ze het geluid duidelijker. Opeens wist ze het, het was haar telefoon. Half struikelend rende ze naar haar zitkamer. Ze schraapte haar keel en nam op. 'Sí, buenos días.' In haar haast vergat ze haar bedrijfsnaam te melden.

'Es usted la señora Hendrikse de PBC?' vroeg een dame aan de andere kant van de lijn.

'Ja, ja dat ben ik.' Ze hakkelde nerveus.

'Dan verbind ik u door met de heer Gonzalbo van het Olympisch Comité.'

Bella

Vanaf eind november waren de toeristen langzaam uit het straatbeeld verdwenen. De stedelingen maakten zich op voor de kerstvakantie. De etalages werden met vrolijke kerstmannen ingericht. Hoewel 'Reyes Magos', het driekoningenfeest waarbij alle kinderen cadeaus kregen, pas begin januari gevierd werd, had de commercie een knieval gemaakt voor de kerstman.

In de nachtclub waren de voorbereidingen voor de kerstshow in volle gang. De big band was bezig met het instuderen van de bekende kerstsongs van Bing Crosby en Frank Sinatra en de naaisters ijverden met elkaar in het in elkaar zetten van de meest spectaculaire kerstkostuums. De japon voor de hoofdrol van de show was een frêle, zilveren gewaad afgezet met honderdduizend strassteentjes die onder de felle toneellampen een schitterend licht als van miljoenen sterretjes verspreidden.

Toen Bella de japon zag, wist ze dat zij hem aan wilde en dus de hoofdrol in de show moest hebben. Antonio Blanch, de directeur van de club had een auditie voor de zangeressen van de club georganiseerd, om een eerlijke keuze te maken. Even had Bella overwogen de Spanjaard in zijn kantoor op te zoeken, maar het was niet nodig geweest. De hele auditie was een farce, Antonio Blanch had van meet af aan besloten dat Bella de hoofdrol zou krijgen. Met de gratis publiciteit die hij kreeg van Bella als model van Elody Mode, moest hij haar de hoofdrol wel bieden. Maar zelfs zonder haar bekendheid zou ze de rol gekregen hebben. Haar uitspraak en timing waren het beste geweest van allemaal. Haar enige echte rivale, de mooie Magda uit Venezuela, had het nummer 'I Am Dreaming Of A White Christmas' (Iaame edreaminggg of aawite achristamase) vakkundig verkracht. Magda mocht, tot haar grote ongenoegen, alleen het lied 'Feliz Navidad' zingen in een rode jurk afgezet met wit bont.

Maar dat was niet de enige verrassing geweest. Antonio Blanch had een flamencogedeelte aan de show toegevoegd.

Paquito Caldosa was de hoofddanser van het ensemble. Imposant van postuur, hooghartige blik en gitzwart achterover gekamd haar. Bella kon eindeloos naar zijn optreden kijken. Zijn prachtige gelaatstrekken leken uit marmer gehouwen, zijn zwarte, lange haar viel over zijn gezicht als hij danste. Hij straalde kracht en passie uit. Volgens de meisjes van het corps de ballet was hij een verre achterneef van de familie Flores, de roemruchte Spaanse zigeunerfamilie die zelfs kans gezien had zich in de adel van het land te trouwen. Avond aan avond danste hij een schitterende 'Farruca', een solo met complexe ritmes. Slechts begeleid door een harde, nasale zangstem en verbale aanmoedigingen van de overige dansers, werkte Paquito zijn lange slanke lichaam met sensuele bewegingen in het zweet. Bella wist het na één dag zeker, ze had haar zinnen op deze danser gezet.

DEEL IV

Zinnen in boosheid gesproken, zinnen uit frustratie, die bedoeld waren te kwetsen. Had hij gelijk? Was het onzinnig dat ze zich wilde bewijzen?

December 1990

Hazel

De eerste opdrachten van het Olympische Bouwcomité waren binnen, Hazel had het zware materieel op grote vrachtwagens uit Nederland over laten komen en met veel moeite bij de douane ingeklaard. Trots was ze met haar Seat Ibiza voor de colonne vrachtwagens uit gereden naar de bouwput van het Olympische Dorp. Met een grote kraan hadden ze alle brugstukken op het kale stuk land gelost waar de brug naar het bouwterrein moest komen. Eindelijk kon ze aan de slag, kon ze laten zien wat haar product waard was.

Maar vandaag had haar euforische stemming van de laatste weken zich omgezet in diepe wanhoop. Ze had geen mensen om het materiaal in elkaar te zetten. Dagen had ze rond gebeld om aan mensen te komen. Uiteindelijk had ze die morgen radeloos naar Nederland gebeld en Rob Kramer gesmeekt mensen te sturen. Maar Rob had haar verteld dat hij zelf een gebrek aan personeel had. Pieterse had zich niets van het nieuwe management aangetrokken en had alweer een nieuw product ontwikkeld. Het had niet alleen geld gekost dat Rob gereserveerd had voor de uitbreiding in het buitenland, het eiste ook nog eens alle beschikbare mankrachten in het bedrijf op.

'Dus het product is een succes?' had Hazel heimelijk trots op Pieterse gevraagd.

'Dat valt nog te bezien. Ik verwacht de eerste resultaten pas eind deze maand.' Succes was voor Rob alleen af te meten in percentages winst.

'Wat moet ik nu doen, Rob? Nu heb ik eindelijk een klant, maar kan ik niet leveren.' Haar wanhoop was zo groot dat ze haar trots had laten varen.

'Meisje...' Even smolt ze toen ze de welgemeende zachte toon in zijn stem hoorde. 'Je zult daar lokaal monteurs moeten gaan zoeken. Het is niet anders. Ik weet dat we het je heel moeilijk maken, maar als je kans ziet daar je bedrijf goed op te zetten, dan...'

Eerst wilde ze boos worden, maar die laatste zin had een magische uitwerking op haar, ze voelde haar hart sneller kloppen.

'Oké, ik doe mijn best. Maar verwacht niet te veel. Het is hier niet zo makkelijk als jullie denken!'

'Dat weten we toch! Het gaat je vast lukken.'

'Good morning, tea time.' Ze schrok op van de stem van Mickie die haar kamer was binnengekomen met een kan ijsthee.

Mickie zette de kan en twee glazen op het bureau en liet zich in een rotan stoel vallen. 'Ik zie een frons op je gezicht. Is er iets?'

'Ja, ik begrijp iets niet.' Hazel haalde met een hulpeloos gebaar haar handen door haar kastanjebruine haar. De Spaanse zon had lichtere strengen in het haar gebrand waardoor het een diepere schakering had gekregen. Met haar gebronsde huid en volle rode lippen leek Hazel op een ouderwetse Italiaanse filmster waarbij de vormen van een vrouw rond mochten zijn. Het was niet verwonderlijk dat ze steevast door iedere Spaanse projectuitvoerder uit eten werd gevraagd.

'Ik krijg geen ondersteuning uit Nederland, ik moet zelf mensen hier gaan zoeken. Dat is me nu duidelijk, maar ik vind het zo vreemd.'

'Wat vind je vreemd? Dat die kerels je laten barsten?' Het kwam ongewild fel uit Mickie's mond.

'Pieterse zou dat nooit doen, hij is veel te trots op zijn product. Ik snap niet waarom ze me geen mensen sturen...'

'Geen idee. Ik zal mannen nooit begrijpen. Het enige wat jij moet doen, is aan je zaak denken. Is er hier niemand die je kan helpen?' Hazel stond op en begon door de kamer te ijsberen. Buiten scheen een milde decemberzon. De zee was die dag rustig, een groot zilveren plateau met kleine regelmatige golfjes. Alsof iemand de plaat bewerkt had met hamerslagen, was de zee op de plaats van de deukjes donkerder gekleurd. Ze staarden allebei naar buiten toen ze opeens de mysterieuze gestalte van MacAllister het strandpad op zagen lopen. Gekleed in zijn eeuwige tweed jasje liep hij voorovergebogen het moeizame laatste stuk omhoog. Hij leek geheel in zichzelf gekeerd, zich niet bewust van zijn omgeving.

'Wat moet zo'n man nou in dit jaargetijde op het strand? En dan altijd in diezelfde kleren.' Het was niet helemaal netjes kritiek te uiten op een van haar vaste gasten, maar het was eruit voordat Mickie zich kon bedenken. Hazel keek op haar horloge.

'Het is elf uur, dan komt hij terug van zijn ochtendwandeling. Ik kan er bijna mijn horloge op gelijk zetten.' Haar gedachten waren nog steeds bij het probleem dat ze deze week moest oplossen. De brug moest eind volgende week klaar zijn. De bulldozers stonden al gereed om het puin van de gesloopte buurt via de brugverbinding naar de nieuwe ringweg af te voeren, zonder de hele wijk door te hoeven. De nauwe straatjes van de oude stadswijk waren niet geschikt voor het grove geschut waarmee men de sloop had ingezet. Ze zag de smalle straten met oude pittoreske huizen voor zich waar het werkverkeer zich anders doorheen zou moeten wurmen. Met de nieuwe ontsluiting was dit niet nodig, maar dan moest haar brug er wel liggen.

'Zou niets voor mij zijn, die regelmaat. Het lijkt me saai zo te moeten leven.' De stem van Mickie haalde haar voor de tweede keer uit haar gepieker.

'Hoezo?' zei Hazel half in gedachten.

'Iedere dag precies hetzelfde moeten doen. Omdat je het zelf zo wilt. Waar ben je dan in vredesnaam voor in Spanje? Dit is juist het land van la dolce vita, van improviseren, flexibel zijn, meegaan op de golven van het leven.' Mickie staarde hierbij naar de golfjes van de zee.

'Dat is toch wat jij ook doet?'

'Hoe kom je daarbij? Ik leid mijn eigen leven, doe wat ik zelf wil. Ik heb niemand aan wie ik verantwoording hoef af te leggen. Ik deel mijn eigen tijd in.' Verontwaardigd keek Mickie haar aan.

'Ja, maar je staat iedere morgen om zeven uur op om ons ontbijt te maken. Je gaat iedere dag om tien uur naar de markt om verse groente te kopen. Je doet je boekhouding in de middag, nadat je de schoonmaak samen met Merche hebt gedaan. Aan het avondeten begin je om acht uur nadat je ons allemaal van een drankje hebt voorzien. En zo kan ik wel doorgaan. Vind jij dat dan niet regelmatig?' Mickie staarde naar buiten.

'Jij hebt toch ook je regelmaat? De ochtenden voor telefoontjes, de middagen correspondentie en om de dag de auto in om klanten te bezoeken.' Haar verdediging klonk niet echt overtuigend.

Na een poosje voegde ze er uiteindelijk zachtjes aan toe: 'Ik moet wel, Hazel, ik moet de aannemer afbetalen. Die verplichting heeft MacAllister volgens mij niet.'

'Dat weet je niet. Misschien moet hij wel een scheiding verwerken.'

'Of een dubbele moord,' voegde Mickie er droog aan toe. Ze schoten allebei in de lach. Hazel keek naar de tengere gestalte in de rotan stoel tegenover haar. De kleine handen met de praktisch kort geknipte nagels die het glas thee vasthielden, haar korte blonde haar en haar heldere blauwe ogen.

'Nu we het over regelmaat hebben. Hoe is het met die jongen die ik hier een paar keer heb gezien. Jorge, Jordi?' Mickie bloosde een beetje.

'Oh nee, dat is niets. Hij wilde zijn zusje Merche hier aan een baantje helpen.'

'Dus geen...'

'Nee, geen regelmaat en vooral geen verdere verplichtingen.' Ze liet Hazel duidelijk merken hier niet verder over te willen praten. Ze zwegen weer.

'Ik heb al bijna twee weken niets meer van Dirk gehoord.' Hazel sprak de woorden bijna emotieloos, zonder op te kijken, uit. Mickie liet de woorden in de lucht hangen en wachtte af. Een traan biggelde over het gezicht van Hazel.

'Hij zou komen met de kerstdagen, maar...'

'Maar wat?' vroeg Mickie zachtjes.

'We hebben ruzie gemaakt aan de telefoon.'

'Ruzie, waarover dan?' De schouders van Hazel schokten.

'Over mij, over ons. Gewoon, over wat belangrijker is, zijn studie, mijn uitdaging hier, over hoe we samen verder moeten. Hij snapt gewoon niet dat ik dit moet doen. Dat als ik hier geen succes van maak, ik het mezelf altijd kwalijk zal nemen.'

Mickie trok haar tegen zich aan en streelde met haar hand over haar rug.

'Ach Hazel, dat is gewoon een 'lovers tiff'. Dat gaat weer over, het is het einde van het jaar, de kerstdagen zijn in zicht en iedereen is gespannen. Waarom ga je niet een paar dagen naar Nederland? Ga naar je moeder en rust even lekker uit.'

'Nee, ik weet het niet.'
'Waarom zeg je dat? Je doet het heel goed, kijk eens wat je al bereikt hebt. Een opdracht van het Olympische Bouwcomité krijg je echt niet zomaar, dat heb jij zelf gedaan.'
'Ja, maar Dirk, hij zei dat ik... Hij zei dat ik me niet zo druk moet maken. Dat wanneer hij straks klaar is, ik niet hoef te werken. Dat het onzinnig is wat ik hier doe.'
'En, vind jij dat ook?'
'Nee, ja. Ik weet het niet, ik wil best een goede vrouw voor hem zijn, maar ik wil ook iets bereiken, iemand zijn.'
'Je bent toch iemand?'
'Ja, maar Mickie, ik wil dat hij me respecteert. Het kan me niet schelen dat hij soms domme dingen doet, dat hij een van mijn huisgenootjes kust, dat hij weer eens niet kan komen... maar ik ben niet zomaar zijn 'Haasje'.'
'En dan word je boos, gefrustreerd en verdrietig.'
'Ja zoiets, en dat door elkaar heen.'
'Is dat de reden dat je deze baan aangenomen hebt? Om te laten zien dat je wel wat kunt.'
'Ja, misschien.'
'En nu...'
Hazel haalde diep adem en keek naar Mickie. Opeens moest ze hardop lachen.
'Kijk ons nou. We lijken Stan Laurel en Oliver Hardy wel, de dikke en de dunne.'
'Hazel, je bent niet dik, je bent mooi gevormd...'
'Ja, en jij bent niet dun, jij bent 'petit'.' Hazel voelde een gewicht van zich af vallen. Misschien was het allemaal niet zo hopeloos. Opeens rechtte ze haar rug en stond weer op uit haar stoel.
'Ik weet een oplossing!' Nog voordat Mickie kon antwoorden, was Hazel de deur uit gerend.

Ze was naar een bouwput gereden waar de werknemers van Morillo, het bedrijf van de vader en zoon, te vinden waren. Ze had gewacht tot de lunch. Toen had ze de mannen uitgenodigd voor het dagmenu in een nabij gelegen restaurant. De sfeer was gemoedelijk geweest. De mannen waren al snel hun eerste schaamte voor de vuile werkkleding voorbij en hadden zich de wijn goed laten smaken. Bij het nagerecht had Hazel het voorstel gedaan, of ze bereid waren de komende week in de ochtenduren voor haar te werken. In dit land van volop licht was het niet de gewoonte dat bouwvakkers al om zeven uur begonnen en zeker niet in de drukker bevolkte delen van het land waar de geluidsbelasting de grenzen van het toelaatbare soms ruim overschreed. Iedereen kwam 's ochtends langzaam op gang en daar kon zij gebruik van maken. Met een aantal uren in de vroege morgen en een aantal uren tijdens de drie uur durende middagpauze, kon ze veel bereiken. De zes mannen hadden zwijgend geluisterd terwijl ze haar bod op tafel legde. Tweeduizend peseta's per uur was een ruim uurloon, maar Hazel was wanhopig en ze wist dat wanneer ze mensen uit Nederland moest laten overkomen, ze in totaal meer kwijt was aan reis- en verblijfkosten. Niemand had in eerste instantie gereageerd en bijna was ze haar zelfverzekerdheid kwijtgeraakt. Wanhopig had ze nagedacht en in een opwelling had ze de tranen over haar wangen laten stromen. Ze had geen betere manier kunnen bedenken. Als één man waren ze opgestaan en hadden haar beloofd het werk te zullen klaren. Welke Spaanse man kan zo'n mooie vrouw zien huilen?

'Het zit erop, Mickie. De brug is klaar, we hebben het gered, precies op tijd.' Met deze enthousiaste woorden kwam Hazel dagen later de keuken binnen. Mickie legde het mes neer waarmee ze de groenten aan het snijden was en liep naar de koelkast. Daar trok ze een grote fles champagne uit een van de rekken.

'Gefeliciteerd. Ik wist dat je het kon. Dit moeten we natuurlijk vieren.'

'Ja, en er is nog meer. Ik heb een uitnodiging gekregen voor een opleveringsfeest van het Olympisch Bouwcomité.' Ze zwaaide met een envelop die aan de voorkant bedrukt was met het logo van de Olympische Spelen. Bij oplevering van ieder deel van het project werd een feest georganiseerd waarbij heel bekend Barcelona aanwezig was, van de burgemeester tot de hoofdsponsoren. Zo'n avond begon vaak op de bouw, waarbij iedereen in avondkleding en met een glas champagne in de hand over het stoffige terrein liep, en eindigde in een gelegenheid waar gegeten en gedanst ging worden. En zij had een uitnodiging gekregen. Nu zouden er meer opdrachten volgen en kon ze Pieterse laten zien dat ze wel degelijk in staat was te doen waar anderen geen kans voor hadden gezien. Vrolijk danste ze door de keuken. Mickie ging op een krukje zitten en keek met genoegen naar haar favoriete gast.

'Met wie ga je naar dat feest?'

'Met niemand, ik ga alleen,' zong Hazel terwijl ze uitgelaten op het ritme van een denkbeeldige salsa door de keuken danste.

'Dat zou ik niet doen. Je zult moeite hebben alle aanzoeken die je krijgt te weerstaan, zeker op de manier waarop je bezig bent.' Hazel stopte met dansen en keek haar verbaasd aan.

'Dat maak ik dagelijks mee.'

'Ja, maar dan zijn de meeste mensen nog nuchter. Op zo'n feest gaan echt alle remmen los, geloof me. Het zal je zakelijke imago geen goed doen.' Ze vond het jammer een domper op de vreugde te moeten zetten.

'Waarom ga jij dan niet met me mee, Mickie? Het zou je goed doen een keer uit te gaan. De keuken kan heus wel een een avond zonder jou.'

'De keuken wel, maar mijn gasten niet. Nee, lief aangeboden van je maar in dit geval moet je echt een man meenemen. Het is belangrijk dat je een signaal afgeeft, dat je al 'bezet' bent. Je maakt het jezelf onnodig moeilijk door zo zelfstandig en onafhankelijk door het leven te gaan. Daar krijgen Spaanse mannen een totaal verkeerd beeld bij.' Mickie dacht even na.

'Waarom neem je Roger niet mee? Hij werkt toch voor zo'n internationaal ingenieursbureau?' Ze pauzeerde even. 'En daarnaast vindt hij je aardig.'

'Roger?' Hazel leek te twijfelen.

'Ja, hij is de perfecte partner voor deze avond. Hij spreekt de taal, hij heeft zelf contacten in de bouwwereld. En het is een Engelsman, je kunt afspraken met hem maken, hij is gewoon je verloofde voor één avond.'

'Mickie, je bent briljant, dat ik hier zelf niet aan gedacht heb. Ik ga de hele avond het perfecte stel uithangen.' Enthousiast klapte Hazel in haar handen. 'Ik ga het hem vanavond gelijk voorstellen.'

Enthousiast stapte ze die avond op Roger af met haar uitnodiging. Net wilde ze hem de kaart overhandigen, toen ze onderaan in kleine lettertjes zag staan: kledingvoorschrift 'tenue de soirée'. Dat hield in dat ze een galajurk aan moest. Daar had ze niet op gerekend. Mismoedig liet ze de kaart zakken.

'Wat is er, Hazel? Je kijkt of je een slecht bericht hebt ontvangen,' vroeg hij haar.

'Dit is een ramp.'

'Is er iets waarmee ik je kan helpen?'

'Nee, dit is vreselijk!' Ze plofte neer op een stoel.

'Zo vreselijk kan het toch niet zijn? Vertel oom Roger maar wat er aan de hand is.'

'Ik ben uitgenodigd voor mijn eerste officiële feest en nu heb ik geen avondkleding,' zuchtte Hazel. Roger keek haar verbluft aan en schoot in de lach.

'Ik dacht dat je minstens een overlijdensbericht had gekregen,' zei hij hikkend van de lach. 'Maak je niet zo druk, dat lossen we zo op.'

Roger was snel klaar met een smoking compleet met overhemd en 'cummerband' maar voor Hazel was het vinden van een geschikte avondjurk minder eenvoudig. Gelukkig wist Mickie een winkel in de 'Portal del Ángel', waar ze tweedehands avondkleding verkochten. Na lang zoeken vond ze een klaproosrode avondjurk van ruisende zijde. De jurk had een gevaarlijk diep uitgesneden decolleté, een nauwsluitend lijfje en daaronder een strakke gedrapeerde rok die net onder haar knieën stopte en haar kuiten en enkels vrij liet. Een paar donkerrode schoenen met stilettohakken maakten het geheel af.

Roger had al een kwartier beneden staan wachten, toen Hazel eindelijk de trap af kwam lopen. Hij floot zachtjes.

'Wow, dat was het wachten wel waard. Je lijkt sprekend op Sophia Loren in die jurk.' Hij pakte haar arm en loodste haar trots mee naar zijn auto.

De officiële openingsplechtigheid van de oostelijke ringweg, die het noorden van Barcelona direct verbond met de havens en het vliegveld, werd verricht door de burgemeester van de stad, Pasqual Maragall i Mira. Uit de vele hoogdravende speeches begreep Hazel dat de nieuwe weg een lange voorgeschiedenis had gehad. Roger wist haar te vertellen dat de vooruitstrevende socialist Maragall de woede van Madrid op zijn hals had gehaald door te zeggen dat Catalonië het inkomen voor de rest van Spanje verdiende. Maar ondanks deze opmerking had hij toch geld van de regering gekregen voor zijn stokpaardje, een betere infrastructuur voor de drukke stad. Terwijl de burgemeester het lint doorknipte, keek hij even opzij naar de gestalte die hem in de menigte was opgevallen. Op het moment dat hij het lint doorknipte, knipoogde hij olijk naar Hazel. Ze bloosde heel onvolwassen tot achter haar oren toen iedereen naar haar staarde. Roger maakte gebruik van de situatie door haar liefdevol tegen zich aan te trekken.

Na tien minuten over het asfalt gelopen te hebben, had de plechtigheid voor de meeste aanwezigen al weer lang genoeg geduurd en liepen de genodigden ongeduldig naar de klaarstaande bussen. Hazel en Roger werden verzocht in de bus met de hoogwaardigheidsbekleders plaats te nemen. Terwijl de bus langzaam de Paseo San Juan omhoog reed, raakte Roger in gesprek met een groep bouwers, maar niemand sprak Hazel aan. De burgemeester zat een aantal stoelen verder in een serieus gesprek gewikkeld met een paar somber kijkende Catalanen. Zijn blik dwaalde bij tijd en wijle richting Hazel. Na een poosje enthousiast over de bouw van zijn project uitgewijd te hebben, bemerkte Roger zijn gebrek aan manieren. Op elegante wijze manoeuvreerde hij het gesprek richting Hazel. Toen ze alle aandacht had, vertelde ze het verhaal over de aanleg van de noodbrug voor het zware werkverkeer. Nu had ze ieders interesse gewekt. De mannen verdrongen zich om vragen aan haar te stellen. Eindelijk had ze de kans om haar product en haar missie te verkopen. Het was moeilijk de stralende vrouw, gekleed in haar rode avondjurk met een opgewonden kleur op haar gezicht en haar ogen vol passie, te negeren. Net op het moment dat de burgemeester zijn nieuwsgierigheid niet meer kon bedwingen en naar haar toe wilde lopen, kwam de bus aan bij de 'Sutton Club', waar de rode loper uit lag om de gasten in stijl te ontvangen.

Langs de loper stonden fotografen klaar om foto's te nemen van de gasten in avondkleding. Roger zag er in zijn smoking niet eens slecht uit. Zijn pagekapsel en zijn onweerstaanbare glimlach gaven hem een ondeugende uitstraling waar veel vrouwen een zwak voor hadden. Hazel voelde zich licht in haar hoofd worden toen ze aan de hand van Roger de rode loper betrad. Het publiek floot en riep complimenten naar het paar. Binnen in de club, in de grote hal was het een mêlee van mensen in avondkleding. Plotseling voelde Hazel zich onzeker worden.

Wat deden ze hier met z'n tweeën in deze overweldigende Catalaans kwetterende menigte? Ze voelde zich groot en lomp tussen al die kleine elegante vrouwen. Ze probeerde haar voluptueuze gestalte kleiner te maken en trok Roger mee naar een hoek van de hal. Nietsvermoedend van haar onzekerheid kneep hij in haar arm.

'Goh, wat een geld is hier besteed om er goed uit te zien,' zei hij terwijl hij naar alle vrouwelijk schoon in de grote ruimte keek. 'Maar het blijven kleine venijnige teckels, die Spaanse vrouwen.'

Verbaasd keek Hazel hem aan.

'Ervaring, Roger?'

Ondeugend glimlachend keek hij haar aan.

'Engelse mannen zijn erg in trek. Het mag jou niet opgevallen zijn, maar wij zijn beroemd om onze hoffelijkheid.'

'En dat terwijl jullie juist zulke beesten zijn in bed.' Grinnikend keken ze elkaar aan en opeens viel alle twijfel weg. Ze rechtte haar rug en besloot die avond met volle teugen te genieten.

Een beetje aangeschoten liet Hazel zich op een stoel aan de grote ronde tafel vallen. Ze had met het halve Olympische Comité gedanst, terwijl Roger onophoudelijk door dames die er in hun felgekleurde avondkleding uitzagen als prachtige paradijsvogels, de dansvloer op gesleept werd. Roger plofte naast haar neer.

'Naar je zin?'

'Ja, geweldig. Vooral dat dansje met die burgervader was opwindend.'

'Echt?'

'Nee, niet echt. Het is eigenlijk een heel saaie man die alleen maar over politiek praat.'

'Je stond wel innig tegen hem aangedrukt anders.'

'Het was mijn kleine 'moment of fame'. Trouwens Spaanse mannen zijn warmbloedig en bewegen beter dan de gemiddelde Europeaan.'

'Dan kun je zo je hart ophalen. We krijgen na het slotnummer de gelegenheid om de 'Sevillanas' te dansen.'

Beschaamd keek Hazel naar de glimlachende Engelsman.

'Jij hebt je beter in de cultuur verdiept dan ik. Wat zijn 'Sevillanas'?'

'Een flamencodans uit Sevilla. De meest populaire versie van alle flamencodansen. Het zijn maar vier coupletten die in een bepaalde volgorde gedanst worden, maar veel te ingewikkeld voor mijn Engelse voeten. Ik kan lekker blijven zitten.'

'Sevilla? Sevilla ligt hier een eind vandaan, Roger. Wel iets van vijftienhonderd kilometer, dat is ongeveer net zoveel als Nederland verwijderd is van Barcelona. En de Catalanen dansen de 'Sardana', een heel saaie rijdans die niets met flamenco te maken heeft.'

'Je zult wel gelijk hebben, maar de Sevillanas is dé dans van het moment.' Hij draaide zich richting het podium waar de big band nog speelde.

'Voorlopig ga ik eerst genieten van de zangeres van het slotnummer. Het schijnt trouwens een landgenote van je te zijn, Bella Casteurs.'

Bella Casteurs. Het model van de poster uit het kantoor van Jean Paul Devillaine, de ster van de musical *De Midzomernachtsdroom*! Opeens werd Hazel overspoeld door herinneringen, aan Dirk, aan Gouda, haar vader, haar leven dat jaren weg leek. Als in trance antwoordde ze Roger: 'Nee, het is geen landgenote. Ze is Belgische. Ik heb haar ooit in Gouda zien optreden.'

De uitdrukking op haar gezicht ontging Roger omdat net op dat moment de lichten in de zaal gedimd werden en het podiumlicht aanging. Het orkest zette de eerste noten van 'The Rose' in. Als een prachtige witte sirene verscheen Bella op het podium, haar zilveren jurk spetterde sterretjes van licht om haar heen. De zaal verstomde.

Some say love, it is a river
That drowns the tender reed
Some say love, it is a razor
That leaves your soul to bleed...

Haar stem had niet de hese kwaliteit van Bette Midler of Janis Joplin maar eerder een kristallen helderheid die bijna breekbaar was. Als een ijle draad werden de woorden in de lucht gespannen van het podium naar het achterste deel van de zaal. Ademloos luisterden de mensen, zelfs de mensen aan de bar die druk hadden zitten praten. Hazel voelde zich wegzakken in een melancholie die de grond onder haar voeten liet verdwijnen, haar liet zweven naar een andere tijd. Ze sloot haar ogen.

It's the one who won't be taken
The one who cannot seem to give...

De woorden sloegen diepe wonden in haar ziel, weer dacht ze aan het laatste telefoongesprek met Dirk. 'Je vraagt nooit wat voor jezelf, wat wil je nou? Je bent onmogelijk lief te hebben, je bent zo verdomd zelfstandig! Ik wil dat je mij nodig hebt, Hazel. Geef mij eens het gevoel dat je niet zonder mij kunt.' Zinnen in boosheid gesproken, zinnen uit frustratie, die bedoeld waren te kwetsen. Had hij gelijk? Was het onzinnig dat ze zich wilde bewijzen? Ze beet hard op haar onderlip om zich niet te laten gaan. Het nummer kwam tot een einde en het publiek applaudisseerde enthousiast. Hazel luisterde stilletjes naar de zilveren verschijning met het prachtige stemgeluid. Bij haar laatste nummer, het symbolische 'Barcelona' van Montserrat Caballé, merkte Hazel opeens dat Roger niet meer naast haar aan de tafel zat. Ze keek ongerust om zich heen maar hij was nergens te bekennen. Net toen ze wilde opstaan om hem te zoeken, maakte de big band plaats voor een groep flamencogitaristen, zangers en zangeressen. De zaal leek op te veren, smokingjasjes werden over de stoelen gehangen en de dames maakten zich op voor de eerste coupletten. Nieuwsgierig keek Hazel om zich heen, dit was zo anders als in Nederland waar feestgangers op het hoogtepunt van de avond op de geijkte nummers van 'Rock around the clock' en 'Let's twist again' met de gratie van op hol geslagen dinosaurussen los gingen op de dansvloer. Hier leek iedereen een aangeboren ritmegevoel te hebben. Moeiteloos voerden de dansers de moeilijke passen uit op het complexe ritme van zang, gitaarmuziek en het tegenritmische klappen. Sierlijk vlogen de armen van de dames door de lucht waarbij hun handen bekoorlijk fladderden als koerende duiven. Een ingenieur waar ze eerder mee gedanst had, stapte op haar af. Hij wilde niets weten van haar tegenwerpingen dat ze deze dans niet beheerste, maar na een paar 'coplas' gedanst te hebben, bracht hij haar toch lachend terug naar haar tafel. Opgelaten zocht Hazel met haar ogen de menigte af naar haar begeleider. Net overwoog ze een taxi te bestellen en terug te gaan naar het pension toen opeens Roger naast haar stond, samen met Bella.

'Kijk eens wie hier is, Hazel.' Opgewonden keek hij beurtelings van de blondine naar de brunette.

De zangeres had zich omgekleed en droeg een traditionele flamencojurk met een wijde rok met witte stippen en stroken aan de onderkant van de zoom. Haar blonde haar zat in een wrong achter in haar nek.

'Hallo, Roger heeft mij meegenomen om kennis te maken met een bijzondere vrouw.' Ze stak haar hand uit naar Hazel. 'Ik ben Bella.'

Hazel keek in twee blauwe ogen, onpeilbaar en diep. De rode lippen van de blondine vertoonden een flauwe glimlach.

'De onzin die Roger soms vertelt..., aangenaam kennis te maken. Ik ben Hazel.'

Voordat hij zich in het gesprek kon mengen, werd Roger door een Spaans vrouwtje in een strakke zwarte broek en op stilettohakken weggesleurd.

'Die staat waarschijnlijk dezelfde verrassing te wachten.' Hazel glimlachte naar Bella. 'Ik ben net ook ten dans gevraagd maar wij noordelingen hebben hier geen aanleg voor.' Ze keken meewarig naar de verrichtingen van Roger en het kleine vrouwtje.

'Gelukkig voor hem zijn z'n danskwaliteiten niet het belangrijkste voor de dames.' Lachend keken ze elkaar aan.

'Is hij je vriend?'

'Nee, mijn partner voor de avond.'

'Oh juist. Is het waar dat je voor het Olympische Comité werkt?' Het was vreemd, Bella was de ster van de avond maar juist zij stelde de vragen, alsof Hazel de beroemdheid was.

'Nee, ik ben gewoon een leverancier, ik importeer grote brugconstructies voor tijdelijke oplossingen in het bouwproces. Niets bijzonders. Ik ben niet in staat een hele zaal ademloos naar mijn stem te laten luisteren.' Ze waren gaan zitten en hadden een glas champagne van de rondlopende obers aangenomen.

'Cheers, op Barcelona.' Bella zette het glas aan haar helrode lippen. Snel rekende Hazel terug wanneer ze haar had zien optreden in Gouda. Afgelopen zomer?

'Woon je al lang hier? Ik heb je vorig jaar nog zien optreden in Gouda in die productie van Van Wadenooyen.' Hazel zag een lichte glimlach om haar mond verschijnen.

'Ik ben niet lang daarna weggegaan. Ik ben hier in augustus aangekomen.' Even zweeg ze en het leek of ze niet meer kwijt wilde. 'Eigenlijk had ik terug moeten gaan, maar er zijn dingen gebeurd en...' Weer zweeg ze. Opeens voelde Hazel sympathie voor de gevierde zangeres. Ook haar leven werd gedomineerd door omstandigheden. Ze nam haar glas en tikte het glas van Bella aan.

'Welkom bij de club van 'vrouwen op zoektocht'.' Even schrok ze van het gezicht van de Belgische en was ze bang te snel een conclusie getrokken te hebben. Maar toen ontspande Bella zich. Ze keek Hazel aan en lachte.

Op de terugweg raakte ze niet uitgepraat over de avond en over Bella, die de 'Sevillanas' heel goed bleek te beheersen. Een van de trotse flamencodansers was het podium af gekomen en had met haar gedanst. Het publiek had een grote kring om het paar gemaakt en zo hard geklapt en geroepen dat het leek alsof er vuur van het dansende paar spatte. Hazel's voeten deden pijn, haar jurk zat veel te strak na al het eten en drinken van die avond. Voorzichtig maakte ze de rits opzij los, ze deed haar kousen uit en stopte ze in haar schoenen.

'Ga je nog meer uittrekken?' vroeg Roger geïnteresseerd terwijl hij probeerde zijn ogen op de smalle kustweg te houden.

'Nee, zeur niet.' Ze wimpelde hem met een landerig handgebaar af. 'Bella heeft beloofd dat ze mij zal leren – hik – dansen. Ze komt binnenkort naar 'El Nogal'.'

'Heeft ze een vriend?' vroeg Roger afwezig.

'Niet dat ik weet. Wil je dat graag weten?' Speels gaf ze Roger een por in zijn zij.

'Hè toe, Hazel. Je weet dat ik alleen naar jou kijk. Je moet niet zulke rare dingen insinueren.'

'Je vindt mij – hik – leuk.' Hazel zakte lachend opzij en ging vrolijk door met sarren. 'Die danser keek haar in ieder geval wel heel diep in de ogen.'

Uiteindelijk bereikten ze de parkeerplaats voor het pension. Opgelucht haalde ze adem. Hazel had veel meer gedronken dan ze gewend was. Het laatste deel van de weg had haar misselijk gemaakt. Ze opende de deur en een oorverdovend koor van krekels vulde de stilte. Roger stapte nog niet uit, maar keek haar aan.

'Gaat het?'

'Nee, ik voel me niet zo goed.' Hij stond op, liep om de auto heen en hielp haar uitstappen. Hij pakte haar schoenen en legde een arm om haar middel.

'Kom, dan gaan we hier even zitten.' Voorzichtig zette hij haar op het muurtje.

'Roger?'

'Ja.'

'Roger, ik weet niet – hik – hoe ik het zeggen moet...'

'Je bent smoorverliefd op me en kan niet zonder mij leven.'

'Doe nou 's... gewoon. Ik wilde – hik – je bedanken voor deze avond, wat je voor me gedaan hebt.'

'Hé, niet sentimenteel worden. Geef oom Roger gewoon een zoen en dan breng ik je naar je bed. De volgende keer vraag ik je mee als escorte om al die Spaanse teckels van me af te houden.'

'Alsof je daar... – hik – behoefte aan hebt.' Slingerend liepen ze samen naar binnen en de trap op naar Hazel's kamer.

‘Sssst... we moeten Mickie niet wakker maken,’ zei Hazel harder dan ze bedoeld had.

‘Ja, party girl, kom maar. Ik zal blij zijn als ik je in bed heb geholpen.’

‘Ga je mij in bed helpen?’ Haar stem schoot omhoog. Ze hing met haar volle gewicht tegen Roger aan. Hij rook haar parfum en haar losgeraakte haar kriebelde sensueel in zijn gezicht. Haar zachte armen hingen om zijn nek terwijl hij de deur van haar kamer openmaakte.

‘Ja, ik ga je uitkleden en in bed leggen.’

‘Vertel je me dan ook – hik – een verhaaltje?’

‘Misschien doe ik dat wel, maar dan wel een verhaaltje voor boven de 18.’

Lachend struikelden ze over de drempel de kamer in, toen ze opgeschrikt werden door een stem. Vanuit de stoel bij het raam was een gestalte op hen toegelopen die groot voor het paar stond.

‘Ik heb je nog geprobeerd te bellen!’ Als aan de grond genageld staarde Hazel haar vriend aan.

Bella

Het vroege ochtendlicht scheen over het schoongemaakte plaveisel van de Paseo de Gracia. Langzaam liep Bella het laatste stukje naar de voordeur van het appartement. Ze rook de milde rioollucht die zo bij Barcelona hoorde. Overdag werd de lucht vermengd met de benauwende geur van uitlaatgassen van het door de stad heen denderende verkeer. Maar in de vroege ochtend herleefde de mysterieuze glorie van eeuwen geleden.

Ze was moe. Nadat het Olympisch Bouwcomité was vertrokken, was ze zoals gewoonlijk naar de 'Up and Down' gegaan. In deze discotheek danste ze steeds vaker met haar collega's tot vroeg in de morgen, weg van de oplettende ogen van Antonio Blanch en de gasten. De discotheek had een grote dansvloer beneden en zitjes voor romantische stelletjes boven. De meeste van haar collega's ploften algauw neer in de comfortabele stoelen, maar Bella was niet geïnteresseerd. Ze wilde dansen, haar passie volgen. Dansen met Paquito. Met hem kon ze de vurige 'Sevillanas' oefenen. Urenlang had ze tot grote jaloezie van de aanwezige vrouwen met Paquito gedanst, net zo lang tot ze voelde dat 'el duende', het magische dwergje dat je liet dansen alsof je bezeten was, ook bezit van haar nam.

Maar toen ze terugkwam uit het toilet, waar ze haar natte haren had geprobeerd te fatsoeneren, had ze Paquito in de donkere gang in een omhelzing met een jongeman aangetroffen. Haar passie was net zo plotseling weggeëbd als hij was opgekomen. Ze had haar tas gezocht en was stilletjes weggegaan.

Ze haalde diep adem. Op dit stille moment van de nacht, in de eerste ochtendschemering, was de stad op haar mooist. Te vroeg voor de enorme stroom werkmieren die dagelijks uitzwermden over de straten van Barcelona en te laat voor de diepe nacht met haar eigen duistere leven, was de stad nog in rust gedompeld en had meer weg van een onschuldig dorp.

*'Dices que no me quieres
pero no es verdad'*

Zachtjes neuriede Bella terwijl ze haar sleutel zocht. Haar voeten deden pijn, ze trok haar schoenen uit en leunde tegen de voorgevel terwijl ze haar tas tevergeefs doorzocht. Het was nog te vroeg om aan te bellen. Jean Paul zou op dit uur nog slapen. Ze probeerde zich te herinneren of ze haar sleutels die avond meegenomen had. Het was niet de eerste keer dat ze ze vergeten had.

'Is het zo moeilijk te leven zoals anderen?' had Jean Paul haar de vorige keer dat hij de deur voor haar open had moeten doen, verwijtend gevraagd. Wat hij daar ook mee bedoelde. Alsof 'anderen' nooit een sleutel vergaten. Ze gaf het zoeken op en ging op de brede marmeren trap van het appartementengebouw zitten. Haar teennagels hadden een gat in haar panty gemaakt en haar tenen staken triomfantelijk uit haar kousen. 'Anderen' zouden natuurlijk nooit zo op straat aangetroffen worden. Ze leunde achterover tegen de deur en sloot haar ogen. De smartelijke woorden van de 'Sevillanas' van Rafael del Estat gonsden door haar hoofd.

'Y me quieres,
y me quieres...'

Met gesloten ogen herleefde ze de avond. Het leven was hier zo opwindend, ze voelde zich zo thuis in deze warme stad. België en Nederland waren twee stijve landen waar de pragmatiek en de rede overheersten. Niet in dit land. Hier overheerste de emotie, het hart dicteerde het dagelijkse leven, hier ging het om honger hebben, dorst, verdriet, plezier. Ze luisterde naar het geluid van de stad, een intens laag, vibrerend geluid, alsof de stad ademhaalde in haar slaap. Zuchtend hees ze zich overeind en vroeg de tijd aan een naderend legertje vuilophalers.

'Son las siete menos cuarto, señora.' Kwart voor zeven. Om zeven uur ging een paar straten verder een café open waar je geweldig lekkere croissants kon eten. Net wilde ze haar schoenen aantrekken om die richting uit te lopen, toen de voordeur openvloog en haar broer Jean Paul de deur uit rende. Verbaasd keek zij hem aan.

'Jean Paul, wat ben jij vroeg op?'

'Bella, het is vreselijk.' Zijn anders zo verzorgde haren stonden alle kanten uit, alsof hij eraan had getrokken.

'Wat is er vreselijk?' Ze pakte haar broer bij zijn pols. 'Je ziet er niet uit, wat is er gebeurd? Is er iets met moeder, of met de kinderen?' Tot haar grote schrik viel hij tegen haar aan en begon onbedaarlijk te huilen.

'Het is Chrissie... Ze is weggelopen.'

Het kerst- en oudejaarsavondfeest waren in een roes aan hen voorbij gegaan. De ouders van Christina waren uit Madrid overgekomen. Christina's moeder had zich over de kinderen ontfermd. De invloedrijke vader van Christina had zijn vele contacten gebruikt om zijn dochter op te sporen. Na vele telefoontjes over en weer vonden ze haar in een appartementje in Taragona. Daar zat ze met haar minnaar, haar tennisleraar, een man die haar volgens haar zeggen wel begreep. Ondanks het gebod van haar ouders en de smeekbede van een ontredderde Jean Paul, weigerde ze terug te komen. Stilletjes hadden de kinderen het kerstfeest met de grootouders gevierd, terwijl Jean Paul in een totale apathie bij de kerstboom had gezeten.

Maar de grote afwezige in het hele pandemonium was Elody, zij liet al die dagen niets van zich horen. Het was haar manier om met de situatie om te gaan. Dit overkwam haar geslaagde zoon niet, dat was niet mogelijk in haar gezin. Geen telefoontje, geen blijk van medeleven. Slechts een discreet zwijgen.

Ondanks de pogingen van de grootouders om de kinderen een aardige kerstvakantie te bezorgen, was de stemming in het appartement mistroostig. Zo mistroostig dat Bella het haar familie niet kwalijk kon nemen dat haar optreden in de kerstshow bij 'Club Sutton' helemaal vergeten werd.

Het was een grijze dinsdagmiddag in januari toen ze de personeelsingang van de club binnenliep. De nieuwste hit van Simply Red dreunde haar tegemoet. Fluitend liep een van de portiers met ontbloot bovenlijf door de gang. Bella was er aan gewend, geen moment liet hij onbenut om de danseressen zijn spierbundels te laten zien. Bella groette hem en liep door naar de kleedkamers.

Haar kleedkamer lag er verlaten bij. De eerste weken van het nieuwe jaar was de beroemde 'Club Sutton' vaak gesloten. De meeste artiesten gebruikten deze weken om hun familie op te zoeken. Eind januari kwamen ze dan weer een aantal kilo's zwaarder en uitgerust terug voor de spectaculaire carnavalshow van februari, die altijd als thema 'Carnaval in Rio' had. Antonio Blanch was al weken bezig deze show samen te stellen. Choreografen, decorbouwers, stylisten, liedjesschrijvers. Dag in, dag uit was de directeur in vergadering om het beste uit te zoeken. Bella wist dat de hoofdrol in deze show niet weggelegd zou zijn voor een lange, slanke blondine. Daar zou hij waarschijnlijk Magda voor kiezen, met haar getinte huid en ronde billen was zij bij uitstek geschikt een Braziliaanse in volle verenpracht ten tonele te brengen.

Halfslachtig overwoog Bella de directeur zo ver te krijgen dat ook zij een grote rol zou krijgen met haar zang. Ze had genoten van de aandacht en de goede recensies die ze bij de oudejaarsshow had gekregen. Roem maakte hongerig naar meer. Maar ze merkte dat ze zich er niet toe kon zetten, haar gedachten waren bij het gezin van haar broer.

Ze was die morgen net terug van haar ontbijtcafé in de Calle Caspe toen Almudena, de oudere hulp, haar aansprak.

'Uw moeder heeft gebeld, señora. Of u haar gelijk terug wilt bellen.'

'Dank je Almu, ik zal het meteen doen.' Ze probeerde met een beminnelijk glimlachje de hulp aan te geven dat ze kon gaan, maar Almudena bleef om haar heen hangen.

Nu Almu niet meer met Christina kon overleggen over het huishouden, probeerde ze dit met Bella te doen. Maar Bella had geen zin deze taak over te nemen. Liever liet ze de hulp briefjes schrijven die ze 's avonds haar broer toeschoof. Met een vriendelijke hand op haar arm, stuurde Bella de hulp richting de keuken. Niet helemaal tevreden probeerde de oudere vrouw tegen te sputteren maar Bella draaide zich abrupt om en liep naar de kamer waar de telefoon stond.

Ze sloot de deur achter zich en draaide het nummer van het kantoor van haar moeder. Haar altijd correcte secretaresse antwoordde nadat de telefoon twee keer was overgegaan.

Het wachten duurde vrij lang. Elody's tijd was kostbaar, dat maakte zij haar dochter altijd duidelijk.

'Kindje, hoe is het met u?' Bella wist dat dit geen vraag was die beantwoord behoorde te worden, maar ze kon het niet laten.

'Goed moeder, ik ben zwanger van een zigeuner uit Granada die met zijn familie in een woonwagen woont zonder stromend water of elektriciteit. Ze verdienen de kost met optredens en bedelen.'

Ze stelde zich haar moeder aan de andere kant van de lijn voor, ongeduldig met haar pen op het bureau tikkend.

'Heel grappig ma chérie, maar goed, ik wilde het eigenlijk over uw toekomstplannen hebben.'

'Mijn toekomstplannen?'

'Ja, u zult toch plannen hebben? U kunt uw leven toch niet bouwen op een passie! Dat vuur zal ooit doven.' Het klonk onheilspellend. Een stilte volgde aan de andere kant van de lijn. Bella werd nerveus.

'Ik weet nog niet of ik blijf zingen in de Club.' Ze stopte. Eigenlijk had ze helemaal nog niet nagedacht wat ze wilde.

'Kindje, ik zal maar met de deur in huis vallen. Uw broer is na Christina's vertrek niet helemaal... eh, laat ik zeggen aanwezig.' Weer was het stil aan de andere kant van de lijn.

'Ja moeder, maar dat is toch begrijpelijk. Zoiets moet helen.'

'Dat is wat altijd gezegd wordt, maar ik had na uw vaders dood geen tijd om 'te helen'. Ik vind het onzin!' Bella zag haar moeders zelfingenomen gezicht voor zich. Altijd zeker van zichzelf, nooit twijfelend. Waarom had zij dit niet in haar genen?

'Eh bien, maar daar bel ik niet over. Over drie weken is de voorjaarsshow in Parijs. De gebroeders Giancomo hebben met argusogen naar mijn geweldige succes in Barcelona gekeken en zij hebben mij gevraagd dit jaar de show in Parijs te organiseren. Is het niet geweldig!'

'Ja moeder, proficiat. Dat moet een hele eer voor u zijn.' Het viel haar op dat haar moeder het 'haar' geweldige succes in Barcelona noemde, niet 'ons'.

'Een welverdiende eer, Bella. Ik heb hier hard voor gewerkt. Nou had ik uw broer opgedragen de campagne van Barcelona te gebruiken als blauwdruk voor de show in Parijs, maar ik krijg het gevoel dat hij zich niet op dit project concentreert. Heeft hij u al benaderd voor het modellenwerk?'

'Mij benaderd? Nee moeder, ik weet van niets.'

'Juste, dat vreesde ik al. U moet natuurlijk deze show voor mij lopen.'

'Maar moeder, dat kunt u niet van mij vragen. Ik kan niet zomaar weer een aantal weken mijn baan opzeggen, niet tijdens de voorjaarsshows.' Wat zachter voegde zij eraan toe. 'Niet net nu mijn carrière begint te lopen.' Elody snoof hoorbaar.

'Zingen in een nachtclub, dat noemt u carrière. U had in Nederland moeten blijven, dan was u mettertijd gevraagd voor steeds betere rollen.' Bella beet op haar tong. Haar moeder wijzen op het feit dat zij voor de Elody modeshows naar Barcelona was gekomen, had geen zin. Ze zou deze discussie, zoals altijd, uiteindelijk verliezen. Na een poosje antwoordde ze haar moeder gelaten.

'Goed maman, ik beloof niets maar ik zal nadenken over de show in Parijs en met Jean Paul praten, d'accord?'

'Ik reken op u ma chérie! A tout à l' heure.'

Bella zag haar energieke moeder glashelder voor zich. Hoe ze de telefoon neerlegde en achterover leunde in haar lederen bureaustoel, het probleem als opgelost aankruisend. En om zonder veel omhaal over te gaan tot het volgende agendapunt van die dag.

Bella haalde haar hand over het haarstuk dat op de tafel in haar kleedkamer lag. De lange pijpenkrullen van de pruik voelden aangenaam aan. Ze tilde het haarstuk op. Het woog zwaar. Hoeveel avonden had ze het al op haar hoofd gehad? Tien, twintig, dertig avonden? Opeens zag ze een onafzienbare reeks avonden voor zich waarop ze steeds weer dezelfde show bracht. Een beeld waarbij zij steeds ouder werd, maar de shows hetzelfde bleven.

Misschien had haar moeder gelijk en moest ze naar Parijs gaan. Ze had haar moeder bewezen dat ze iets kon bereiken. Even glimlachte Bella wrang; niet dat die roem lang geduurd had. Wat wilde ze eigenlijk verder nog? Avond aan avond met haar collega's feesten in het nachtleven van Barcelona. Of wilde ze uiteindelijk toch een gezin. Een man, kinderen? Een rilling ging door haar heen. Nee, dat nooit. Ze wilde vrij blijven, de wereld was haar jachtgebied. De mogelijkheden waren zo ongekend groot en ze was nog lang niet waar ze wilde zijn. Maar waar wilde ze zijn?

Ze sloot haar ogen en dacht na hoe de zaal verstilde wanneer ze de eerste noten van een lied inzette, ze hoorde het applaus en ze zag de staande ovaties. Dat moment, dat heerlijke moment dat iedereen je toejuichte. Ze haalde diep adem, toen zette ze de pruik bedachtzaam terug. Ze zou haar moeder bewijzen dat ze verantwoordelijkheid voor haar eigen leven kon nemen.

Mickie

Ze streek met haar hand over het laken op de plaats waar Jorge gelegen had. Ze trok het kussen naar zich toe. Het rook naar hem, het rook naar 'Brummel', een goedkope aftershave die in iedere drogist te krijgen was. Het deerde haar niet dat het een goedkoop geurtje was, het hoorde bij deze anonieme affaire. Ze liet het kussen los en draaide op haar rug. Ze was moe.

Hondsmoe, niet van het liefdesspel van die nacht, maar van een aantal weken onafgebroken hard werken.

De kerstperiode was goed geweest, beter dan ze verwacht had. Aanvankelijk had ze nog getwijfeld, er waren maar weinig reserveringen binnengekomen. Maar vlak voor het kerstfeest had de telefoon opeens niet meer stil gestaan. Vanaf dat moment had ze geen tijd meer gehad om adem te halen. Maar ze had het gered en het restaurant had geweldig gedraaid.

Ze deed haar ogen dicht. Ze was vijfendertig. De leeftijd waarop je geacht werd je leven op de rit te hebben. Maar had ze haar leven op de rit? Was dit wat ze wilde? Een pension en restaurant waar ze al haar liefde aan kon geven?

Was liefde de grootste drijfveer van haar leven, was liefde geven voor haar genoeg? Wie had haar ooit voor bedankt voor de liefde waarmee ze voor haar broertjes had gezorgd? Haar ene broer had een goedbetaalde baan bij een internationale bank en Mickie paste niet meer in zijn leven met een drukke baan en bijpassend bankgezin met een kreukvrije vrouw en twee zeer welopgevoede kinderen. Haar andere broer had de kroeg van haar ouders overgenomen, maar had niet echt de ambitie om verder te komen. Vaak hing hij, tot de laatste klant verdwenen was, dronken achter de bar om daarna de trap op te kruipen naar zijn bed. Geen vrouw, kind of zelfs huisdier belemmerde zijn egocentrische leven en zijn liefhebbende zus was voor hem naar een vaag verleden verhuisd. En dan Gary, het verraad dat hij gepleegd had tegenover hun liefde. Hij had nooit de moeite genomen te vechten voor het voortbestaan van hun relatie, hij had de vergankelijkheid van hun liefde simpelweg geaccepteerd.

Het geluid van de telefoon op haar nachtkastje onderbrak haar overpeinzingen.

'Pension 'El Nogal', goedemorgen.'

'Mickie, hoe gaat het met je?'

'Gary, ik dacht net aan je.'

'Tja, ik dacht... ik wilde wel eens horen hoe het met je gaat.'

'Het gaat prima, mijn pension begint net te lopen. Het is nog niet zoals in Rosas, maar het komt.'

'Dat is mooi.' Stilte aan de andere kant. Eigenlijk wist ze wat hij ging vragen, maar ze hoopte dat het niet waar was.

'Hoe gaat het daar, Gary? Alles goed met Inma en de baby?'

'Baby?'

'Ja, de baby, de baby van jou en Inma.' Ze wilde het nog een aantal keren herhalen. Het uitspreken van het verdrietige feit werkte bijna helend.

'Ehhh... Goed, denk ik. Ik heb haar eigenlijk niet zo gesproken.'

'Is het een jongen of een meisje?' Opnieuw stilte aan de andere kant. 'Gary, is het een jongen of een meisje?'

'Eigenlijk weet ik het niet. Weet je, ik ben een tijdje weg geweest. Moest tot mezelf komen.' Hij viel weer stil.

Hier had ze het gesprek moeten beëindigen. Maar een perverse aandrang in haar kreeg de overhand.

'Ben je tot jezelf gekomen? Weet je wat je wilt?' Hij gaf geen antwoord.

'Gary?'

'Mickie, wat ik vragen wilde; kan ik wat geld van je lenen?' Ze wist het. Ze had het gevoeld op het moment dat ze de telefoon beantwoord had. 'Ik bedoel, ons huwelijk heeft toch wel wat voorgesteld?' Hij lachte even kort. 'Je vergeet je oude echtgenoot toch niet zomaar.'

'Nee, vergeten zal ik je niet,' zei ze dubbelzinnig. Maar ze ging niet verder op zijn verzoek in. Hij kende haar te goed en wist wat haar zwijgen betekende.

‘Mag ik dan een keertje bij je langskomen?’ vroeg hij uiteindelijk. ‘Ik ben jarenlang je echtgenoot geweest. Iets moet je toch nog voor mij voelen?’

Urenlang was die laatste vraag bij haar gebleven. Wat had ze ooit voor hem gevoeld? Zou ze ooit nog in staat zijn echt iets voor een man te voelen?

Het restaurant was die avond volgeboekt, een bruiloft van een jong stel uit Castelldefels. Een bruiloftsdiner was saai lopendeband werk, maar het bracht geld in het laatje. Besluiteloos hadden de jonge mensen gedebatteerd over het menu. De familie bestond uit voornamelijk vissers en boeren. De boeren hielden van een stevig stuk vlees met groente van het land, terwijl de vissers juist de vruchten van de zee op tafel wilden zien. Met tranen in zijn ogen had de bruidegom uiteindelijk Mickie alleen bezocht. Zijn toekomstige bruid wilde niet meer met hem spreken. Het menu voor de bruiloft was het breekpunt van hun relatie geworden.

‘Ni carne, ni pescado, ni ninguna esposa. Geen vlees, geen vis en geen vrouw,’ had de jonge boer gestameld. Mickie had hem verzocht de volgende dag terug te komen. Ze zou een oplossing zoeken waar iedereen mee kon leven. Die avond had ze het kookboek *Manuel de Cocina*, het traditionele kookboek voor de Spaanse huisvrouw geraadpleegd. Tot haar grote vreugde vond zij daar onder ‘feestmenu nummer dertig’ de oplossing voor de familie.

Het voorstel om ‘calabacines rellenos’, courgettes gevuld met vlees, spek, uien, kappertjes en olijven vooraf en daarna als hoofdgerecht ‘bacalao gratin’, gegratineerde stokvis, werd tot haar grote opluchting door beide kanten aanvaard. Mickie had als dessert een stevige rijstepap ‘arroz con leche’ voorgesteld, maar tot haar grote verbazing had de timide bruid daar haar eigen mening doorgevoerd. Ze wilde per se abrikozenbavarois, omdat dit zo mooi kleurde bij de bloemen en de kleding van de bruidsmeisjes.

Zuchtend keek Mickie naar haar twee keukenhulpjes. Ze was vroeg opgestaan die morgen. De honderdvijftig abrikooskleurige toetjes stonden al in het gelid in de koeling. De stokvis had ze een hele dag laten weken in melk en de uitgeholde courgettes waren aan de buitenkant geraspt om ze beter in de bloem te kunnen wentelen. Ze had emmers vol aardappelen geschild voor de aardappelpuree, de aardappelen waren gekookt en lagen te drogen in een oven om een mooie droge puree te maken.

Het zou aanpoten worden om de courgettes netjes in ronde plakken gesneden en voorzien van saus, warm op tafel te krijgen. Daarna moesten de honderdvijftig borden met gegratineerde stokvis en aardappelpuree tegelijk naar de eetzaal. Snel deed ze een schietgebedje en dacht voor de duizendste keer sinds ze met 'El Nogal' begonnen was, terug aan de tijd dat ze met Inma werkte.

De keukenklok gaf aan dat het al over half negen was. De gasten wilden om tien uur aan tafel. Het ging krap ging worden. Ze had al vijf kwartier nodig gehad om de weerbarstige courgettes langzaam gaar te laten worden, nu moest ze de courgettes in kleine torentjes van vijf centimeter snijden, vullen en overgieten met saus. De stokvis was sneller klaar, maar moest wel direct geserveerd worden, anders viel het zachte vlees uiteen.

De twee keukenhulpen die ze via het uitzendbureau had ingehuurd, hingen lusteloos tegen het werkblad. Mickie had hen op goed geluk gekozen op hun namen. Het meisje met de naam Socorro – hulp in nood – had kortgeknipt haar en enorme zilveren ringen in haar oren en Perfecta – perfectie – had lang dun haar in een paardenstaartje. Volgens de dame van het uitzendbureau hadden ze allebei in een groot hotel in Barcelona gewerkt. Maar Mickie had haar twijfels, waarschijnlijk hadden ze heel eenvoudig werk gedaan.

'Socorro, wil jij de courgettes vullen met het mengsel uit die grote schaal daar.' Ze wees het meisje met de grote oorringen op de klaarstaande vulling van gehakt met kruiden en paneermeel.

'¿Como?' Het kind keek haar vragend aan. Zuchtend pakte Mickie haar bij de arm.

'Kom, ik zal het je voordoen.' De oorringen kwamen zonder veel enthousiasme naast haar staan terwijl ze een gezicht trok naar de paardenstaart.

'En jij Perfecta, jij kunt alvast de stokvis uit de melk halen.' De twee meisjes giechelden en keken Mickie lachend aan.

'Wat is daar zo vreemd aan?' Vorsend keek Mickie hen aan. Ze staarden allebei naar hun voeten. Ze droegen afgetrapte Nike sneakers. Waarschijnlijk hadden ze veel voor deze buitenlandse schoenen moeten betalen, maar de jeugd had veel over voor het statussymbool. 'Nou kom op, waar moeten jullie om lachen?'

'Vis hoort niet in melk,' giechelde Perfecta. Ze ging dichter bij Socorro staan. De kleine muur van oppositie deed Mickie voor de zoveelste keer terugverlangen naar Inma. Die was het misschien in het begin niet altijd met haar kookwijze eens geweest, maar ze had nooit opmerkingen gemaakt of geweigerd werk uit te voeren. Ze had in stilte de kunst van het koken bij haar afgekeken.

'Juist daarom moet je hem er zo snel mogelijk uithalen.' Het had geen zin. Morgen zou ze het uitzendbureau te kennen geven niet met deze keukenhulpen verder te kunnen.

Het liep tegen tienen. De gasten waren al om negen uur gearriveerd. Mickie merkte dat de meesten na een stevig uur indrinken toe waren aan een maaltijd. Er hing een vreemde spanning tussen de familie van de bruid en de bruidegom. Overmatig drankgebruik had hier niet veel goed aan gedaan. De tafels stonden vol met lege karaffen sangria. De simpele hors d'oeuvre, grote schalen met gesneden stukken fuet worst, manchego kaas en stukken stokbrood, was helemaal op. Het bruidje zat met hoogrode kleur aan het hoofd van de tafel. Ze leunde tegen de bruidegom die in een heftig gesprek gewikkeld was met zijn schoonvader. Snel liep Mickie terug naar de keuken om de meisjes de borden met de courgettetorentjes klaar te laten zetten. De professionele kelners die ze vaker ingehuurd had, wisten dat ze rond konden gaan met de flessen rode wijn die bij het voorgerecht hoorden. Ze hadden net de eerste vijftig borden klaar staan, toen Socorro verschrikt naar haar toe kwam met de mededeling dat het water in de spoelbakken niet meer weg wilde lopen. Mickie liep met haar mee naar achteren. De situatie was erger dan ze verwacht had, het water kwam omhoog door het schrobputje en de hele keukenvloer was nat. Het moest een geblokkeerde afvoer zijn. Stilletjes vervloekte ze Martínez, natuurlijk had hij ergens een fout gemaakt. Maar dat zou hij nooit toegeven. Het zag ernaar uit dat de hele vloer weer open gehakt zou moeten worden, met alle kosten vandien. Net nu ze bijna de meubels van het pension had afbetaald. Ze voelde tranen van frustratie in haar ogen springen, met de achterkant van haar hand veegde ze de eerste druppel die over haar wangen rolde weg.

Het eerste gerecht stilde de grootste honger van de gasten. De gesprekken in de eetzaal werden rustiger. Efficiënt en snel ruimden de kelners de tafels leeg. De witte wijn voor het volgende gerecht werd ontkurkt. Maar het volgende gerecht was nog niet klaar. Het was zelfs nog lang niet klaar. Met een lome traagheid waren de meisjes een half uur geleden begonnen de bacalao in plakken te snijden en met een gratinsaus te bedekken. Voordat iedere plak vis klaar was, was deze ruim met roddels en gegniffel bestrooid. Socorro en Perfecta bleken niet in staat hun werk te doen zonder een stroom van zinloze conversatie. Op het moment dat hun monden dichtgingen, staakten hun handen. Zwetend schoof Mickie de volgende schaal met vis onder de gril.

Plotseling voelde ze het oude zwarte gat weer opengaan, wind suisde in haar oren en een zuigende kracht trok haar mee. Ze voelde haar knieën trillen. Ze steunde met haar handen op het werkblad en sloot haar ogen.

'Mrs. Jarvis!' Heel in de verte hoorde ze een stem.

'Mrs. Jarvis, please!' De stem werd luider, dringender. Met een droge mond kwam Mickie bij haar positieven. Het geïrriteerde gezicht van MacAllister stak om de keukendeur.

'Er staat iemand voor u aan de receptie. Het is al half elf en er staat iemand aan de receptie.' Hij liet duidelijk merken niet gewend te zijn op dit tijdstip een boodschap door te moeten geven. Snel trok ze haar schort over haar hoofd en rende naar de balie. Die middag had het toeristenbureau gebeld, ze hadden een klant voor de laatste kamer. Maar op dit late tijdstip had ze niemand meer verwacht. Met haar handen fatsoeneerde ze snel haar haren en trok de deur open. Het eerste wat haar opviel, was de grote koffer met daarnaast een gestalte die een pakketje in een deken vasthield. De gestalte draaide zich om en Mickie's mond viel open.

'Inma?'

De bruiloftsgasten waren vertrokken. Mickie en Inma hadden de families van een geweldig maal voorzien. Zonder al te veel woorden hadden ze het oude ritme weer opgepakt en leek het na een kwartier of Inma nooit weg was geweest. Nu zaten ze samen in de privévertrekken van Mickie. Het bundeltje, een roze meisje met de naam Conchita, lag te slapen in een geïmproviseerd bedje. Zonder de drukte van de keuken wisten ze allebei opeens niet wat ze zeggen moesten.

'Koffie, Inma?'

'Nee liever niet.' Ze wees verlegen op haar borsten.

'Oh... Juist, sorry. Ik zal een venkelthee voor je maken, goed?'

'Ja, dank je.'

Toen Mickie terugkwam met de thee voor Inma en een glas cognac voor zichzelf, had ze zich voldoende in de hand om het gesprek te openen.

'Mooie naam, Conchita,' begon ze voorzichtig.

'Ja, maar ze wordt gewoon Conche genoemd.' Zwijgend namen ze een paar slokken. Opeens kon Inma zich niet meer goed houden.

'Het spijt me zo vreselijk, Mickie. Ik ben zo dom geweest, ik heb niet echt nagedacht. Ik weet niet wat me bezielde. Ik had het gevoel dat jij alles had, een man die je respecteerde, een hotel, een geweldig talent om te koken. En ik zag mezelf eindigen met een verloofde uit mijn 'barrio'.' Zonder te stoppen, ratelde ze door. 'Eentje waar mijn ouders goedkeuring aan zouden geven en die net als mijn vader 's zomers als ober zou werken in zo'n toeristisch restaurant waar ze niet op manieren letten. En in de winter zou hij als bouwvakker sjouwen.' Mickie probeerde haar te onderbreken, maar ze wilde niet stoppen. 'Zo een die tegen de tijd dat hij vijftig is, dik en kaal zou zijn met doorgezakte voeten. Een man die nooit verder zou komen dan het café op de hoek van onze straat.'

Mickie stond op en ging naast haar zitten.

'Ik was daar zo bang voor, Mickie, ik wilde jou echt geen verdriet doen, ik wilde alleen een stukje van jouw geluk.' Ze sloeg haar handen voor haar ogen en huilde. Mickie reageerde niet. Na een poosje stopte het huilen en ging Inma hakkelend verder.

'En toen ik merkte dat ik zwanger was, realiseerde ik me wat ik gedaan had. Ik schaamde me zo diep dat ik je niet meer onder ogen durfde te komen. Gary bleef bellen, maar ik wilde niets meer met hem te maken hebben. Mijn ouders waren heel boos, maar ze hebben me opgevangen tot Conche geboren was. Maar ik kreeg dagelijks verwijten van ze en de hele buurt sprak schande over mijn gedrag. Toen ik naar je toe wilde komen om me te verontschuldigen, kon ik je niet meer vinden.' Weer begon ze erbarmelijk te huilen.

'Heb je Gary gesproken?' vroeg Mickie met schorre stem.

'Ja, maar...' Inma keek haar schuin aan. Het was voor het eerst dat Mickie een heftige emotie op het anders zo uitgestreken gezicht van haar souschef zag.

'Ik miste mijn leven in het hotel, ik miste jouw manier van koken, ik miste voornamelijk jou, Mickie. En daar kwam ik achter nadat ik Gary gesproken had. Hij had van het geld van het hotel een mooie auto, zo'n geïmporteerde rode Bentley gekocht en dure kleding. Maar verder hangt hij alleen maar in de kroegen van Rosas rond. Hij is een echte 'gilipollas'.'

Langzaam rechtte Mickie haar rug. Haar stem klonk zacht toen ze uiteindelijk antwoordde.

'Gary en ik hebben nooit kinderen kunnen krijgen. Je hebt me ontzettend veel pijn gedaan.'

'Het spijt me zo.' Inma liet zich op haar knieën voor Mickie vallen. 'Ik zou alles geven om de pijn die ik je gedaan heb, ongedaan te maken. Je zult me wel haten.' Peinzend pakte Mickie de handen van Inma.

'Jij hebt ook een gave. Je bent een uitstekende kok, misschien heb ik je wel te veel als vanzelfsprekend behandeld. Had ik je meer complimenten moeten maken, je zelfvertrouwen op moeten laten bouwen. De schuld ligt niet altijd bij één persoon alleen.' Inma kneep haar ogen dicht om de tranen tegen te houden, maar ze rolden als vanzelf over haar wangen.

'Nee Mickie, dat moet je niet zeggen.'

'Ja, dat moet ik wel, ik heb je ook gemist al die maanden dat ik hier alleen bezig geweest ben. Ik miste mijn rechterhand, ik miste je inzichten en ik miste vooral je aanwezigheid.' Nu ze de woorden uitsprak, wist ze dat het zo was. Ze had zich alleen gevoeld in haar keuken, het plezier in het maken van haar culinaire hoogstandjes had ze met niemand kunnen delen. Natuurlijk genoten haar gasten van het eten, vooral Hazel, dat was een echte fijnproever. Maar niemand wist hoe moeilijk en ingenieus sommige gerechten waren. Alleen met haar souschef had ze deze kleine triomfen kunnen delen.

Uit het wiegje kwamen zachte geluidjes. Ze schrokken op uit hun gedachten.

'Wat zijn je plannen, wat wil je doen?'

Beschaamd liet Inma haar hoofd hangen.

'Eigenlijk heb ik niet veel plannen. Het enige plan dat ik had, was met jou praten, mijn excuses maken, aan iets anders kon ik niet denken.'

Het was laat en de cognac steeg Mickie naar het hoofd.

'Voorlopig heb je hier een kamer. Maak je maar niet druk over het geld, dat komt wel goed.' Plotseling dacht ze aan het telefoontje van Gary. Misschien zou de baby hem een impuls geven iets van zijn leven te maken? 'Misschien wil Gary voor jou en de baby zorgen, hij is per slot de vader.'

'Nee, dat wil ik niet. Ik wil geen geld van Gary aannemen, onder geen enkele voorwaarde. Dat zou dubbel verraad zijn naar jou toe.'

'Maar Inma, je zult toch praktisch moeten zijn. Waar denk je anders van te leven?'

'Ik heb geld. Al die jaren heb ik nooit wat uitgegeven, ik heb alles gespaard. Kijk...!' En uit het versleten Engelse spijkerjasje haalde ze het ene na het andere rolletje bankbiljetten.

DEEL V

Onvoorwaardelijk van iemand houden is al niet makkelijk, onvoorwaardelijk van jezelf houden is nog moeilijker. Dat heb ik als verantwoordelijkheid genomen.

Voorjaar 1991

Hazel

Een blikkerige stem riep voor de zoveelste maal de passagiers voor de vlucht naar Rome op om zo snel mogelijk naar 'gate' A 40 te gaan. Hazel zat al twee uur te wachten op de vertraagde vlucht naar Amsterdam. Het luchtruim zat te vol, was het laconieke commentaar van de 'ground stewardess' van Iberia geweest. Ze had met moeite een leeg tafeltje op een binnenterras weten te bemachtigen en had een aantal 'cafés con leche' gedronken. Somber staarde ze naar het drukke terras. De kerstvakantie lag al weer maanden achter haar. Natuurlijk had Dirk uiteindelijk begrip gehad voor haar nachtelijke escapade, vooral nadat Mickie hem overtuigd had van het belang van de uitnodiging voor Hazel en haar bedrijf. Maar er was een ondefinieerbaar gordijn tussen hen blijven hangen van onuitgesproken woorden.

Hazel had in de dagen dat Dirk bij haar was, geprobeerd hem vertrouwd te maken met haar wereld, met haar werk en met de onmogelijkheden die haar dagelijkse bestaan leken te beheersen. Maar hij zag alleen de zon, de zee, het strand en het overvloedige, heerlijke Spaanse eten.

'Je krijgt een buikje, Haasje. Maar het staat je goed, zo heb ik nog meer van je.' Ze was aan de ene kant blij geweest met de lieve woorden en zijn opwinding, maar ergens voelde ze de neerbuigendheid van de opmerking zwaarder wegen. Het had haar in de stilte van de nacht, toen hij na een lange vrijpartij tegen haar aan had gelegen, pijn gedaan. Liever had ze hem horen zeggen dat ze wel door een hel gegaan moest zijn om eindelijk haar eerste opdracht te krijgen. Ze wilde dat hij erkende dat ze beschikte over meer capaciteiten dan een zacht vel en een rond buikje.

Het was moeilijk te geloven dat de kerst en haar eerste opdracht alweer drie maanden achter haar lagen. De wintermaanden waren taai geweest. Ze had een paar kleine opdrachten weten binnen te halen, maar die hadden haar niet veel meer opgeleverd dan de broodnodige publiciteit. Om grotere opdrachten te krijgen, had ze kapitaal nodig.

Kapitaal om mensen in te huren, gereedschap te kopen, service te kunnen bieden. De bankdirecteur van de NatWest Bank in Barcelona was zeer vriendelijk, maar heel duidelijk geweest. Ze had nog geen 'track record', geen bewijs dat ze haar onderneming drie jaar winstgevend had kunnen voeren in dit land. Haar enige kans was Pieterse en Rob Kramer te overtuigen haar een lening te verstrekken. Nerveus verschoof ze het lege kopje koffie. Ze had de avond tevoren haar moeder gebeld of ze bij haar kon overnachten. Opzettelijk had ze Dirk niet gebeld. Ze zou hem zaterdag, wanneer ze haar onderhandelingen met PBC had afgerond, verrassen.

Voor de zoveelste keer pakte ze haar financiële overzichten uit de kleine koffer Er was geen speld tussen te krijgen, de uitgaven, de verwachte inkomsten, de hoeveelheid geld die ze hiervoor nodig had, het rendement dat ze het hoofdkantoor kon betalen op de investeringen. Ze had Roger, die gewend was dit soort begrotingen en opstellingen voor zijn moederbedrijf te maken, mee laten lezen. Hij had haar gecomplimenteerd met haar werk, dat had haar goed gedaan.

Sinds de avond dat Dirk haar in haar kamer opgewacht had, had Roger zich wat meer op de achtergrond gehouden. Zijn correcte Engelse manieren verboden hem de strijd om haar hart openlijk in te zetten en hij had gekozen voor de 'geleidelijke groeiende stille liefde' tactiek. Opeens werd haar vlucht omgeroepen, zuchtend stopte ze de papieren terug. Met lood in haar schoenen begaf ze zich naar de aangegeven vertrekhal.

Ze parkeerde de auto voor het kantoor van PBC. De voorgevel was fris geschilderd in de kleuren van de multinational die het bedrijf overgenomen had. Zelfs de naam van het bedrijf, de letters PBC die vroeger op een simpele plaat op de gevel bevestigd waren, was vervangen door een neon lichtreclame in een trendy huisstijl. Zittend in haar auto liet Hazel de veranderingen op zich inwerken.

Voordat ze uitstapte, deed ze snel nog een extra laag lippenstift op haar volle lippen. De Spaanse zon had haar olijfkleurige huid een tintje donkerder gemaakt en lichte plukken in haar kastanjebruine haar gebrand. Een aantal mannen in overall, die buiten in het dunne zonnetje hun koffie dronken, keken verbluft naar haar. Opeens stond daar een vrouw voor ze die, gekleed in een kokerrok met witte blouse en sierlijke naaldhakken, de uitstraling had van een Italiaanse filmster en in niets meer leek op het Nederlandse meisje met warrig haar, gekleed in een blauw regenpak.

'Dag Hazel, leuk je weer te zien.' Het was natuurlijk de hartelijke Willem die haar als eerste begroette. 'Gaat het goed daar in Spanje?'

Plotseling voelde Hazel zich beter, het nerveuze gevoel vervaagde. Ze rechtte haar schouders.

'Hoi Willem. Ja, het gaat prima, we hebben de eerste klus al geklaard. Een mooie brug, je had hem moeten zien, echt een staaltje vakwerk.' De andere mannen waren ook om haar heen komen staan. Hazel merkte dat ze zelf ook vierkanter ging staan. Tot in detail vertelde ze over de krappe tijd voor de montage en de uiteindelijke oplevering van de noodbrug. Een instemmend geknik en gebrom was haar beloning. Opeens boog Willem zich naar voren. Zijn stem kreeg een samenzweerderige toon. Onwillekeurig vormden de andere hoofden een gebogen koepel om Hazel heen.

'Je zult zien dat hier wel wat veranderd is.' Hij keek haar veelbetekenend aan, maar zei verder niets. Onderzoekend keek Hazel de kring rond. De jongere mannen mompelden instemmend de woorden 'veel' en 'veranderd', maar meer kreeg ze niet te horen. Even voelde ze de neiging door te vragen, maar ze bedacht zich. In haar nieuwe status van manager Spanje was het beter niet in te gaan op verhalen van het personeel.

'Dat geloof ik best. Maar jullie weten ook dat verandering bij vooruitgang hoort, toch?' Met een vriendelijk knikje stapte ze uit de kring en liep met haar koffertje naar de kantooringang.

Ze liep automatisch naar haar oude kantoor. Toen ze de deur open deed, viel haar mond open van verbazing. Niets was er over van het oude, stoffige interieur. Alles was nieuw geverfd in strakke kleuren en op de grond lag dikke vloerbedekking. Haar oude bureau had plaatsgemaakt voor een bureau-eiland dat deels dienst deed als bureau en deels als vergadertafel. Achter het elegante bureau zat een jonge vrouw met blond haar. Voordat Hazel een woord kon uitbrengen, stond ze op.

'Mevrouw Hendrikse? Ik ben 'Staff Secretary' Marjolein de Jong. U wordt verwacht in het kantoor van de directie.' Bevallig wiebelde Marjolein voor haar uit. Het oude kantoor van Pieterse had eveneens een metamorfose ondergaan. In een helderverlichte, moderne ruimte met een kastenwand met blinde sluiting, zaten Rob Kramer en Pieterse aan de vergadertafel op haar te wachten. De aanblik van de twee in het gloednieuwe kantoor, deed de moed weer in haar schoenen zakken. Hier was wel geld aan uitgegeven. Opeens drong het tot haar door dat haar hele vestiging in Spanje maar een amateuristisch bedrijfje was waar onder de borrel om gelachen kon worden. 'Hoe gaat het met onze vestiging in Spanje, kerel?' – knipoog – 'Je bedoelt onze 'Truus on the spot?' – hartelijk gelach – 'Je weet hoe ze is, altijd bereid zich uit te sloven.' – nog meer gniffelend gelach – 'Zo lang ze daar ook nog wat mee verdient, 'who cares'.' – gelach.

Hazel schudde haar hoofd. Vormelijk gaf ze de twee mannen een hand. Zonder enige omhaal kwam ze met haar verzoek voor financiële ondersteuning op de proppen.

'Een jaar heb ik nodig om een professionele vestiging met eigen materiaal en personeel van de grond te krijgen. In dit rapport,' ze gaf een ferme tik op het dossier dat voor haar lag, 'staan de financiële consequenties voor het moederbedrijf.'

Pieterse keek haar aan of ze van een andere planeet was teruggekeerd en plotseling een andere taal sprak.

'Maar Hazel, dat...' Voordat hij uit kon praten, nam Rob Kramer het over.

'Waar is je SWOT-analyse, Hazel? Ik moet je aanvraag wel goed kunnen onderbouwen, anders stoppen ze hun geld liever in een ander project.'

'SWOT-analyse?' vroeg ze met een dunne stem. 'Wat bedoel je daar precies mee?'

Beminnelijk, alsof hij een moeilijke wiskundesom voor de zoveelste keer uitlegde, telde hij op zijn vingers de onderdelen van de analyse af.

'Sterkte, zwakte, kansen en bedreigingen van je onderneming.'

'Maar dat heb ik toch al bij het eerste marktonderzoek gedaan?' vroeg ze verbaasd. Ze wist niet wat ze hoorde.

Kramer stond op en liep naar zijn bureau. Afwezig zocht hij in de stapel papieren. Onverrichter zake kwam hij na verloop van tijd terug naar de vergadertafel. Hij ging naast haar zitten en keek haar diep in de ogen.

'Hazel, je moet me geloven, voor iedere investering die ik hier wil doen, moet ik een zelfde verhaal opsturen. Ik had je een voorbeeld willen laten zien, maar...' Hij zuchtte hoofdschuddend.

'Je zult beter je best moeten doen het hoofdkantoor te overtuigen.'

Het kwam bij haar op dat het de wens van het moederbedrijf was geweest om zich in Spanje te vestigen. Ze wilde haar mond opendoen om hen hieraan te herinneren, toen Pieterse opstond en zei: 'Hazel, je doet het heel goed. We zijn echt trots op je, de jongens beneden ook!' Onzeker keek ze de man aan. Had hij werkelijk geen idee, of speelde hij een spelletje met haar?

'Echt, wat jij gedaan hebt, was ons nooit gelukt!' Met deze laatste opmerking liep hij naar de deur. Voordat ze kon reageren, was hij verdwenen en hoorde ze hem de gang uit lopen naar beneden. Beduusd draaide ze terug naar de tafel waar Rob Kramer haar schouderophalend aankeek.

'Nu zie je het, Hazel... Het gaat prima met je en hij ziet het nut van ondersteuning niet in.'

Het onrecht brandde achter haar ogen. Het was om Pieterse te redden dat ze deze uitdaging was aangegaan, de man had klaarblijkelijk geen idee, of wilde geen idee hebben. Boosheid welde in haar op. Ze voelde haar wangen langzaam gloeiend rood worden. Ze greep haar autosleutels van tafel en stond op.

'Zo te zien, verdoe ik mijn tijd hier in Nederland.' Ze wilde de papieren van de tafel pakken, toen Rob haar arm beetpakte alsof hij haar wilde verhinderen het uitgewerkte plan mee te nemen. Even staarden ze elkaar aan, toen glimlachte hij.

'Je bent zo mooi wanneer je boos bent, Hazel.' Hij boog zich naar haar toe. Haastig greep Hazel de overzichten bij elkaar en propte ze in haar tas.

'Je hebt me nog niet gezien wanneer ik opgewonden ben, dan ben ik ronduit oogverblindend.' En met deze woorden liep ze weg.

De avond bij haar moeder was ronduit een ramp. Haar moeders conversatie ging beurtelings over het onverantwoordelijke gedrag van Hazel om Nederland, haar vriend, haar baan, kortom haar zekerheid op te geven voor zo'n onvoorspelbaar avontuur in Spanje en over haar vader en zijn nieuwe vrouw die kans had gezien in korte tijd zwanger te raken en trots met een vijf maanden buikje rondliep. Koren op haar moeders boze molen.

'Leuk voor Evelyn,' had Hazel nog voorzichtig geprobeerd. Misschien zou het haar uiteindelijk lukken haar vader de rustige thuishaven te bieden die hij nodig had. Leeftijd was niet altijd een garantie voor stabiliteit.

'Een halfzusje of -broertje op jouw leeftijd! Kom nou, Hazel. Dit wordt een regelrechte ramp. Leendert houdt dit geen jaar vol. Weet je nog die Spaanse toen. Hoe heette ze ook al weer Martha, Maria...'

'Magdalena, Magda,' vulde ze haar moeder aan.

'Ja, die Magda. Dat zou het helemaal worden. Je vader zou een huis kopen in Spanje, hij zou meer thuis zijn en jou naar Spanje halen. En nog lang en gelukkig leven.'

'Mam, dat zijn oude koeien.'

'En wat is daarvan terechtgekomen?' ging haar moeder door. 'Niets, er is niets van terechtgekomen. Na drie maanden handjes vasthouden, werd hij alweer onrustig.' Haar moeder keek haar triomfantelijk aan. 'Heb ik gelijk gehad of niet?'

'Jawel mam, maar er was meer. Het waren de cultuurverschillen en pa had nog te veel prikkels vanuit zijn werk om het rustiger aan te gaan doen.' Vermoeid haalde ze een hand over haar gezicht, alsof ze een beeld dat zich aan haar opdrong, weg wilde vegen.

'En jij geloofde hem. Twee keer per week naar Spaanse les. Jij was bereid mij achter te laten en met hem naar Spanje af te reizen om in Cartagena te gaan wonen. Om een nieuw leven op te bouwen.' Verbaasd door het ongewone sarcasme van haar moeder, reageerde Hazel sneller dan normaal. 'Mam, ik was vijftien, ik was net als iedere puber op zoek. En de Spaanse lessen zijn me nu toch maar mooi van pas gekomen.' Ze probeerde haar moeder met een grapje op een ander spoor te krijgen. Maar die veranderde haar route niet.

'Een puber ben je al lang niet meer. Je zou beter moeten weten, je verantwoordelijkheid moeten nemen en een leven voor jezelf opbouwen.' Ze waren weer terug bij haar eerste stokpaardje, het leven van haar dochter. Plotseling was het alsof de wolk van verdriet die ze om zich heen voelde vanaf het moment dat ze in haar eentje naar Spanje vertrokken was, optrok. Hazel keek naar haar moeder.

'Onvoorwaardelijk van iemand houden is al niet makkelijk, onvoorwaardelijk van jezelf houden is nog moeilijker. Dat heb ik als verantwoordelijkheid genomen, mam.' Ze voelde tranen in haar ogen springen. Het was zo moeilijk te blijven geloven in het pad dat ze was ingeslagen, het vergde zoveel energie en optimisme.

'Onzin, dat zijn allemaal van die 'new age' uitspraken waarvan ik had gedacht dat jij te intelligent was om die te geloven. Waarom maak je het gewoon niet goed met Dirk? Wat is er trouwens überhaupt tussen jullie gebeurd? Je hebt hem natuurlijk niet voldoende gestimuleerd in zijn studie. Je weet toch dat hij om te specialiseren een lange weg te gaan heeft.' Met stomheid geslagen keek Hazel haar moeder aan.

'Mam, heb je helemaal niet gehoord wat ik net zei? Ik wil dat hij mij respecteert. Ik heb hem al die jaren bijgestaan, in hem geloofd, en nou wil ik iets voor mezelf, wil ik laten zien wat ik kan. Is dat zoveel gevraagd?'

'Zo zijn mannen nu eenmaal. Ze zitten anders in elkaar dan wij. Waarom moet je jezelf zo nodig bewijzen? Je bent een handige en slimme meid, dat weet toch iedereen. Maar uiteindelijk red je het daar niet mee, schat. Straks blijf je alleen achter en ik kan je vertellen, dat is geen pretje.' Opeens drong het tot Hazel door dat haar moeder haar geen verwijten maakte. Stephanie zat vol angsten en onzekerheden die ze als een soort bezwering constant benoemde. Het beeld van haar moeder gekleed als een blanke voodoo-vrouw deed haar glimlachen.

'Maak je niet ongerust. Voorlopig heb ik aanbidders zat.' Ze dacht terug aan de mogelijkheid van de 'rijke Spaanse aannemer', en ze glimlachte weer. Morgen zou ze Dirk bellen.

De volgende morgen ontvluchtte Hazel al vroeg de woning van haar moeder met het excuus dat ze naar de markt ging. Daarna wilde ze langs het huis aan de gracht. Gewoon aanwaaien en haar vroegere huisgenootjes gedag zeggen. Het was druk in Gouda. Een waterige zon scheen op de winkelende mensenmassa. Gehaast en grimmig schoven de mensen langs de stalletjes. Met opgetrokken schouders en gekleed in saaie winterjacks deed Nederland zijn zaterdagse boodschappen. Hier en daar probeerde een marktkoopman met een vlotte babbel de mensen tot kopen aan te zetten. 'Wie maakt me los, wie maakt me los. De laatste sinaasappelen. Twee gulden vijftig voor het hele netje.'

Na een poos doelloos rondgelopen te hebben, kocht ze voor Mickie een grote Goudse kaas en een paar pakjes stroopwafels.

Haar Spaanse schoenen waren niet bestand tegen het natte weer. Het vocht begon door haar zolen heen te sijpelen. Het plastic tasje met de zware kaas sneed in haar vingers. Ze keek op de klok van het grote stadhuis, het liep tegen de middag. Dirk zou nu wel wakker zijn. Ze zag zijn verfomfaaide hoofd met het blonde piekhaar voor zich. Hoe hij wakker werd en zich uitrekte. Een rilling van verlangen liep door haar heen. Maar misschien was het nog te vroeg, aarzelend besloot ze eerst koffie te gaan drinken in 'De Zalm', het eethuis op de Markt.

De zware houten deur ging met moeite open. Ze stond in het donkere voorportaal, achter het fluwelen gordijn klonk een luid geroezemoes. Achter haar ging de buitendeur weer open en twee echtparen, bepakt met plastic zakken, kinderen en buggy's, worstelden zich naar binnen. Ze ging een stapje opzij om de mensen voor te laten. Net wilde ze het groepje volgen, toen ze bij een tafeltje aan het raam twee mensen zag zitten die haar bekend voorkwamen. Verdekt opgesteld achter de met jasjes en wantjes worstelende ouders, keek Hazel naar het tafeltje. Haar hart miste een paar slagen, het waren Dirk en Jocelyn. Ze leken in een geanimeerd gesprek. Dirk hing nonchalant achterover in zijn stoel. Haar keel schroefde langzaam dicht. Voor hen op tafel stonden twee glazen wijn en een schaaltje bitterballen. Hazel's ogen zogen zich vast aan dit schaaltje, bang om op te kijken, bang om de gevoelens toe te laten die ze vanuit haar buik voelde opborrelen.

Na een ellendig lange tijd maakte ze haar blik los van het schaaltje. Ze hadden haar gelukkig niet gezien. Haar ademhaling ging raspend door haar keel. Als een niet te bedwingen neiging om te niezen, voelde ze een huilbui opborrelen. Snel trok ze zich terug achter het gordijn. Ze leunde tegen de overvolle kapstok en begroef haar hoofd in de muffe jassen die daar hingen. Tranen stroomden over haar wangen. Helemaal leeg liep ze terug naar de gracht waar ze haar auto geparkeerd had. Op de automatische piloot reed ze naar haar moeder. Toen ze de sleutel uit het contactslot gehaald had, kon ze het niet opbrengen uit te stappen, ze bleef zitten en staarde voor zich uit. Nooit, nooit, nooit zou ze dit met haar moeder bespreken. Dit zou haar geheim blijven. Niemand zou dit te weten komen. Zelfs Dirk zou ze niet vertellen dat ze hem met Jocelyn gezien had. In haar hoofd hamerde de zin 'onvoorwaardelijk van iemand houden is al niet makkelijk'. Nu moest ze gaan leren van zichzelf te houden. Ze moest.

Die avond schreef ze Jocelyn een brief.

Beste Jocelyn,

Ik heb gehoord dat je mijn kamer aan een ander hebt weten te verhuren. Je had natuurlijk allang begrepen dat ik niet zat te springen om terug te komen naar Gouda. Heus, je zou mijn appartement 'met uitzicht op zee' hier moeten zien. Het is helemaal te gek. Maar goed, ik had je natuurlijk iets kunnen laten weten, sorry!
Mijn overplaatsing naar Barcelona was in eerste instantie best onwerkelijk, maar ik begin het hier steeds beter naar mijn zin te krijgen. De vestiging van ons bedrijf loopt heel aardig en ik heb zowaar in korte tijd een nieuwe vriendenkring opgebouwd. Afgelopen maand heb ik zelfs het genoegen gehad met de burgemeester van Barcelona te dansen op een groot gala. Josie, die Spanjaarden weten wat feesten is! Het is zwaar na die drukke weekenden 's maandags weer aan het werk te moeten.
Het leven hier is zoveel spannender dan in 'boring old' Gouda. Ik zou van zijn levensdagen niet meer in staat zijn om in een provinciestadje te wonen. Maar goed, iedereen heeft natuurlijk zijn voorkeur.

Hopelijk gaat het goed met je studie en de rest van mijn 'ex' huisgenoten.
Lieve groeten aan Mieke en Frans (en jezelf natuurlijk),
een zonnige groet,
Hazel Hendrikse

Ze las de brief een aantal keren en stopte hem daarna in haar tas om hem in Spanje op de bus te doen.

Bella

Het was vrijdagmiddag. Een lage zon scheen op het parket van het appartement aan de Paseo de Gracia. Bella lag languit op de bank met haar lange benen over de leuning gedrapeerd. Christina had het appartement voorbeeldig naar de smaak van de hogere kringen ingericht. Grote, ruime banken en fauteuils in lichte elegante stoffen, een glazen salontafel vol dure boeken en kristallen objecten. Glazen bijzettafels waarop grote lampen met kappen in dezelfde elegante lichte kleuren prijkten. Een duur Chinees kleed in vage pasteltinten lag op de dure houten parketvloer en aan de muren hing verantwoorde kunst achter glas met messing lijsten. Almudena had een half uur geleden haar hoofd om de deur van de salon gestoken en verteld dat ze boodschappen ging doen voor het avondeten.

'Algo de mí... algo de mí se va muriendo'

Op volle kracht klonk de muziek uit de dure stereo. Zachtjes neuriede Bella mee met de smartlap van Camilo Sesto. Haar voorliefde voor de liedjes van deze Spaanse volkszanger werd door haar broer sterk afgekeurd. Dit genre muziek hoorde niet bij een klassiek geschoolde dochter van Elody Casteurs. Onbewust van wat de tekst van het liedje voor haar betekende, bleef dit laatste nummer in haar hoofd spoken. 'Iets in mij... iets in mij gaat dood'.

Van de ene op de andere dag had zij haar baan bij 'Club Sutton' opgezegd. De hoofdrol in de grote carnavalsshow was zoals ze al vermoedde, naar Magda gegaan. Antonio Blanch was in alle staten, hij had zijn Belgische ster een hoofdrol in de volgende show en een extra gage geboden. Maar Bella wist dat het geen zin meer had.

Jean Paul had haar halfslachtig geprobeerd over te halen voor de show van haar moeder in Parijs, maar was uiteindelijk met een ander model vertrokken. Het kwam hem wel goed uit, Christina maakte nog steeds geen aanstalten haar plicht als moeder te vervullen en Bella kon tijdens zijn afwezigheid voor de kinderen zorgen.

Aanvankelijk ging 'de lieve tante' spelen haar goed af, ze had de kinderen mee op allerlei uitstapjes genomen. Ze wilde hen een ander Barcelona laten zien dan ze gewend waren, ze had ze gewezen op de zwervers, de rondtrekkende bloemenverkopers die met een armzalig bosje rode roze probeerden een paar peseta's aan verliefden te ontfutselen. Ook was ze op een middag naar de Mercado de las Glorias gegaan om te laten zien waar de 'gewone' mensen hun spullen kochten. De markt was een doolhof van gangen en straatjes waar de ratten vrijelijk rond scharrelden. Opgewonden had Nuria een groot exemplaar aangewezen terwijl ze haar oudere broer stevig vasthield. De lunch had ze gebruikt in de kantine waar alleen de marktlui kwamen. In de donkere ruimte met het lage plafond was het geroezemoes oorverdovend. Overal zaten mensen op formica stoeltjes die op de markt in Amsterdam een fortuin zouden opbrengen. Op de lange toonbank van de bar stonden schotels vol 'tapas' uitgestald. De bonte kleuren van de gerechten waren een feest voor het oog. Schalen vol worstjes, kipspiesjes, Russische salade met gekookte eieren, gevulde paprika's, dikke punten Spaanse omelet met aardappel en uien, tonijnsalade, sardientjes, 'calamaris', inktvisringen gefrituurd in een deegjasje, 'pulpitos', kleine inktvisjes die je krakend tussen je tanden in één keer opat, 'pescadito frito', piepkleine gebakken visjes, 'setas', champignons gebakken in olie en knoflook, 'patatas bravas', geroosterde aardappels druipend van de hete saus. De grond was bezaaid met verfrommelde servetten en de tafels stonden vol schoteltjes.

Bella had de kinderen aan een tafeltje gezet en zich een weg door de menigte gebaand. Het was niet zo moeilijk geweest met haar lengte en blonde verschijning een plaats te veroveren aan de bar. Amicaal werd ze door de mannen aangestoten. Sommigen herkenden haar zelfs van de aanplakbiljetten. Tandeloze grijnzen in lachende gezichten en schuine opmerkingen waar ze gelukkig niets van verstond, vielen haar ten deel. De kinderen waren alleen nette restaurants gewend en hadden hun ogen uitgekeken.

Met een zak rommel waren ze weer thuisgekomen. Een tweedehands, felgroene tulen avondjurk compleet met nepjuwelen voor Nuria en een doos vol oude tinnen soldaatjes voor Eduard.

Maar hoe lang ging ze de rol van 'prettante' nog volhouden? Ze werd al weer rusteloos, ze hield dit niet vol, dagenlang alleen gesprekken met kinderen en de kokkin. In de gang hoorde ze een deur. Almudena was terug met de boodschappen voor het avondeten. Ze hees zich overeind van de bank. Hoe wilde ze haar moeder zo overtuigen van haar kunnen? Het was tijd dat ze weer op zoek ging naar een baan. Maar waar moest ze beginnen? Opeens schoot haar die Nederlandse van die gala-avond te binnen. Hoe heette ze ook al weer? Bella liep naar haar kamer en zocht verwoed in haar handtassen. In een zilveren tasje vond ze het adres; Hazel Hendrikse – Pensión 'El Nogal', Carretera de la Costa s/n – Castelldefels.

Natuurlijk moest Jean Paul die zaterdagochtend eerst naar kantoor. De ochtend werd middag, en nadat Bella hem gebeld had en gedreigd het eerste vliegtuig naar Antwerpen te nemen als hij nu niet naar huis zou komen, zaten ze eindelijk om vijf uur in de auto richting de kust. Voor de zoveelste keer zei Jean Paul dat niemand in maart naar de kust ging. Dat ze alleen maar uitgestorven dorpjes met lege terrassen tegen zouden komen. Dat hij het nut van deze hele onderneming niet zag.

'Dit is onzinnig, Bel. Wie gaat er nu begin maart naar de kust? Trouwens wat hebben wij daar in een pension te zoeken?' Jean Paul en Bella spraken Nederlands met elkaar. De kinderen die opgevoed werden in het Engels, Castiliaans en Catalaans, konden de discussies tussen broer en zus niet volgen.

'Contacten, Jean Paul. Contacten die voor mij belangrijk zijn. Jij moet toch weten wat netwerken inhoudt. Ik heb weken op je kinderen gepast, je kunt dit best voor me over hebben.' Een flauwe glimlach verscheen op zijn gezicht. 'Wat voor contacten denk jij in een bouwvallig pensionnetje in een uitgestorven kustplaats op te doen?'

'Luister, ik houd veel van je, maar ik kan niet voor altijd voor je kinderen zorgen. En ik hoef je ook niet altijd alles uit te leggen. Ik wil niet vastzitten aan verplichtingen die ik niet aankan. De rol van Moeder Theresa past niet bij me.'

'Je kunt iedere dag gesprekken met volwassenen voeren,' was het droge antwoord.

'Ja, met Almudena, met de bakker of de barman op de hoek. Of ik ga 's avonds als de kinderen op bed liggen de straat op, wellicht vind ik daar een volwassene die mij te woord wil staan.'

'Stel je niet aan. Christina verveelde zich toch ook nooit.' Het was eruit voor hij er erg in had. De kinderen keken op toen ze de naam van hun moeder hoorden. Even deed Bella haar ogen dicht.

'Misschien ligt daar je fout met Christina. Je ging er vanuit dat ze tevreden was.' De woorden waren kwetsend en er viel een pijnlijke stilte. Ze reden tegen het laaghangende zonlicht in, richting het zuiden. De kinderen zeiden niets, maar voelden de spanning.

'Dat was gemeen, Bella.'

'Nee, dat was realiteit. Hoe lang denk je dat je zo kunt blijven doorgaan? Je zult een vader voor je kinderen moeten worden. Het is aardig dat je een grote opdracht voor Elody Mode hebt gekregen, maar daar wil je toch niet je leven mee vullen?'

'Ik zal toch m'n gezin moeten onderhouden?' Hij nam een scherpe bocht en reed de provinciale weg op richting Castelldefels. Na een paar kilometer zagen de kinderen schaars geklede dames langs de weg.

'Kijk, kijk, Edu, ik zie de onderbroek van die mevrouw!' Geïnteresseerd keken de beide kinderen naar de prostituees.

'Ook dat nog! Geweldig idee, deze reis,' mopperde hun vader. Hij gaf gas en haalde links in om zo snel mogelijk de tippelzone achter zich te laten.

'Nee, je gezin komt inderdaad niets tekort. Maar wil jij worden zoals moeder? Een zakenman zonder tijd en aandacht voor anderen? Jij was veel ouder toen papa stierf. Heb je niets van hem meegekregen? Papa was een lieve, zachte man. Hij nam de tijd voor ons, Jean Paul. Hij kon middagen lang poppenhuizen bouwen zonder zich af te vragen welke kleur de mode voor de komende winter zou domineren.'

'Ja, en van die houding heeft moeder de gevolgen kunnen opruimen.' Weer viel er een ongemakkelijke stilte. Ze verlieten de provinciale weg en reden de kustweg op. Zoals Jean Paul voorspeld had, was het dorp aan de kust verlaten. Bij de boulevard strekte het lege strand zich voor hen uit. De grauwgele vlakte werd her en der alleen onderbroken door een wandelaar met hond. Ze reden langs de kust zonder te praten. Bij het volgende dorp was het wat drukker, de zon en het mooie weer hadden een aantal families naar het water gelokt. Maar het was al laat in de middag en groepjes gezinnen liepen gewapend met koelboxen, ballen, schepjes en emmers terug naar de auto.

'Ik snap niet wat we hier moeten,' mompelde Jean Paul voor de zoveelste keer. 'Die verrekte onrust heb jij van moeder geërfd. Altijd het gevoel dat het ergens anders beter is of dat je beter kunt. Het is niet eens makkelijk consequent te zijn, Bella. Daarom ben jij geen moeder. Om moeder te zijn, moet je jezelf kunnen opofferen en dat woord komt in jouw woordenboek niet voor.'

Nu was het haar beurt om verontwaardigd voor zich uit te kijken.

De weg liep langzaam omhoog, de Costas de Garraf in. Ze waren langzamer gaan rijden. Opeens zagen ze een groot geel bord waarop met lichtblauwe letters 'El Nogal' stond geschreven.

'Hier is het. Naar links... Hier naar beneden, naar de zee.' Voorzichtig reden ze het pad met de haarspeldbochten af richting het pension. Even later stonden ze voor een gezellig verlicht pension met blauwe luiken en een enorme notenboom in de tuin. De kinderen struikelden uit de auto en renden de beboste heuvels in richting de zee. Het rook er heerlijk naar tijm en pijnbomen, geen geluid van druk verkeer, alleen maar de zee en vogels die het hoogste lied floten. Onder de notenboom stonden tafels waaraan mensen rustig zaten te praten. Bella herkende de Engelsman met het pagekapsel die haar tijdens het gala was komen halen. Ze liep naar de tafel waar hij zat. Roger stond op en maakte plaats voor Bella en haar broer Jean Paul. De andere ingenieurs aan de tafel stelden zich voor en al snel waren ze in een geanimeerd gesprek met Jean Paul gewikkeld over het nieuw te bouwen hotel. Roger richtte zich tot Bella.

'Wat leuk dat je toch langs gekomen bent. Hazel zou het ontzettend op prijs gesteld hebben.'

'Hoezo zou? Is ze weg?'
'Ja, ze is helaas net naar Nederland.'
'Wat jammer. Blijft ze lang weg?' Bella keek hem geïnteresseerd aan. Hij leek meer te weten dan hij los wilde laten.
'Nee, ze had het een en ander met haar directeuren te bespreken.' Hoewel Bella uit het korte gesprek met Hazel begrepen had dat ze voor het Olympische Bouwcomité werkte, wist ze niet precies in welke hoedanigheid ze in Spanje was.
'Werkt ze helemaal alleen hier?'
'Ja, ze wordt niet zoals wij...,' hij gebaarde naar zijn collega's aan tafel, '... ondersteund door een team van collega's. Ze doet inderdaad alles alleen.'
'Knap hoor, ik zou dat niet kunnen.' Bella leunde achterover in de stoel.
'Maar wat jij kunt, is net zo knap,' zei Roger terwijl hij zich omdraaide naar zijn collega's. 'Hebben jullie ooit het genoegen gehad Bella Casteurs te horen zingen?' Algauw klonk om haar heen geroep om een lied en voor ze het wist stond ze op om te zingen. Het voelde heerlijk. Na het applaus wilde ze gaan zitten, maar ze kreeg geen kans. De mannen bouwden onder een buitenlantaarn een podium van een paar planken die over waren van de verbouwing. Een van hen liep snel naar binnen en kwam terug met een kleine blonde vrouw met een blad vol drankjes en schoteltjes vol 'tapas'.
'What's going on here?' vroeg ze vriendelijk.
'Mickie, we hebben een beroemde zangeres in ons midden. Kom zitten, je moet dit horen.' De vrouw zette het blad op tafel en liep op de nieuwkomers af. Ze stak haar hand uit en glimlachte.
'Mickie Jarvis, eigenaresse van 'Fawlty Towers' oftewel 'El Nogal'.'
'Bella Casteurs en dit is mijn broer Jean Paul Casteurs.' De gelijkenis tussen broer en zus was niet te ontkennen.
'Wat leuk dat jullie bij ons op bezoek komen. Zijn jullie vrienden van Roger?'
'Nee, of eigenlijk ja.' Bella twijfelde. 'We wilden eigenlijk..., we kwamen Hazel opzoeken.'
'Ah, jullie zijn vrienden van Hazel?'

'Nee, nou ja... Ik heb haar een aantal weken geleden ontmoet in de 'Club Sutton' en had met haar afgesproken om langs te komen.'

'Ik weet het!' zei Mickie enthousiast. 'Ze heeft me verteld over het geweldige optreden dat ze van je gezien heeft. Nou, jullie zijn van harte welkom. Ik kan helaas niet te lang blijven zitten. Het restaurant gaat zo open en dan verwacht ik ook de eerste gasten. Maar jullie zijn van harte welkom om met de pensiongasten mee te eten.' Nog voor Bella iets kon zeggen, werd ze naar het 'podium' getrokken en zong voor het eerst sinds weken weer het hart uit haar lijf.

Tegen half acht verscheen een donkere vrouw in de deuropening. 'Mickie... De gasten!' Verschrikt keek Mickie op haar horloge.

'Ach Inma, waarom ben je niet bij ons komen zitten? Ik kom je gelijk helpen.' Ze stond op en verontschuldigde zich. 'Neem me niet kwalijk, ik laat mijn souschef lelijk in de steek. Eten jullie mee?'

'Ja graag, we eten graag mee.' Ze had voor het eerst sinds maanden weer een beetje kleur op de wangen van haar broer gezien. Opeens schrok ze op. 'We hebben de kinderen bij ons.'

'Kinderen?' Mickie keek haar verschrikt aan. 'Ik heb nergens kinderen gezien.' Bella liep naar Jean Paul die nog steeds in gesprek was met de ingenieurs.

'Jean Paul, heb jij de kinderen gezien? Waar zijn Nuria en Edu?' Haar stem sloeg over.

'Die zullen vast op het strand zijn. Maak je niet druk, ik ga ze even zoeken.' Jean Paul stond op van zijn stoel. Bezorgd kwam Mickie naar hem toe.

'Hier achter het pension loopt een pad met treden naar beneden, dat gaat sneller dan de helling afklauteren.' Samen met de lange Belg verdween ze achter het pand.

Het was fris geworden. Huiverend trok Bella haar vestje strakker om zich heen. Hoe kon ze de kinderen vergeten? Jean Paul had gelijk gehad. Een moeder vergat haar verplichtingen niet omwille van haar eigen plezier. Ze zou nooit een goede moeder zijn, ze wist het.

Na een poosje kwamen ze buiten adem terug, ze waren naar het strand gelopen, maar de kinderen waren niet te vinden. Onmiddellijk boden de anderen aan te helpen met zoeken. Jean Paul nam het aanbod graag aan.

'Mickie, ga jij maar naar de keuken. De gasten komen zo, wij laten je het wel weten als we ze gevonden hebben.' Roger deelde zijn collega's in teams van twee personen. Maar een uur later, toen het restaurant vol liep met gasten, waren de kinderen nog niet gevonden. Jean Paul trachtte z'n kalmte te bewaren, maar zijn gezicht zag asgrauw. Tegen twaalf uur, toen de laatste gasten van het restaurant verdwenen, waren de kinderen nog steeds spoorloos.

Mickie

Met lood in haar schoenen, had ze die avond doorgewerkt. Bijna ieder half uur was ze even naar buiten geglipt om te horen of de kinderen al gevonden waren. Inma was een rots in de branding gebleken en had de keuken draaiende gehouden. De donkere Spaanse leek uiterlijk onaangedaan, maar Mickie zag haar wat vaker dan normaal naar het wiegje van de kleine Conche in de hoek van de keuken lopen. Toen de laatste gasten tegen twaalven de rekening vroegen, haalde Mickie opgelucht adem.

Ze sloot de deuren van het restaurant en rende naar buiten, waar een sfeer van totale ontreddering heerste. Tot overmaat van ramp was de hemel in de loop van de avond betrokken en zonder maanlicht was de nacht zo donker dat het leek of er een zwartfluwelen gordijn rond het pension gespannen was. Een van de ingenieurs was zo verstandig geweest de politie te bellen en een speciale eenheid met honden en grote zaklampen was onderweg.

Bella zat in een dikke jas van Roger stilletjes te huilen en Jean Paul was wasbleek. Zijn kleding zat onder de modder, hij had de hele kust afgezocht en was lelijk onderuitgegaan op de scherpe rotsen. Mickie liep terug naar haar keuken. Het enige wat ze kon doen was voor de innerlijke mens zorgen. Met een grote pot koffie en een schaal vol sandwiches kwam ze even later naar buiten. Ze zette alles op tafel en liep naar Jean Paul.

'Kom eet wat!' Ze pakte hem bij zijn arm en trok hem mee naar de tafel. Gewillig liet hij zich meevoeren, niet in staat nog verzet te bieden. Mickie ging naast hem zitten. Vanaf het moment dat ze hem die avond buiten onder de notenboom had zien staan, voelde ze zich tot deze man aangetrokken. Hij had zoiets kwetsbaars over zich. Ogenschijnlijk leek hij onaantastbaar met die koele blauwe ogen en dat keurige donkerblonde haar. Zelfs in zijn vrijetijdskleding, een spijkerbroek met een overhemd los over de broek gedragen, zag hij er onkreukbaar uit alsof hij een maatkostuum droeg. Maar ze wist dat hij anders was. Opeens begon hij te praten.

'Ik ben mijn vrouw een aantal maanden geleden verloren. Het is allemaal mijn schuld.'

Verbaasd keek Mickie hem aan.

'Ze is weggelopen met een ander. Het is mijn schuld, ik had er vaker moeten zijn.' Opeens keek hij haar aan alsof hij haar voor de eerste keer zag.

'Mijn zus heeft gelijk. We zijn allebei egoïsten. Allebei op onze eigen manier. Maar zij geeft het tenminste toe.' Intuïtief wist Mickie dat het belangrijk was dat ze hem liet praten. Ze zei niets, pakte een kop koffie en reikte die aan. Aangemoedigd door het warme gebaar, ging Jean Paul verder.

'Ik vergeef het mezelf nooit als de kinderen iets overkomt. Nooit.' Stil keek Mickie naar de slanke man. Ze herkende het verdriet.

'Ze vinden ze vast. Hoe oud zijn ze eigenlijk?' Ze moest hem afleiden door hem te laten praten.

'Eduard is tien en Nuria is zeven.'

'Een jongen van tien is best in staat op zijn kleine zusje te letten.' Terwijl ze dit zei voelde ze de angst opkomen. Ze probeerde door te gaan, maar haar keel schroefde dicht.

Op dat moment kwam een politiewagen met zwaailichten het pad af. Vier mannen stapten uit. Er kwam nog een wagen met nog eens twee mannen en twee speurhonden.

Een van de agenten liep op het gezelschap af en vroeg zonder iemand te begroeten: 'Goed, wie zijn de ouders van de verdwenen kinderen?' Mickie zag Bella ineenkrimpen. Jean Paul stond op en liep met de mannen mee naar zijn auto om voor de honden een kledingstuk van de kinderen te zoeken. Gelukkig had Nuria, in de haast om uit de auto te komen, haar jasje laten liggen.

Maar na een aantal uren zoeken, kwam ook het politieteam onverrichter zake terug. Ze zagen er vermoeid uit. Uitgebreid werden de namen van alle aanwezigen en het tijdstip van de verdwijning van de kinderen genoteerd. Daarna maakte de politie zich op om te vertrekken.

'Helaas, we kunnen op dit moment niet meer doen dan we gedaan hebben. Over een kleine vijf uur is het licht. We zullen dan met een boot de kust af varen. Het kan hier heel verraderlijk zijn met al die rotsen.' Bella begon weer zachtjes te huilen. De agent keek haar meelevend aan.

'Er is nog steeds geen reden voor paniek, señora. Morgen zullen we alles op alles zetten om ze te vinden. Daar kunt u op rekenen.' En met deze woorden vertrok de politie. Ze stonden met z'n allen wat onwennig bij elkaar. Iedereen was doodmoe, maar niemand wilde naar bed. Met de moed der wanhoop stond Mickie op.

'Het lijkt mij het beste dat we allemaal naar onze kamer gaan en uitrusten. Om half zeven wordt het weer licht, dan gaan we opnieuw zoeken.' Schoorvoetend liepen de pensiongasten naar binnen. Mickie bracht de uitgeputte Bella naar een leegstaande kamer. Toen ze weer beneden kwam om Jean Paul naar een kamer te brengen, hield hij haar tegen.

'Ik denk niet dat ik kan slapen, Mickie. Vind je het erg als ik nog een poosje bij je kom zitten? Ik ben bang dat ik anders echt gek word.' Bezorgd keek zij hem aan.

'Nee, natuurlijk niet. Maar dan blijven we niet hier buiten zitten, loop maar mee.' Toen hij in de knusse woonkamer op de bank was gaan zitten, schonk Mickie twee glazen cognac in. Ze ging naast hem zitten. Hij boog zich voorover en hield het glas in beide handen tussen zijn knieën.

'Ik begrijp niet dat ik het ooit zo ver heb laten komen,' begon hij. 'Mijn vader was een lieve, zachtaardige man die stierf toen ik een paar jaar ouder was dan Eduard.' Hij nam een slok. 'Vandaag vroeg Bella me of ik me hem nog kon herinneren.' Opeens keek hij haar strak aan. 'Ik herinner me hem iedere dag, Mickie. Ik mis hem nog steeds, na al die jaren. Hij haalde me altijd van school als hij daar tijd voor had. Hij leerde me fietsen, hij kon uren met me in de tuin doorbrengen om een hut te bouwen. En ik heb geen van die dingen voor mijn kinderen gedaan. Ik ben hun held niet zoals mijn vader dat wel voor mij was.' Hij goot het glas in één keer achterover. De cognac ontspande hem. Hij keek Mickie aan.

'Het spijt me dat we je zoveel ellende bezorgen. En dat tijdens een eerste kennismaking.' Het laatste klonk zo vormelijk dat Mickie ondanks alles moest glimlachen.

‘Ja, eerste kennismakingen verlopen vaak anders.’ Even verscheen er een vage glimlach om zijn mond, maar toen betrok zijn gezicht weer.

‘Mickie, denk jij dat...’ Voordat hij verder kon praten, legde ze haar vinger op zijn mond.

‘Niet aan denken, Jean Paul. Het komt vast goed. We moeten positief blijven.’ Hij pakte de hand die hem belet had te spreken beet. ‘Blijf alsjeblieft bij me. Ik weet me echt geen raad.’ Hij dronk ook het tweede glas in één teug leeg. Mickie bleef stil naast hem zitten en na verloop van tijd hoorde ze zijn rustige ademhaling. Hij was in slaap gevallen. Voorzichtig stond ze op en legde hem languit op de bank. Ze ging naast zijn hoofd op de grond zitten. Ze had het gevoel dat niet alleen de verdwijning van zijn kinderen hem deze avond parten had gespeeld. Er ging meer door zijn hoofd. Zijn geur drong tot haar door, hij rook heel jong, maar ook naar zeeppoeder en gestreken overhemden. Plotseling schoot haar een gedachte door het hoofd. MacAllister ontbrak. Hij was niet bij de pensiongasten op het terras geweest terwijl hij zich die morgen niet had afgemeld. Tot haar schande had ze hem helemaal niet gemist. Tot nu. Het zweet brak haar uit. Waar kon hij zijn? Het was een man van routine. Een akelige gedachte kwam bij haar op: stel dat het grapje dat ze een aantal maanden geleden met Hazel gemaakt had, waar was. Dat MacAllister een kinderlokker was?

Tegen zessen werd Jean Paul met een schok wakker. Een vaag schijnsel kwam door de gordijnen naar binnen. Mickie was naast de bank op de grond in slaap gevallen. Ze voelde hem bewegen en kwam moeizaam overeind. Ze wist niet of ze hem van haar angstige gedachten op de hoogte moest stellen. Ze was nog steeds gekleed in haar keukenkleding. Beschaamd keek ze naar haar verfomfaaide uiterlijk. Ze stond op en streek haar kleding glad.

‘Jean Paul, het is bijna licht, de politie zal zo wel weer komen. Ik ga ontbijt voor iedereen maken.’ Ze liep naar de kast en pakte een stel handdoeken. Hij zag er slaperig uit met stoppels op zijn kin en wallen onder z’n ogen. Ondanks dat, kon ze haar ogen haast niet van hem afhouden.

'De badkamer is daar als je die wilt gebruiken.' Hij knikte dankbaar en nam de handdoeken van haar aan. In de keuken trof ze Inma, die al bezig was met het ontbijt.

'Inma, heb jij gisterenavond MacAllister nog gesproken?' vroeg ze.

'Nee, ik heb hem gisterenmiddag even gezien toen ik hem thee bracht, maar daarna niet meer.' Mickie reageerde niet. Ze liep met een groot blad vol ontbijtspullen naar de eetzaal. De meeste pensiongasten waren al op. Bella zat met Roger te praten.

'Heb jij m'n broer gezien, Mickie?'

'Ja, die heeft vannacht bij mij op de bank geslapen. Hij wilde niet naar bed en is daar ingestort.' Haar uitleg was onnodig lang, niemand zou hen in deze situatie van iets anders verdenken. Ze beet op haar tong om niet verder te praten.

'Oh goed. Ik dacht dat hij alleen was gaan zoeken.' Leek het maar zo of keek Bella haar onderzoekend aan? Even later kwam Jean Paul binnen. Hij zag er moe maar fris uit. Gesterkt door het ontbijt, hing er bijna een gemoedelijke sfeer onder de gasten, het daglicht gaf iedereen weer hoop. Net op het moment dat ze weer een zoektocht op touw wilden zetten, kwam de politie aanrijden. De agent van de vorige avond kwam de eetzaal binnen.

'Goedemorgen. Ik zou u allen eerst willen verzoeken te blijven zitten.' Iedereen schrok van deze officiële opdracht. Stil zakte iedereen terug op zijn stoel, bereid om het ergste aan te horen.

'Wij hebben ondertussen nazoek gedaan en zouden willen vragen of...' hij bestudeerde de papieren die hij in zijn handen had, '... señora Michaela Jarvis hier ook aanwezig is.' Vertwijfeld stond Mickie op.

'Ja, dat ben ik.'

'Wij willen u eerst wat vragen stellen.' De stem was autoritair en duldde geen tegenspraak.

'Maar de kinderen dan. Zullen we niet eerst gaan zoeken?' vroeg Jean Paul ongerust. 'Wat heeft de pensionhoudster met mijn kinderen te maken?'

'Dat maken wij wel uit.' Een korte gedrongen man, gekleed in burger, stapte naar voren.

'Mijn naam is MontRoig. Ik werk nauw samen met Interpol en ik wil señora Jarvis een paar vragen stellen.' De ogen van alle aanwezigen gingen naar de kleine gestalte met de helblauwe ogen. Mickie voelde een steek in haar hart dat Jean Paul haar onpersoonlijk 'de pensionhoudster' genoemd had. Alsof ze een werktuig was. Nu stond Bella op, met haar volle lengte en haar heldere stem richtte zij zich in hoog Spaans tot de agent.

'Ik wil dat deze poppenkast beëindigd wordt en dat wij gaan doen wat gedaan moet worden. Dit is geen goedkoop toneelstuk.' Haar stem sloeg bij de laatste woorden over.

'En u bent?'

'De tante van de kinderen. En dit heeft lang genoeg geduurd. Ik wil de kinderen zoeken.' Roger trok aan haar arm. Ze duwde geïrriteerd zijn hand weg, ze was woest. 'Het is niet verantwoord ons voor uw genoegen in spanning te laten. Zijn de kinderen gevonden, is er iets gebeurd dat wij moeten weten? Zeg het! Zeg het nu!' Ze schreeuwde de woorden uit.

'De vragen die wij willen stellen, zijn van persoonlijke aard.' De agent hief zijn hand op. 'En van belang voor het onderzoek.'

'Het onderzoek. Welk onderzoek?' schreeuwde Jean Paul nu ook opgewonden. 'We zijn niet bezig met een of ander onderzoek, mijn kinderen zijn verdwenen en die willen we zoeken.'

'Wíj zijn bezig met een onderzoek,' herhaalde MontRoig rustig, 'en het is in uw aller belang dat we rustig blijven.' Zijn neerbuigende toon haalde het laatste restje zelfbeheersing bij Bella weg. Ze liep naar de agent en sloeg hem recht in het gezicht. Ze werd meteen door twee andere agenten in de houdgreep genomen. Ze schreeuwde en probeerde zich los te worstelen. Jean Paul sprong overeind om haar te hulp te schieten en ook Mickie stond op en liep naar de agent.

'Als u wat te vragen heeft, doe het dan nu. De kinderen kunnen niet langer wachten.'

'Het zijn vragen van persoonlijke aard. Wilt u met ons meelopen naar een andere kamer?' MontRoig bleef naar haar kijken.

'Nee, stelt u de vragen hier maar.' Haar blauwe ogen stonden triest.

'Señora Jarvis, is het waar dat een kind onder uw zorg jaren geleden is verdwenen?' Alle aanwezigen keken naar Mickie. Het werd stil in de eetzaal.

'Ja,' klonk het zachtjes.

'Waren de kinderen die gisteren verdwenen zijn eveneens onder uw zorg gesteld?'

'Nee.' Dit klonk nog zachter. Ze zakte neer op een stoel.

'U weet dat u als pensionhoudster zorgplicht heeft.'

Nu stond Inma op.

'Hoor eens, agent, ik weet niet waar u het over heeft, maar Mickie, ik bedoel señora Jarvis, heeft niets met het verdwijnen van de kinderen te maken.'

'En uw naam is?' vroeg MontRoig onbewogen.

'Inmaculada María Josefina Rodríguez. Maar dat heeft niets met die kinderen te maken.' Ze liep naar haar werkgeefster. Zachtjes legde ze haar hand op haar schouder. 'Mickie, wat is er gebeurd?' Langzaam biggelden de tranen over Mickie's wangen. Haar blauwe ogen kleurden rood. Ze hief haar hoofd op naar Inma.

'Ik heb een zusje verloren. Ik was negen jaar.' Haar schouders schokten.

'Ze was... Ze was in een put gevallen. Ik... ik kon haar niet vinden. Mijn ouders...' Meer kon ze niet uitbrengen. Inma knielde naast haar. MontRoig opende zijn mond om de volgende vraag af te vuren, toen de buitendeur opengìng en Gray MacAllister binnen liep met aan iedere hand een bedremmeld kind.

Het was zondag, laat in de middag. Mickie lag op bed en probeerde de gebeurtenissen van die dag op een rijtje te zetten. Bij het zien van MacAllister en de kinderen, had de inspecteur haar verder met rust gelaten en zijn vragenvuur op de Schot en de kinderen gericht.

De kinderen waren, de avond ervoor, al spelend de helling af geklommen naar het strand en waren daar over de rotspunten geklauterd tot ze niet meer verder konden. Bij een grote rotswand hadden ze een spelonk ontdekt waar ze dachten weer omhoog te kunnen klimmen. De spelonk had echter geen uitgang naar boven, en verdiepte zich in een grot. MacAllister had ze bij zijn avondwandeling over het strand richting de rotswand zien verdwijnen en was ze uit nieuwsgierigheid gevolgd. Toen hij de kinderen eindelijk in de grot, die volgens de legende ooit door de drie zusters voor het smokkelen gebruikt was, gevonden had, was het aardedonker en sloot het opkomende tij de terugweg naar het strand af. Hij had besloten met de kinderen in de grot te overnachten en het ochtendgloren af te wachten om over de scherpe rotspunten terug te lopen naar het vlakke strand en het pad omhoog. De kinderen waren koud en hongerig, maar de opwinding over het avontuur dat ze hadden beleefd, was veel groter. MacAllister had ze vermaakt met oude Engelse kinderverhaaltjes en ze waren geen seconde bang geweest.

Nadat de politie vertrokken was en broer en zus met de kinderen haastig afscheid hadden genomen van het groepje in de eetzaal, was Mickie zonder een woord te zeggen naar haar kamer gelopen. Op bed viel ze in een diepe slaap waar ze pas zes uur later uit wakker schrok door het geluid van een kop thee die op haar nachtkastje werd gezet.

'Por fin... quieres contármelo ya! Ga je me nu eindelijk vertellen wat er is?'

Inma plofte zonder veel omhaal neer op het bed.

'Het wordt tijd dat je het verhaal vertelt, Mickie. Het is niet goed dingen zo lang voor je te houden, daar word je ziek van.' De Spanjaarden geloofden heilig in het verband tussen psychische problemen en fysieke aandoeningen.

Mickie ging rechtop zitten en nam een slok van haar thee.

'Mijn zusje was drie, mijn broertjes vijf en zeven, en ik was negen.' Ze staarde voor zich uit. 'Ik moest weer op ze letten, maar mijn broertjes hadden honger. Ik was naar huis gerend om alvast voor het avondeten te zorgen. Zij zouden op Dorothy letten. Toen kwam Petey me halen, ze waren haar kwijt. We hebben overal gezocht en hoorden Dods stemmetje uiteindelijk in een oude waterput. Het was donker, we konden haar niet zien. Mijn broertjes zijn bij de put gebleven en toen ben ik mijn ouders gaan halen.' Ze boog haar hoofd en de tranen liepen weer over haar wangen. 'Maar ze wilden niet meekomen. Ze waren dronken, ze geloofden me niet. Ze hingen lachend aan de bar en zeiden dat ik me niet moest aanstellen. Toen ik mijn vader eindelijk mee kreeg en ze Dod uit de put bevrijd hadden, was het te laat. Mijn ouders konden zich een schandaal niet veroorloven, dus kreeg ik de schuld.' Inma trok Mickie houterig tegen zich aan.

'Venga, venga... déjalos correr. Kom, laat je tranen maar lopen.'

'Na jaren begon ik ook echt te geloven dat het mijn schuld was, dat ik beter op haar had moeten passen.' Ze keek Inma vragend aan. 'Maar ik was nog maar negen, Inma. Ik was zelf nog maar een kind.'

'Ze moesten je ouders ophangen. Het is schandalig wat ze je aangedaan hebben.' Ze keek haar werkgeefster aan. 'En wat ik je aangedaan heb, Mickie.' Beschaamd liet ze haar hoofd hangen.

'Ik weet hoe je bent, je verdient zoveel beter. Als je het goed vindt, wil ik hier blijven wonen met Conche. Mickie, ik wil mijn geld beleggen in 'El Nogal' en bij je blijven werken.'

Met betraande ogen keek Mickie naar Inma.

'Je kunt hier altijd blijven wonen, Inma. Waarom zet je het geld niet op de bank als spaarpot voor je dochter voor later. Misschien wil ze wel in Londen gaan studeren.'

'Nee, ik wil wat voor je terugdoen.' Inma glimlachte ook. 'Bovendien weet je dan zeker dat ik nooit meer weg zal gaan. Mickie, mijn ouders hebben mij ook in de steek gelaten. Laat me hier blijven en je partner worden.' Ze stak haar hand uit. Zonder verder na te denken, pakte Mickie de uitgestoken hand en schudde die.

Op dat moment ging de deur open en stond Hazel met een koffer in de deuropening.

'Wat is hier aan de hand? Het lijkt wel of er een begrafenis is geweest.'

Mickie tikte met haar hand op een lege plaats van het bed. 'Kom zitten, kom zitten. Je zult wel moe zijn, en ik wil graag weten hoe het afgelopen is. Maar eerst moet ik je wat vertellen.' En voor de tweede keer die avond vertelde Mickie haar verhaal.

DEEL VI

Teder wiegden de golven de vroege vissers in hun kleine bootjes heen en weer, voorzichtig als een moeder die haar kind in slaap wiegt.

Spanje, mei 1991

Hazel

Het was al weken geleden dat ze de brief naar Jocelyn op de bus gedaan had, maar er was geen antwoord gekomen. De tijd leek te verglijden; daar waar ze eerst een strakke planning had gehad, liepen dagen, doelstellingen en eindresultaten in elkaar over. Dirk had haar laatst gebeld en verteld dat hij overwoog een hartspecialisatie te gaan doen. Maar geen woord over hun relatie of zijn gevoel voor Jocelyn. Even had ze overwogen Mieke te bellen om terloops te vragen hoe het met haar 'hartsvriendin' ging, maar ze kon het niet opbrengen. Ze kon het ook niet opbrengen om Rob Kramer of Pieterse te bellen, haar laatste smeekbede om budget en materiaal was op niets uitgelopen. De gedoemde mislukking van haar project zorgde ervoor dat ze 's nachts slecht sliep.

Ze staarde naar de telefoon op haar bureau alsof daar de oplossing voor haar problemen vandaan moest komen. Het plotselinge gerinkel deed haar opschrikken.

'PBC, buenos días.' Ze haatte het harde 'dígame', zeg het eens, waarmee de meeste Spaanse bedrijven een gesprek beantwoordden.

'Zou ik mevrouw Hendrikse kunnen spreken?' Het was haar vader, de beroemde Leendert Hendrikse zelf.

'Je hebt het Spaans nog niet verleerd.' Ze schrok zelf van de verbetenheid in haar stem.

'Nee.' Hij lachte hartelijk. 'Sommige dingen verleer je niet.'

'Nee, dat heb ik van mam begrepen.' Hij pakte de sneer onmiddellijk op.

'Ja, nog bedankt voor je felicitaties. Het gaat goed met Evelyn en de baby.' Even viel er een ongemakkelijke stilte. Hazel haalde diep adem. 'Natuurlijk wens ik jullie veel geluk met de baby.' Ze pauzeerde even, en op een verraderlijk temende toon ging ze door. 'Weten jullie al wat het gaat worden, jongen, meisje, bloemkool?' Hij lachte, hij was in een goede bui en liet zich niet uit de tent lokken.

'Het groeit in ieder geval wel als een bloemkool. Maar nee, Evelyn wil niet weten wat het wordt. Ze is daar ouderwets in.' Een man van rond de vijftig die trots is op zijn jongere 'ouderwetse' vrouw. De ironie ontging Hazel niet.

'Jammer, nou weet ik niet welke kleur sokjes ik moet breien. Zou ze een geborduurde merklap ook leuk vinden?'

'Doe niet zo grappig, jij en handwerken!' Zijn woorden werden kortaf, zijn geduld begon op te raken. 'Nu Evelyn en ik gezinsuitbreiding krijgen, wil ik een nieuw testament op laten maken. Tot nu toe waren jij en je moeder mijn enige erfgenamen. Je snapt natuurlijk wel dat ik dat moet veranderen. Wanneer mij iets zou overkomen, wil ik dat Evelyn en mijn kind verzorgd achterblijven. Het kind moet kunnen studeren en dat soort dingen.'

Het was vreemd haar vader over zulke praktische zaken te horen praten. Zijn vermogen moest aardig opgelopen zijn uit royalty's van zijn programma's en boeken. Voor zover zij het zich kon herinneren, hadden zij en haar moeder goed geleefd van de alimentatie die hij betaalde. Maar van geld voor een studie voor haar was nooit sprake geweest. Plotseling voelde ze zich achtergesteld bij dit ongeboren kind. Waarom had hij zich nooit om haar studie bekommerd? Even schoot het door haar hoofd om hem om financiële hulp voor haar onderneming te vragen. Ze zou zijn loyaliteit kunnen testen door hem een lening te vragen. Dan zou ze weten of hij echt in haar geloofde en om haar gaf.

'Hazel? Wat vind je ervan? Begrijp je het?' Zijn stem klonk bijna smekend.

'Pa, als mam er niet door in de problemen komt, vind ik het niet meer dan je plicht goed voor Evelyn en het kind te zorgen.' Toen ze na een poosje ophing, vroeg ze zich af hoe ze ooit had kunnen overwegen haar vader om een lening te vragen.

Mickie

Het zonlicht kroop onder de gordijnen door haar kamer binnen. Mickie stond op om ze te openen en kroop daarna weer snel in bed. Gelukzalig staarde ze naar buiten. De zon kleurde de zee zachtblauw. Teder wiegden de golven de vroege vissers in hun kleine bootjes heen en weer, voorzichtig als een moeder die haar kind in slaap wiegt. Door de open deuren hoorde ze alleen het getjilp van de 'gorriones', de musjes in de bomen, doorspekt met het schrille gekrijs van de zeemeeuwen. Ze rekte zich uit. Ze kon zich niet herinneren ooit zo gelukkig geweest te zijn. Haar inspiratie om steeds weer nieuwe gerechten te maken, werd gevoed door de enthousiast gasten die haar kookkunsten zeer waardeerden. Ze kon het zich nu veroorloven in haar pension alleen gasten voor langere tijd aan te nemen, gasten die haar aanstonden. Sinds ze Inma en later ook Hazel van haar zusje Dorothy verteld had, waren de stemmen in haar hoofd weggebleven. Het was alsof er een loodzwaar gewicht van haar schouders gevallen was. Het donkere geheim was naar buiten gekomen en had Mickie bevrijd. Nu kon ze verder groeien.

Ze liep naar de badkamer. Terwijl ze langs de bank in de zitkamer liep, keek ze voor de zoveelste keer naar de plek waar Jean Paul had liggen slapen. Het was ongelofelijk hoeveel gevoelens dat slapende lijf in haar wakker hadden gemaakt. Een diep verlangen had zich in haar buik vastgezet, een verlangen om de frons die zelfs in zijn slaap niet van zijn voorhoofd verdween, glad te strijken, om hem van zijn zorgen te verlossen zodat hij helemaal kon ontspannen. Ze had die nacht dat ze naar hem had zitten kijken moeite gehad om hem niet aan te raken, hem te strelen. Ze zuchtte. Ze had niets meer van de broer en zus vernomen. Weer schoot haar de onpersoonlijke aanduiding 'de pensionhoudster' te binnen die hij tegen die akelige inspecteur gebruikt had. Geen Mickie of zelfs maar 'señora Jarvis'.

Een zachte klop op de deur wekte haar uit haar overpeinzingen. Het was Merche.

'Señora, wat doe ik met de kamer van de schrijver?' MacAllister was vlak na het voorval met de kinderen net zo plotseling vertrokken als hij gekomen was. Bij zijn vertrek had hij Mickie gevraagd zijn kamer een half jaar lang voor hem vrij te houden en zonder verdere uitleg had hij het bedrag contant betaald.

'Goed dat je het vraagt. Lucht de kamer maar goed en verschoon alles.' Ze zag de twijfel op het meisje haar gezicht.

'Hij zal vandaag of morgen komen.'

Net zo zachtjes als ze gekomen was, verdween Merche weer. Mickie moest glimlachen. De gasten noemden haar niet voor niets het 'huisspookje'. Ongewild gingen haar gedachten naar Jorge. Hij was al een aantal weken niet langs geweest. Waarschijnlijk had hij een vriendinnetje van zijn eigen leeftijd gevonden waar hij 's avonds mee naar de kroeg ging. Mickie vond het niet erg.

Voordat ze zich ging aankleden, keek ze in het overvolle reserveringsboek van het restaurant. Het ging goed. De ligging van het pension, op slechts een half uur rijden vanaf het zakencentrum van Barcelona, bleek geen onoverkomelijk probleem. Bedrijven waren bereid goed geld te betalen voor een heerlijke maaltijd bij 'El Nogal'. Martínez was tot de laatste cent afbetaald. Het leek of het hem speet toen ze de laatste cheque aan hem overhandigde. Ze was nu vrij van schulden, maar er wachtte een nieuw project. Het restaurant was pittoresk ingericht, maar hoe lang zouden de zakenlieden met hun dure pakken en de chique families behangen met kostbare juwelen en dure tassen, de inrichting voor lief nemen?

Ze kon beter wat geld opzij gaan zetten voor het vernieuwen van het interieur.

'Hoi, Mickie.' Ze schrok op van de stem van Hazel. Ze had haar niet de trap af horen komen.

'Ga je er weer op uit?'

'Ja, ik heb om vier uur een afspraak bij TV3.' Ze staarde voor zich uit. 'Het is geen nieuwe opdracht maar een oude klant die ik tevreden moet houden.' De keurige blouse die Hazel droeg, probeerde zich los te maken uit de knellende greep van de brede ceintuur. Ze keek de pensionhoudster misnoegd aan.

'Mickie, het is toch vreemd dat ik steeds eerst moet investeren voordat ik een opdracht krijg? Het is net of ik steeds een pas achteruit doe om er dan later weer twee vooruit te kunnen zetten.'

'Ja, zo werkt het helaas vaak. Heb je geld nodig?' vroeg ze voorzichtig.

'Nee, ik houd het gewoon in van het geld dat ik naar Nederland zou moeten sturen. Als ze bellen, zeg ik dat de fout bij de bank zit.' Hazel maakte aanstalten om weg te lopen, toen ze zich opeens omdraaide.

'Mickie, ik heb een gouden ketting met een hangertje dat ik ooit van Dirk heb gekregen, maar ik kan het nergens meer vinden. Heb jij hem soms gezien?'

'Nee schat, maar je bent soms zo slordig. Heb je hem de laatste keer niet mee naar Nederland genomen?'

Bij de gedachte aan haar laatste keer in Nederland, betrok het gezicht van Hazel. Ze was toen inderdaad overhaast bij haar moeder vertrokken, met haar gedachten bij heel andere zaken dan haar koffer.

'Eh, dat weet ik niet meer. Ik zal mijn moeder vanavond wel bellen. Ik moet gaan, ik zie je vanavond.'

Mickie keek haar na terwijl ze naar de parkeerplaats liep. Ze was een verwarrend vat vol tegenstrijdigheden. Haar bureau was altijd netjes opgeruimd en geordend, maar haar slaapkamer zag eruit of er een bom in ontploft was. Voor haar lange, volle gestalte had ze haast een kinderlijk lichte stem, maar ze had een grote intelligentie die niemand achter haar zocht en die mannen keer op keer in verwarring bracht. Glimlachend dacht ze aan het ontredderde gezicht van Roger wanneer hij Mickie in het oor fluisterde: 'Isn't she absolutely lovely'? En dan dat lichaam, dat lichaam dat erom vroeg bemind te worden, maar niemand rekende op die stalen vastberadenheid die haar steeds weer tot uiterste prestaties dreef.

Resoluut klapte ze het boek met reserveringen dicht en liep terug naar haar kamer. Daar haalde ze uit haar kast een stalen kistje met een slotje tevoorschijn. In de ijzerwinkel waar ze het gekocht had, hadden ze haar verzekerd dat het absoluut brandvrij was. Ze bewaarde er wat oude foto's in die ze uit Engeland had meegenomen, brieven, een aantal officiële documenten en wat prullaria, zoals de kurk van de champagnefles die Gary en zij gedronken hadden toen ze het witte hotel in Rosas gekocht hadden. Ze was een sentimentele idioot, maar het waren spullen waar ze geen afstand van kon doen. Net als het zakje met wisseltandjes van haar broertjes. Haar ouders hadden er nooit belang aan gehecht, maar Mickie had ze bewaard. Onderuit het kistje haalde ze een pak geld. Het was de opbrengst van de afgelopen twee maanden. Ze telde de biljetten en stopte ze daarna terug. Het werd tijd een spaarrekening te openen voor haar plannen met het restaurant.

Hazel

De hitte in de auto was niet te harden. Het was ook te merken aan het humeur van de vele taxichauffeurs die in het drukke stadsverkeer een boterham trachten te verdienen. Het was spitsuur op de Diagonal en het verkeer kroop vooruit. Met luid getoeter werd ze door de zoveelste taxi ingehaald. Hazel ontplofte. Bij het stoplicht stapte ze resoluut uit en liep naar de taxi. De chauffeur wist niet wat hem overkwam toen een welgevormde dame in een bevallig mantelpak hem de huid vol schold.

'Ik hoop dat je, wanneer je in mijn land de weg niet weet, net zo behandeld wordt als jullie mij doen, stomme eikel.' Verbaasd keek de man haar aan.

'Mujer... no es para tanto! Maak u niet zo druk.' Omdat de dame in kwestie er niet verkeerd uit zag en hij een echte Spanjaard was, zei hij: 'Zeg maar waar u naar toe moet, dan rijd ik voor u uit!'

'Diagonal 575, het hoofdkantoor van de Catalaanse Televisie, maar ik kan de ingang van de parkeergarage niet vinden.'

'Oh, maar dat is niet handig. De achteringang is veel beter, daar kunt u op straat parkeren. Ik moet toch die kant op, rij maar achter me aan.'

Snel liep Hazel terug naar haar auto. Ze was al vrij laat voor de afspraak. De chauffeur hield zijn woord. Hij manoeuvreerde haar behendig door het verkeer en stopte aan de achterkant van een immens gebouw. Hij stak zijn hand op en reed weg.

Hazel parkeerde haar auto en liep snel om het gebouw heen naar de hoofdingang. In de koele hal vroeg ze naar de heer Méndez. De receptioniste keek haar wantrouwend aan, maar Hazel was deze behandeling gewend. Na twintig minuten kwam er een kleine man op haar af gesneld.

'Ach, señora Hendrikse, u was er al. Komt u mee, komt u mee.' Ze kende Félix Méndez al langer en kende zijn gewoonte in zijn enthousiasme alles te herhalen. 'Het is warm, hè? Ach, wat is het warm.' Bezorgd dribbelde hij voor haar uit. 'Wij zitten hier lekker koel, maar u... Het moet warm zijn in de auto.' In zijn kantoor bood hij haar een stoel aan, ging pal naast haar zitten en legde een hand op haar bovenbeen. Voorzichtig schoof ze de hand weg.

'Señor Méndez, Félix...'

'Ja, ja ik weet het. Niet aankomen, niet aankomen.'

'U had mij gebeld om over onze installatie te praten?'

'Ja, dat klopt. Wij huren die nu drie maanden en het ziet ernaar uit dat wij het contract gaan verlengen.' De hand kwam weer terug. 'Ja, het contract moet verlengd worden.'

'Dat is prima. Dus u bent tevreden?' Weer schoof ze de hand weg. TV3 had een grote brugconstructie van haar gehuurd om de werkzaamheden tijdens de bouw van het Olympisch Stadion dagelijks te filmen en uit te zenden. Er was nog maar een klein jaar te gaan tot de opening van de Spelen in 1992. Haar concurrent had de eerste constructie geleverd, maar die bleek niet te voldoen aan de veiligheidseisen. In paniek hadden ze haar gebeld om een goedgekeurde constructie, ongeacht de kosten. Het was haar eerste langdurige opdracht en hij bracht haar regelmatig geld in het laatje.

'Ja heel tevreden, heel tevreden.' De hand was weer terug.

'Hoe lang denkt u het contract precies te gaan verlengen?' Ze liet de hand even waar hij was. Hij schoof omhoog langs haar dij.

'Señora Hendrikse, een wellicht onbescheiden vraag, maar draagt u wel eens jarretels met kousen. Ik bedoel kousen met jarretels?' Resoluut schoof ze de hand van haar been.

'Félix, niet weer. We hebben het hier al eerder over gehad. Ik ben hier voor het werk, wanneer TV3 niet tevreden is met de installatie dan zullen wij alles doen om dit te verbeteren. Maar ik ben hier niet om over jarretels en kousen te praten.'

'Ja, ja, ik weet het, ik weet het. We moeten het over het werk hebben. Maar Hazel, señora Hendrikse, het had toch zo mooi kunnen zijn. Hier vlakbij is een hotel, we zouden toch een kamer kunnen nemen en dan de middag samen... Niemand hoeft het te weten. Ik bedoel, u bent zo mooi en ja... Het zou zo mooi kunnen zijn. In een kamer. Samen.' Het was zijn zoveelste poging.

'Señor Méndez, als u het niet erg vindt, zou ik toch liever over het contract willen praten. Ik kan u een korting van vijf procent op de huur aanbieden wanneer u de installatie tot volgend jaar blijft huren. Ik moet dit natuurlijk eerst met mijn kantoor overleggen. Maar ik wil het voor u proberen.'

'Liever had ik geen korting gehad, maar de kamer. De kamer had mij echt beter geleken.'

'Félix, ik moet echt streng zijn. Of ik haal de installatie weg of we praten hier niet meer over. Ik vind het vervelend dat je steeds zo blijft aandringen.' Verschrikt keek hij haar aan.

'De installatie weghalen. Nee, natuurlijk niet, natuurlijk niet. Ik zal niet meer aandringen. Maar ik dacht dat u toch op een dag 'ja' zou zeggen. Dat u mee zou gaan naar de kamer. We zouden natuurlijk eerst uitgebreid eten. Een mooie lunch op de kamer, een mooie lunch met lekkere 'mariscos' en witte wijn en een heerlijk toetje. U houdt toch hoop ik van een lekker toetje.' Zijn blik was smekend.

'Ja, ik houd van een lekker toetje. Dat is aan mijn figuur wel te zien.' Ze streek over haar buik, dit laatste had ze niet moeten doen. De fantasie van de man sloeg op hol. 'Uw figuur mag er zijn. Dat mag er zijn. Ik houd van vrouwen die lekker eten. Er is niets aan zo'n magere kip, voor een echte man moet er wat vlees aan een vrouw zitten. Lekker vlees, mals vlees.' Resoluut stond Hazel op.

'Ik zal zo snel mogelijk contact met u opnemen en het contract voor een jaar verlengen.' Ze stak haar hand naar hem uit.

'Natuurlijk, goed, goed. U neemt het me toch niet kwalijk, señora Hendrikse? Een beetje plagen mag toch? Per slot ben ik het aan mijn mannelijkheid verplicht het te blijven proberen. Stel dat u toch...'

'Het is goed, Félix.' Ze was naar de deur gelopen. 'Ik breng het contract zelf wel langs.'

Het was half negen toen ze uiteindelijk haar auto op de parkeerplek van het pension achterliet. De vaste ploeg zat buiten al aan het aperitiefje. Buiten Roger en zijn collega's, bestond de groep nu uit vier Zweedse en twee Deense gidsen, een Duitse ingenieur met de welluidende naam Karl-Heinrich von Stuttenheim die door iedereen Stutter werd genoemd vanwege zijn spraakgebrek en twee Amerikaanse medewerkers van het computerbedrijf Apple die in afwachting waren van hun definitieve huisvesting. Roger stak zijn hand op ter begroeting en wenkte Hazel naar hun tafel. Stutter zat aan tafel bij de ingenieurs. Aan de verhitte hoofden te zien, waren ze in een heftige discussie gewikkeld. Natuurlijk weer over de werkzaamheden voor de Olympische Spelen. De vraag of alle bouwwerken op tijd klaar zouden zijn, hield iedereen bezig.

Hazel zei botweg: 'Natuurlijk krijgen ze het niet af. Maar ze zullen daar heel mediterraan mee omgaan. Wat niet af is, wordt gewoon met een beetje groen afgeschermd en voor de rest wordt het gewoon improviseren.'

'Wat bedoel je met een beetje groen?' vroeg een van de Engelse ingenieurs die Philip heette en door zijn collega's 'Pip' werd genoemd.

'Komen jullie nooit verder dan jullie bouwplaats?' Ze vond het heerlijk haar kennis tentoon te spreiden. Iedereen wist dat er geen bouwplaats in de wijde omtrek te vinden was die Hazel niet bezocht had. Ze zuchtte theatraal.

'Aan het einde van de nieuwe boulevard van Barcelona, daar waar die mega McDonald's gebouwd gaat worden, daar hebben ze een gigantische kweektuin ingericht die vol staat met palmbomen, oleanders, hibiscussen en bougainvilles. Die zetten ze straks allemaal op strategische plekken neer om de rommel aan het oog te onttrekken.'

'H... H... Hazel, er is trouwens voor je g... g... gebeld.' Hazel wist van zijn collega's dat Stutter vreemd genoeg niet stotterde wanneer hij over zijn eigen werk sprak. 'Ik moest z... z... zeggen, dat h... h... hij... h... h..., dat hij... i... i... in, dat h... hij... h... hier was.'

'Dat wie waar was?' vroeg Hazel ongeduldig.

'Hier in... in... in... h... h... het Princesa Sofía.' Het laatste stootte hij er triomfantelijk in één keer uit. Het Gran Hotel Princesa Sofía, de enorme grijze kolos aan het begin van de Avenida Diagonal, was een van de meest prestigieuze hotels van Barcelona. Hazel kon niet bedenken wie daar was, tot ze een ingeving kreeg.

'Heeft mijn vader gebeld? Leendert Hendrikse?'

'N... n... nee, niet j... j... j, nee, n... n... niet die! H... h... het... w... w... was...' Een frons van inspanning vormde zich op het voorhoofd van de Duitser. Opeens klaarde zijn gezicht op. 'Het was Dirk.'

Met kloppend hart rende Hazel naar haar kamer. Dirk in het Princesa Sofía. Dat kon toch niet! Het hotel had vijf sterren, de kamers kostten minimaal vijfhonderd gulden per nacht. Het moest een grap zijn. Na een ogenblik wachten, verbond de informatiedienst haar door met het hotel.

'Señor Dirk Paalman, por favor,' vroeg ze de receptioniste. Ze verwachtte te horen te krijgen dat er geen meneer Paalman in het hotel aanwezig was, maar tot haar stomme verbazing sprak de receptioniste vriendelijk: 'Kamer 306, ik verbind u door.'

De stem van Dirk klonk opeens vertrouwd dichtbij. Een golf van emotie ging door Hazel heen. Het was maanden geleden dat zij hem voor het laatst gezien had. Op die zaterdagmiddag in Gouda. Weer zag ze hem voor zich aan dat tafeltje bij het raam met Jocelyn. Haar lichte stem klonk onzeker.

'Dirk, wat leuk. Wat doe jij in het Princesa Sofía?'

'Jou verrassen, schatje.'

'Maar je had toch ook hierheen kunnen komen? Het is een vreselijk duur hotel.'

'Ja, is het niet geweldig?' Zijn vrolijke stem werd nu serieus. 'Ik moet invallen voor mijn professor. Morgen moet ik een lezing houden over de nieuwste bevindingen op het gebied van hartchirurgie. Allemaal heel interessant, maar dat zal je wel niet zo boeien.' Vergiste ze zich of klonk hij een beetje bitter? 'Ik wilde vragen of je hierheen kunt komen. Tenminste, als het je niet slecht uit komt?' Even haperde hij, zijn stem klonk onzeker. Hazel was te verbaasd om te antwoorden. 'Ik ben hier maar voor drie dagen, Haasje. Ik zou je echt heel graag willen zien.' Het laatste zei hij zachtjes, haast smekend.

'Wanneer is je lezing?' was het enige wat Hazel uit wist te brengen.

'Morgenmiddag, half vier. Ik ben de eerste spreker na de lunch. Iedereen stikt dan van de slaap, van de wijn natuurlijk, en ik mag ze wakker houden. Het is ook nog in het Engels, niet mijn sterkste kant. We zien wel.' Hij ratelde door om de leegte in het gesprek te vullen.

'Natuurlijk kom ik. Ik zie je morgen.' Nog voordat ze zich kon bedenken, hing ze op. Terwijl ze naar beneden liep voor het avondeten, bedacht ze zich dat hij haar niet had gevraagd om die avond al te komen.

Bella

Gehaast liep Bella richting de Avenida Diagonal. Het was nog maar tien dagen geleden dat ze had gereageerd op een advertentie in het grootste dagblad van Spanje, *El País*. De televisiezender TV3 zocht een nieuw gezicht, een presentatrice voor een reeks programma's met muziek, dans, filmnieuwtjes en een hilarische quiz, waarbij beroemde Spanjaarden getest werden op hun culturele kennis. Het was precies wat Bella zocht. Met deze show zou ze door kunnen breken, eerst in Catalonië en later in heel Spanje. Koortsachtig had ze de dagen na het opsturen van haar brief door het appartement gelopen. Ze moest deze baan hebben.

Tot haar grote opluchting was ze twee dagen geleden uitgenodigd voor een gesprek. Die twee dagen waren omgevlogen met het doorlezen van stapels tijdschriften en kranten. In een sneltreinvaart had ze alles over het wel en wee van de bekendste Spaanse artiesten, zangers, acteurs, modeontwerpers, schrijvers, designers, filmmakers, flamencodansers en de Spaanse aristocratie gelezen.

In haar gifgroene outfit van een jonge Spaanse ontwerper, nam zij plaats in de wachtkamer. Hooghartig keek ze naar haar mede-sollicitanten. Na een oneindig lange tijd wachten, werd ze uiteindelijk in een kamer binnengelaten. Drie mannen en een vrouw stonden met hun rug naar haar toe te praten.

De vrouw maakte zich los uit het groepje. Ze heette Dolors en had een nasale stem. Ze nam Bella bij de arm en stelde haar voor aan de mannen in de kamer. De eerste was een landerige Spanjaard die ze herkende uit de roddelbladen, het was de bekende televisiepresentator Juan Caldez. Dolors vertelde haar dat hij de mannelijke co-presentator van de show zou worden. Naast Caldez stonden twee artistiek uitziende mannen. Dolors raffelde beide namen zo snel af dat Bella ze niet mee kreeg. De mannen waren bijna niet van elkaar te onderscheiden, allebei slank en klein van stuk, gekleed volgens de laatste mode. Het enige verschil was hun bril, de man waarvan ze begreep dat hij de regisseur was, droeg een knalrode bril. De spierwitte bril was een talentscout van een groot castingbureau. Achter de drie mannen zag ze opeens nog een vierde man die aan een tafel zat. Hij was klein en gedrongen. Deze man stond op en liep naar haar toe. Elegant pakte hij haar hand en kuste deze. Dolors stelde hem voor als de heer Félix Méndez, directeur van het televisiestation TV3 en opdrachtgever voor de show.

Nadat ze een half uur lang vragen op haar afgevuurd hadden, vonden de rode en witte bril dat ze een screentest moest doen. Dolors nam haar mee naar de opnameset van de show.

Met ontzag keek Bella naar het indrukwekkende decor, uitgelicht met een megaton wattage aan lampen. Toen haar ogen gewend waren aan het felle licht, zag ze een tribune met zitplaatsen. De opnames zouden dus live zijn. Ze voelde haar keel droog worden. Ze deed haar ogen dicht en concentreerde zich op haar ademhaling. 'Inademen, uitademen, inademen, uitademen.' Langzaam voelde ze zich rustiger worden. Toen ze haar ogen weer opendeed, zag ze dat de studio, op een aantal cameramensen na, bijna leeg was. Dolors kwam op haar toegelopen met een script in haar handen.

'¡Tenga! Je krijgt een kwartier om je voor te bereiden op de tekst terwijl je geschminkt wordt.'

Bella las het blaadje in haar handen vluchtig door, tot haar grote ontzetting was de tekst in het Catalaans geschreven en niet in het Spaans. De advertentie had duidelijk gesproken over een programma met nationale allure, zij was er vanuit gegaan dat het programma in het Castiliaans opgenomen zou worden.

'Dolors, dit is in het Catalaans.'

'Ja, dat klopt.' Dolors keek haar verbaasd aan.

'Maar... maar wordt het dan een lokaal programma?' Fout.

'Lokaal? Catalonië telt zes miljoen inwoners!' Verontwaardigd keek de vrouw haar aan.

'Nee... ik bedoel omdat alles verder in het Spaans gaat,' herstelde Bella snel.

'Onze regisseur komt uit Madrid, maar het programma wordt een Catalaans product.'

'Natuurlijk, ik begrijp het. Het is alleen... zo de eerste keer... zou ik het op mogen lezen?'

De vrouw keek haar aan. Na een paar tellen haalde ze haar schouders op: 'Ach, de meeste kandidaten zijn zenuwachtig en lezen de tekst voor. Daar kijken we wel doorheen.'

Zonder het opgewonden gedrag van de Spaanse presentatoren te kopiëren, had ze haar tekst rustig uitgesproken. In plaats van drukke handgebaren te gebruiken, had ze met haar mimiek een zekere intimiteit weten op te bouwen waardoor het leek of ze iedere kijker persoonlijk aansprak. Na afloop werd haar verzocht weer in de wachtkamer plaats te nemen. Voordat ze de zaal uitliep, had ze nog snel een blik op het team geworpen om haar kansen in te schatten. Wederom waren de witte bril en rode bril in een discussie verwikkeld, terwijl de directeur van het televisiestation zich afzijdig hield. Alleen de co-presentator had er verveeld bij gezeten.

Aan het einde van de middag werden ze een voor een teruggeroepen in de kamer. Een aantal van haar voorgangsters was huilend naar buiten gekomen. Toen zij aan de beurt was, had de regisseur haar te kennen gegeven dat haar wijze van presenteren 'zeer interessant' was, maar dat haar Catalaans niet toereikend was om op TV3 te verschijnen. Het zou jonge Catalaanse kinderen een verkeerde uitspraak van deze unieke taal kunnen geven. Bella had verbaasd gereageerd, het zou toch juist voor de jonge oortjes een compliment moeten zijn dat deze geweldige taal zelfs door buitenlanders gesproken werd? Even zag ze de talentscout glimlachen, maar de regisseur bleef uitermate serieus. Het gevaar was te groot dat het programma door haar uitspraak slecht ontvangen zou worden door het Catalaanse volk. Net wilde ze teleurgesteld afscheid nemen, toen Félix Méndez naar de witte bril boog en wat in zijn oor fluisterde.

'Ahum,' de scout schraapte zijn keel, 'señor Méndez hier stelt voor dat u zich thuis op uw uitspraak richt en ons over een week nogmaals bezoekt.'

Ze kreeg een tweede kans. Zonder haar opwinding te tonen, had ze koeltjes afscheid genomen. Buiten was ze pas verontwaardigd geworden. Hoe durfden ze. De advertentie had nooit aangegeven dat de Catalaanse taal de voertaal van het programma zou zijn en nergens was het spreken van de taal als voorwaarde voor de baan gesteld. Nijdig liep ze de lange Avenida Diagonal af. '¡Cabrones, capullos!' Verschrikt keken voorbijgangers naar de mopperende lange gestalte. 'Die baan is van mij. Hoe durven ze!' riep ze tegen de trottoirtegels. Ze wist dat haar kennis van de Catalaanse taal zeer beperkt was. Een tekst oplezen was met haar gevoel voor talen geen probleem, maar improviseren was onmogelijk. En ze had maar één week om zich de taal eigen te maken. Een week! Opeens bleef ze stokstijf staan. Een paar mensen die achter haar liepen, botsten tegen haar op, maar ze merkte het niet. Ze wist de oplossing!

Zonder geld geen show, en het geld was van de kleine dikke Félix Méndez. De baan was van haar en het zou Bella maar een kleine moeite kosten die te veroveren.

DEEL VII

Haar kleine, tengere gestalte zou nooit iemand kunnen overdonderen op de manier waarop Hazel en Bella dat deden.

Spanje, juni 1991

Hazel

Ze was op een van de achterste rijen gaan zitten. Het duurde even voordat ze in de man op het podium Dirk herkende. Haar Dirk. Hij droeg een grijs pak met een eenvoudig wit overhemd en geen stropdas. Hij was magerder geworden sinds ze hem voor het laatst gezien had. Zijn leren riem en schoenen van dezelfde donkere karamelkleur gaven hem een mediterrane elegantie. Zo had ze hem nog niet eerder gezien. Hij sprak overtuigend in accentloos Engels. Na afloop van zijn lezing, toen hij plaatsnam in de zaal, knikte hij even snel in haar richting. Maar aan het eind van het congres werd hij gelijk in beslag genomen door een aantal deelnemers. Hazel liep achter de menigte aan naar de lobby in het hotel. Daar ging ze zitten en wachtte.

Uiteindelijk zakte iedereen om half acht af naar de bar. Hier en daar zag ze een man zijn hoofd naar haar omdraaien, maar ze bleef strak voor zich uit kijken. Opeens werd ze opgeschrikt door Dirk die uit het niets naast haar kwam zitten.

'Eindelijk rust.' Hij boog zich naar haar toe en kuste haar op haar wang. Ze rook zijn vertrouwde geur. Zonder waarschuwing viel plots haar hele omgeving weg. De wereld verkleinde zich tot de bank waarop zij en Dirk zaten. Een helder eiland in een zee van duisternis. Overal om haar heen gonsden stemmen, maar ze hoorde niets meer. Alleen Dirk was daar nog. Onbeweeglijk keek ze hem aan. Tergend langzaam pakte hij haar hand en legde die tegen zijn wang.

'Je lijkt wel mooier geworden! Of was je altijd al zo? Ik wed dat alle kerels hier zich nu afvragen wat ik met deze mooie vrouw doe.' Hij kuste de hand. Zij liet hem langzaam over de knoopjes van zijn overhemd naar beneden zakken.

'Misschien denken ze wel dat je me ingehuurd hebt!'

'En vragen ze zich af wat ik wel niet verdien om me jou te kunnen veroorloven,' vulde Dirk naadloos aan. Hazel wierp haar haar naar achteren en strekte haar rug, haar borsten kwamen hierbij brutaal naar voren. Dirk wenkte een ober en bestelde twee glazen champagne.

Toen de glazen gebracht werden, zette Hazel haar volle, rode lippen aan het glas en keek hem over de rand aan. Ze nam een slok en bevochtigde haar lippen met haar tong.

'Misschien is het tijd dat je me mee naar boven neemt.' Ze glimlachte naar hem.

'Ik heb geen haast. Laat me nog even hier van je genieten. Morgen vragen ze vast je adres.'

'Alleen wanneer je collega's een noodbrug van me willen huren. Voor minder doe ik het niet.' Geschrokken keek hij haar aan.

'Hazel, dat meen je toch niet, ik bedoel...'

'Nee, natuurlijk niet. Mijn product verkoopt zichzelf.' Leek het maar zo of zag ze opluchting op zijn gezicht? Ze boog zich naar hem toe, pakte het glas uit zijn hand en zette het op het tafeltje voor hen. Met één hand pakte ze het kleine tasje dat naast haar op de bank stond, haar andere hand strekte ze naar Dirk uit. Hij kwam snel overeind, pakte haar arm en begeleidde haar naar de lift.

Het zonlicht probeerde zich door de dichte beige gordijnen te boren. Een sprankelende straal gleed dwars over het bed. Hazel voelde de aandrang om naar de badkamer te gaan, maar ze wilde nog niet opstaan. Ze rekte zich uit. Dirk lag half op zijn buik, met zijn ene hand op haar kussen alsof hij zich constant van haar aanwezigheid wilde vergewissen. De kamer lag bezaaid met kleding en op een tafel in de hoek van de suite stonden de resten van het diner dat ze de vorige avond naar de kamer hadden laten komen. De lakens van de bedden in het Princesa Sofía waren van het zachtste satijn, het was een bijna zinnelijk genoegen in het bed te liggen. Hazel was gelukkig, alles wat ze nodig had was hier. Voor het eerst sinds maanden wist ze weer waar ze thuishoorde, hoefde ze niet te strijden, was ze niet alleen. Ze deed haar ogen dicht en liet de streep zonlicht over haar naakte lichaam glijden. Het voelde vervuld en tevreden aan. Het geluid van de buitenwereld werd door de dikke muren van hun kamer buiten gehouden, alleen de ademhaling van Dirk doorbrak de stilte.

Ze moest weer zijn weggedommeld, want opeens schrok ze wakker van de telefoon op het nachtkastje.

'Señora, buenos días.¡Son las ocho y media...!' Het was de wekservice van de receptie. Dirk wreef in zijn ogen en greep naar zijn horloge op het nachtkastje.

'Half negen!' Hij draaide zich naar haar toe en kuste haar op de mond. Zonder te stoppen, gleed zijn hongerige mond af naar haar borsten. Hazel duwde hem plagerig van zich af.

'Teveel champagne, lief. Ik moet eerst naar het toilet.' Toen ze weer bij hem onder de satijnen lakens gleed, zag ze hem snel op zijn horloge kijken. 'Eigenlijk moet ik eruit. Om half tien is de eerste bijeenkomst.'

'Toe, eventjes nog.' Ze probeerde hem vast te houden. Glimlachend keek hij haar aan.

'Nee, duivelinnetje! Mijn plicht roept.' Hij sloeg zich stoer op de borst. 'Deze man moet laten zien wat hij waard is.'

'Dat weet ik toch wel,' lachte ze terwijl ze hem bij zijn been probeerde vast te houden. Opeens moest ze weer aan al die keren denken dat zij in Gouda was opgestaan omdat ze naar haar werk moest. Wat was er veel veranderd in de afgelopen maanden. Dirk maakte zich los, kuste haar nog een keer op haar mond en liep naar de badkamer. Met het geluid van het stromende water van de douche op de achtergrond, liet Hazel alle herinneringen weer terugkomen. De jaren dat ze samen op weg waren naar iets. Ze probeerde het iets te definiëren. Wat wilde ze van Dirk? Dat hij succesvol werd in zijn werk? Dat hij gelukkig werd? Of dat hij gelukkig werd met haar? Wat wilde ze zelf? De zaterdagmiddag waarop ze Dirk met Jocelyn in 'De Zalm' had zien zitten, had zij in de afgelopen maanden opgeborgen in het laatje 'kinderachtig, niet op reageren'. Maar het laatje wilde niet dicht blijven. Waarom durfde ze hem niet te vragen wat hij daar met haar huisgenote deed? Ze hoefde toch niet bang voor hem te zijn, of voor het antwoord?

'Wat lig je daar heerlijk slaperig. Je maakt het een man heel moeilijk naar zijn werk te gaan, Hazel.' Hij liet zijn natte handdoek op de lakens vallen en liep in zijn blootje naar zijn koffer.

'Zullen we vanavond ergens in de stad gaan eten? Jij moet Barcelona nu goed kennen. Zoek maar een leuk restaurant uit, dan kom ik daar naar toe. Hoef je niet weer die eindeloze verhalen hier aan te horen.' Hij had zijn sokken aan.

'Leuk lieverd, maar dat wordt later op de avond. Ik heb vandaag een paar lastige afspraken staan.' Zelfs al had ze die niet gehad, ze wilde niet als 'aanhang' in het hotel rond blijven hangen.

'Maak niet uit. Laat me maar weten wanneer je klaar bent!' Eindelijk vond hij de onderbroeken in zijn chaotische koffer.

'Heb ik je al verteld dat ik een aanbod heb gekregen om een half jaar naar Houston te gaan? Het St. Luke's Episcopal Hospital heeft de beste cardiovasculaire afdeling die je maar kunt bedenken. En ik ben gevraagd!' Hij keek haar enthousiast aan, maar ze hoorde ook een aarzeling in zijn stem. Was hij bang voor haar reactie?

'Dat is geweldig! Moet je altijd doen.' Zonder hem aan te kijken, pakte ze zijn natte handdoek op en liep naar de badkamer.

'Vind je het echt niet vervelend?' Hij liep achter haar aan naar de badkamer. 'Ik ga pas in september! En tegen die tijd ben jij weer terug in Nederland. Kunnen we eerst nog met vakantie.'

Plotseling voelde ze woede opkomen. Zonder dat hij eerst met haar overlegd had, was de beslissing genomen.

'Ik weet nog niet of ik dan terug ben, Dirk. Mijn vestiging hier begint net omzet te draaien.' Ze liep de kamer in en liet hem in de badkamer staan. Weer liep hij achter haar aan. Even draaide ze zich om. Leek het maar zo, of zag ze een flauwe glimlach om zijn mond?

'Oh, ik weet zeker dat jij over een paar weken in Nederland bent!'

'Hoezo dat?' Om zijn mond lag nu een veelbetekenende lach. 'Dat weet ik gewoon.'

'Denk je dat ik het hier niet gaat redden? Dat ik met hangende pootjes naar Nederland kom? Dan heb je het toch heel erg mis, Dirk Paalman.' Driftig smeet ze zijn uitpuilende koffer dicht. 'Wie denk je dat je bent, je kunt niet eens je koffer inpakken.' Ze greep haar handtas en liep naar de deur. Maar nog voor ze die bereikt had, voelde ze twee sterke armen om zich heen. Hij draaide haar om zodat ze elkaar recht aan keken.

'Haasje. Wat je hier allemaal nog moet doen weet ik niet, maar één ding weet ik heel zeker! Over een aantal weken ben jij terug in Nederland.' Hij trok haar tegen zich aan, maar ze worstelde zich los.

‘Dat zullen we nog wel eens zien! Daar moet jij eerst beter je best voor doen!’

Terwijl ze Dirk verbouwereerd achterliet en de gang op liep, realiseerde ze zich dat ze dit een jaar geleden nooit had durven zeggen.

Bella

In de woonkamer van het appartement zat haar broer met zijn kinderen op de bank. Sinds die bange nacht bij 'El Nogal', was Jean Paul veranderd. Hij kwam 's avonds vaker op tijd thuis om tijd met zijn kinderen door te brengen. Niets was er nog over van de apathie waarin hij zich de eerste maanden na het vertrek van Christina gehuld had. De avonden dat Bella optrad, paste hij zonder mokken op.

'Je bent laat, Bel.'

'Ja sorry, ik was naar Catalaanse les.'

'Zit je op les?'

'Ja, verplichting voor een sollicitatie.'

'Oh, ja, hoe was je gesprek?'

'Goed, over een paar weken hoor ik meer.' Zonder verder iets los te laten, plofte ze naast hem op de bank.

'Bel, ik heb eens na zitten denken,' begon haar broer voorzichtig in het Nederlands. 'We hebben die mensen van dat pension nooit bedankt voor de uren dat zij met ons opgescheept hebben gezeten. En voor hun hulp bij het zoeken.' Toen ze niet gelijk reageerde, keek hij haar strak aan. 'Dat is niet echt netjes van ons.'

'Nee, dat is inderdaad niet 'comme il faut'.' Ze herhaalde een van haar moeders lievelingsuitspraken.

Met zachte stem ging hij verder: 'Ik bedoel, ze hebben met ons meegeleefd en gezocht. Ons onderdak geboden, te eten gegeven. En toen nog die vervelende inspecteur, hoe heette hij ook al weer...'

'MontRoig,' vulde Bella automatisch aan.

'Herinner je je nog hoe die man die arme pensionhoudster, die Mickie Jarvis, behandelde? Dat was onfatsoenlijk. Om een vrouw die als negenjarig kind een zusje verliest, aan te spreken op het verdwijnen van mijn kinderen. Dat was echt mensonwaardig.' Ze zwegen allebei, verzonken in hun eigen gedachten.

'Ik denk steeds vaker aan die dag, Bel. Het was allemaal nog zo kort na het verdwijnen van Christina. Op dat moment leefde ik nog in een soort roes, veel van die dag is aan me voorbijgegaan. Ik weet alleen nog dat ik die nacht in slaap gevallen ben bij Mickie op de bank.' Hij moest lachen.

'Ze had me met twee glazen cognac binnen een paar minuten knock-out. '

'Ja,' zei Bella nu ook lachend, 'je zag er die morgen inderdaad wat verzopen uit.' Ze hadden tot nu toe weinig over die dag gesproken.

'Als ik er weer over nadenk... het was zo'n vreemde avond. Jij wilde per se naar die vrouw die je ooit op een gala ontmoet had. We hebben haar uiteindelijk nooit gezien, maar wel een aantal andere mensen. Die MacAllister, die hebben we helemaal slecht behandeld. De man heeft de hele nacht met Edu en Nuria in die koude grot gezeten. We hebben hem niet eens fatsoenlijk bedankt.' Schuldbewust keek Jean Paul naar zijn zus. Bella was nog steeds met haar gedachten bij die middag, afwezig zei ze: 'Maar we kunnen toch niet na een paar maanden opeens met een bos bloemen aan de deur verschijnen en iedereen bedanken? Dat getuigt absoluut niet van 'bon gout'.'

Jean Paul haalde zijn schouders op. 'Helemaal niet gaan, is nog erger.'

Ze keken naar de twee kinderen die naar hun favoriete televisieprogramma zaten te kijken.

'De kinderen willen graag een keer terug. Ze hebben samen een tekening voor MacAllister gemaakt om hem te bedanken.'

'Ja, Chrissie heeft ze goed opgevoed.' De schampere opmerking raakte zijn doel.

'Touché zus, ik weet dat ik in gebreke ben gebleven.' Bella keek hem aan.

'Je hebt gelijk Jean Paul, we horen ons niet als een stel Belgische boeren te gedragen.' Ze zuchtte terwijl ze haar lange benen voor zich uit strekte. 'Hoe zouden we ze kunnen bedanken? Zal ik de boel daar opfleuren en een avondje zingen in het restaurant. Is dat misschien leuk voor die pensionhoudster?' Nu was het zijn beurt om een schampere opmerking te maken.

'Heb je de laatste recensies van restaurant 'El Nogal' niet gelezen, Bella? Die 'pensionhoudster' is aardig op weg een chef-kok van formaat te worden. Ik denk dat die kleine vrouw meer in haar mars heeft dan wij tweeën bij elkaar.' Met een opgetrokken wenkbrauw keek Bella naar haar broer.

'Wat stel je dan voor?'

'Ik stel voor dat we zondag gewoon naar 'El Nogal' rijden en onze nederige excuses aanbieden voor ons gedrag.' Bella keek haar broer stomverbaasd aan. Was dit haar zakelijke broer die nooit tijd had om over zichzelf, laat staan anderen in zijn leven na te denken? Een man die slechts gedreven werd door één doel in zijn leven, zijn zin krijgen koste wat het kost. Het was alsof haar verteld werd dat de aarde toch plat was. Ze wilde net antwoorden, toen het hoofd van Almudena om de hoek van de deur stak.

'Hijos, ¡la cena!.. Kinderen, eten!' De kinderen hadden die dag het avondeten mogen kiezen, spaghetti met lekker veel tomatensaus en kleine gehaktballetjes. Ze renden de kamer uit en broer en zus bleven alleen achter.

Na een lange stilte begon Bella plotseling te praten. Zonder emotie in haar stem vertelde ze haar broer over het sollicitatiegesprek en de screentest.

'Dus je moet alleen maar je uitspraak verbeteren en dan heb je toch een kans?' vroeg hij opgewonden. Het was ongelooflijk hoe Bella steeds weer dat voor elkaar kreeg waar ze haar zinnen op gezet had.

'Ja, of ik heb een romantische 'tête-à-tête' met de directeur, die Félix Méndez.' Het was eruit, provocerend keek ze haar broer aan.

'Bella Casteurs, dit meen je niet serieus. Je hebt veel meer talent in huis dan ze hier aan kunnen.' Hij was oprecht boos. 'Vous êtes fou, ma chérie. Vraiment fou...!' Je gaat je niet verlagen, hoor je me.'

'Ik weet het niet. Misschien heb je gelijk.' Ze haalde haar schouders op. 'Het doet er ook niet zo veel toe, ik ben het waarschijnlijk na een aantal maanden toch weer zat, Jean Paul.'

Plotseling voelde ze zich ontzettend leeg, alsof ze alleen maar een buitenkant was, een glanzende kristallen bol waar een mooi geluid uit kwam als je erover wreef. Jean Paul schoof dichter naar haar toe en sloeg een arm om haar heen.

'Je weet gewoon nog niet goed wat je wilt. Je hoeft toch nog niets? Wij vinden het heel fijn om je bij ons te hebben. Blijf nou hier en kijk wat er op je pad komt. Maar doe geen rare dingen.'

'Maar onze moeder vindt me een mislukking, want ik lijk in niets op jou en haar. Volgens mij lijk ik meer op papa, ben ik ook een dromer.' Zachtjes streek Jean Paul over haar slanke rug.

'Bella, je vroeg me laatst onderweg naar het pension of ik wel eens aan papa dacht. Ik was boos op je en wilde geen antwoord geven. Maar ik mis hem nog iedere dag. Ik realiseer me nu pas wat een waardeloze vader ik voor mijn kinderen geweest ben. Zelfs een norse Schot krijgt in één nacht een betere band met ze dan ik.' Hij haalde diep adem.

'Jean Paul, de kinderen zijn niets tekortgekomen, Christina was een goede moeder.'

'Christina deed wat een goed opgevoed Spaans meisje hoort te doen. Ze zorgde ervoor dat ik het gezin in welvaart liet leven.' Ze schrok van zijn harde woorden, het was voor het eerst na al die maanden dat hij zich over zijn vrouw uitliet. Christina had via haar advocaat de echtscheidingspapieren op laten sturen. Maar afspraken over de kinderen had ze niet met Jean Paul gemaakt. Alsof hij Bella's gedachten kon lezen, ging hij verder.

'Ja, dat zag ik op het moment dat jij bij ons kwam wonen. Maar wat ik ook zag, Bel, is dat ik daar zelf geen verandering in bracht. Dat ik het maar zo liet.'

Ze zaten een tijdje in stilte voor zich uit te kijken. Toen hervatte Jean Paul zijn relaas.

'Ik heb de afgelopen maanden een paar beslissingen genomen, Bella. Ik ga mijn bedrijf te koop zetten en een sabbatical nemen.'

Verbijsterd keek Bella haar broer aan.

'Ga jij stoppen met werken? Dat houd je geen week vol.'

'We zullen zien. Bel, ik heb de afgelopen jaren niet anders gedaan dan hard werken. Eerst die vreselijke studie...' Voordat hij verder kon gaan, onderbrak Bella hem. 'Een vreselijke studietijd? Kom nou. Ik was altijd degene met de problemen. Ik ben van school naar school gestuurd.'

Een glimlach gleed over zijn gezicht.

'Ja, dat weet ik nog maar al te goed.' Toen werd hij weer serieus. 'Soms vraag ik me echt wel eens af wie van ons gezin het verstandigst is. Moeder? Wat heeft ze nou echt bereikt?'

Verbaasd keek Bella hem aan.

'Maman heeft een heel imperium opgezet. Noem jij dat niets?'

'Het is heel moedig wat ze gedaan heeft, Bel. Maar ze heeft daar zoveel voor opgeofferd. Wanneer heb jij moeder voor het laatst gewoon ontspannen meegemaakt? Altijd wordt ze geleefd door druk, door... door iets moeten.'

'Ja, papa was anders. Maar was dat beter?' Onderzoekend keek Bella haar broer aan. Hij had dezelfde grijsblauwe ogen als zij. Het was alsof ze in een spiegel keek.

'Vader was niet succesvol, dat klopt, maar hij was een... mens. Maman heeft haar imperium als houvast, het is haar kind, haar tijdverdrijf en haar vaste minnaar.' Hij pauzeerde om op een nare gedachte te kauwen. Uiteindelijk zei hij met een lage stem: 'Het is niet eens haar kompaan, haar vriend.' Na een korte stilte ging hij verder. 'Ik weet dat ik hard bezig was moeder achterna te gaan, ik wilde haar overtroeven. Maar ik zie de zin van dat doel niet meer. Steeds meer kom ik tot de conclusie dat jij de enige van ons gezin bent, die intuïtief kiest voor de juiste weg. Je bent net ambitieus genoeg om te bereiken wat je wilt, maar je laat het je niet beheersen.' Hij zuchtte hoorbaar. 'Ik zou graag een stukje van jouw wijsheid willen bezitten.' Bella moest glimlachen.

'Zelfs al ben je het niet eens met mijn methode om m'n doel te bereiken?' vroeg ze terwijl ze hem speels aankeek.

'Het is zo'n cliché, Bella. Iedereen weet dat een artistieke carrière vaak door 'sexual favours' bereikt wordt. Ik had gedacht... Nee, liever gezegd, ik had gehoopt dat jij het niet nodig had.'

Ze zaten weer zwijgend tegen elkaar aan. Opeens vroeg Bella: 'Weet moeder het al?'

'Nee, ik wil eerst kijken hoe de onderhandelingen over de verkoop verlopen.'

'Ze is wel een van je grootste klanten, Jean Paul.'

'Ja, je hebt gelijk, onzakelijk zusje van me. Ik zal haar heus binnenkort informeren.' Ze glimlachten naar elkaar, ze wisten allebei dat ook hij tegen de toorn van hun moeder opzag.

Het was een hete zondagmiddag toen ze over het stoffige pad naar 'El Nogal' reden. In de schaduw van de grote notenboom stond een aantal ronde tafels. Een groep mensen hing in de koelte van de schaduw onderuit in de rieten stoelen. Roger was de eerste die ze herkende en enthousiast op hen afliep.

'Wat fijn dat jullie eindelijk weer hier zijn. We hebben jullie gemist.' En met deze vriendelijke woorden was alles meteen goed.

Een jonge vrouw met exotische trekken en een golvende bos kastanjebruin haar stond op en liep op het tweetal af.

'Hazel Hendrikse, wat leuk jou hier te ontmoeten.' Bella keek haar broer verbaasd aan.

'Ken jij Hazel?'

'Ze is een van mijn klanten, zus.' Nu keek Hazel verbaasd.

'Is Bella Casteurs je zus? Maar haar achternaam...'

'Bella gebruikt de achternaam van mijn moeder. Ik gebruik hier de achternaam van mijn vader, Devillaine. Elody Mode is het bedrijf van onze moeder, vandaar.' Hazel moest onbedaarlijk lachen.

'Dus die dure campagne met Bella op al die posters was eigenlijk een familie onderonsje!'

'Ja, eigenlijk wel. Maar het werkte,' zei Jean Paul opgewekt.

Het ijs was opnieuw gebroken, een paar rieten stoelen werden bij de tafel geschoven en broer en zus schoven aan bij de vaste groep pensionbewoners. De gesprekken waren geanimeerd, maar het kon Roger niet ontgaan dat de lange slanke Belg zijn ogen niet van Hazel kon afhouden.

Mickie

'¡Que tía más alta esta belga, no crees! Wat is die Belgische lang, dat geloof je niet!' Inma stond met haar rug naar Mickie toe de groenten te snijden. De lange blonde gestalte van Bella liet haar niet los. Toen Bella met de kerst met haar foto in de *Hola*, het societyblad van Spanje, had gestaan, was ze toegetreden tot de 'beau monde' van het Iberische schiereiland. Voor de eenvoudige Inma was het een wonder geweest dat de Belgische een avond in hun gezelschap had doorgebracht. Laat op de avond had ze de gasten onder de notenboom nogmaals verrast met een liveoptreden. Verrukt had Inma staan luisteren. Bella's heldere stem had in perfecte harmonie met de zwoele avondlucht het pension in een sprookje uit Duizend-en-een-nacht omgetoverd.

Voor de zoveelste keer zei Inma die morgen hoe lang en slank de Belgische wel niet was.

'Ja, ja, en aardig ook,' antwoordde Mickie afwezig. Haar gedachten waren bij Jean Paul. Hij had er beter uit gezien dan de eerste keer, die keer dat de kinderen verdwenen waren. Zijn huid was minder grauw en een levendige blik stond in zijn grijsblauwe ogen. Hij had haar warm toegesproken en haar bedankt voor de gastvrijheid die avond. Ze had gebloosd onder zijn blik. Verlegen was ze teruggelopen naar de keuken om haar gasten haar beste gerechten voor te schotelen. Toen ze terugkwam op het terras, had ze Jean Paul in een geanimeerd gesprek met Hazel aangetroffen. Ze pasten zo bij elkaar, de exotische, mollige Hazel met haar olijfkleurige huid, het wilde bruine haar en de groene kattenogen die Jean Paul leken te verslinden. De Belg leek in haar bijzijn zijn strenge opvoeding te vergeten, hij werd losser, jongensachtiger. Mickie keek naar haar weerspiegeling in het raam. Haar kleine, tengere gestalte zou nooit iemand kunnen overdonderen op de manier waarop Hazel en Bella dat deden. Zij ging bijna in haar omgeving op.

'En wat een stem, Mickie. Als ik zo kon zingen!'

'En dansen. Ze schijnt heel mooi te kunnen dansen.'

‘Wat... als een ‘flamenguera’?’

‘Nee, ik geloof niet dat ze dat kan. Het is meer showdans. Ze heeft vroeger in een grote musical gespeeld.’

‘Oh...’ Dit klonk een beetje teleurgesteld.

‘Maar dat is heel moeilijk, Inma. Rijke mensen betalen veel geld om naar haar shows te gaan.’

‘En heb je dat haar gezien? Het lijkt wel vloeibaar goud. Zo mooi!’ Onbewust streek Mickie over haar eigen kortgeknipte, vlasblonde haar.

‘Ja, ze is echt mooi. Heb je de groenten klaar, Inma?’

‘Nee nog lang niet. Ga ik niet snel genoeg?’

‘Nee, sorry. Ik wilde vanmiddag eigenlijk even naar de bank.’ Steeds weer vergat ze het geld uit haar kistje weg te brengen.

‘Ga dan nu. Dan heb ik alles af als je terug bent.’

‘’s Maandags gaan de banken pas na de middag open,’ zei Mickie zonder op te kijken. Inma keek op haar horloge.

‘Het is twee uur, Mickie en het is juni... ze draaien het zomerrooster. Ze zijn van negen tot drie uur open. Ik zou nu gaan.’ Onverstoorbaar hakte ze de wortels in julienne-reepjes.

Net wilde Mickie haar schort ophangen, toen uit het wiegje van Conche een erbarmelijk gehuil opsteeg. ‘Ach, wat klinkt dat zielig. Wat is er met jou?’ Voorzichtig pakte ze het roze bundeltje op. Een klein rood gezichtje keek haar met waterige oogjes aan. Bezorgd voelde ze aan het hoofdje, het voelde warm. Nu ze beter keek, zag Mickie dat haar hele gezichtje onder de kleine vlekjes zat.

‘Ik weet het niet, Inma. Maar volgens mij voelt ons schelpje zich niet lekker.’ Geschrokken kwam haar souschef kijken.

‘Ay, Conchita ¿qué te pasa...?’ Een rond mondje brulde haar ongenoegen uit. Ze nam de baby over van haar werkgever. Haar kindje was duidelijk niet in orde.

‘Ze voelt zo warm aan.’ Voorzichtig maakte ze de kleertjes los. Mickie stond naast haar en keek naar het kleine lijfje dat moeizaam ademhaalde. Toen ze het hemdje optilde, zagen ze op het buikje ook kleine vlekjes. Mickie had die vroeger ook bij haar broertjes gezien.

‘Ik denk dat ze mazelen heeft, Inma.’ Verschrikt keek de Spaanse haar aan.

'Is ze daar niet erg jong voor?'

'Ja, ze is nog geen jaar oud. Dat is wel heel jong.'

'Oh, madre mía, wat moet ik doen?' Bijna hysterisch liep Inma heen en weer met het kindje in haar armen gekneld. Rustig liep Mickie naar haar toe en pakte Conche over.

'Geef maar, ik zal met haar naar de dokter rijden.' Inma wilde protesteren, maar Mickie was haar voor. 'Blijf jij hier om het werk af te maken. Ze krijgt vast een prik en dan is alles met een paar dagen weer over.' Zonder op antwoord te wachten, pakte ze de wieg, legde het meisje erin en liep de keuken uit op zoek naar haar autosleutels.

Ze was net een uurtje weg, toen een koeriersbedrijf een pakje af kwam geven. Achteloos had Inma haar handtekening gezet op het ontvangstbewijs. Ze was daarna weer de keuken in gelopen met het pakje in haar hand. Het was niet groot en het was heel licht. Het was bestemd voor señora Hazel Hendrikse, de brunette waar Mickie een zwak voor had. Vaak zag Inma haar liefdevol in de schouder knijpen of met een kop thee naar haar kamer lopen om een praatje te maken. Ze draaide het pakje nadenkend om, een afzender uit Nederland. Het kon van alles zijn. Misschien was het wel zo'n leuk klein slipje en bh'tje. Dat soort delicate zaken werden in Spanje nog maar mondjesmaat en alleen in speciale zaken verkocht. Ze zag de afzender al voor zich, een stoere Nederlandse reus die haar een erotisch cadeautje stuurde in de hoop haar, gehuld in het ondergoed, in haar kamer op te zoeken.

'Pà. Qué tonterías.' Resoluut schudde ze haar hoofd, alsof ze de gedachte weg wilde vagen. Haar kind was veel belangrijker dan privézaken van de pensiongasten. Ze legde het pakje op het werkblad zodat ze het gelijk aan señora Hendrikse kon geven op het moment dat ze die avond binnen zou komen. Een half uur later hoorde ze de auto van Mickie de parkeerplaats oprijden. Zonder zich te bedenken, gooide ze haar mes tussen de groenten en rende de keuken uit. Het grote mes veroorzaakte een ware lawine in de piramide opgestapelde groenten. Paprika's, tomaten, aubergines en courgettes rolden over het werkblad. Een aubergine rolde tegen het pakje en duwde het over de rand van het werkblad, waar het op z'n kant tussen de tafel en de koelkast bleef steken.

Hazel

Op een dinsdagmorgen klonk in alle vroegte haar telefoon. Na een kort gesprek legde Hazel de hoorn op het toestel en staarde naar buiten. Het was de directeur van het havenbedrijf van Cartagena. Niet zijn secretaresse of assistent, maar de edelachtbare heer José Antonio Gilarranz y Orozco, de directeur zelf. Na een korte inleiding vertelde hij haar dat ze haar mailing goed bestudeerd hadden en tot de conclusie gekomen waren dat zij het meest geschikte product had voor de aanleg van een noodsteiger in de vrachthaven. Het was grote en gecompliceerde klus waar veel publiciteit bij zou komen kijken. De stad Cartagena was van plan grote werkzaamheden in de haven uit te voeren waardoor de grotere zeeschepen tijdelijk niet zouden kunnen aanmeren. Daarom moest er een brugconstructie aangelegd worden, waarmee de bemanning vrijelijk aan wal kon komen. De vracht zou met kleine bootjes naar de haven gevaren worden. Zijn verhaal klonk alsof er een raadsbesluit werd opgelezen.

'Kunt u deze week komen om de details van het werk te bespreken?' Het was eerder een bevel dan een verzoek. Even twijfelde Hazel. De afstand Barcelona naar Cartagena was te rijden, maar ze kon misschien beter met het vliegtuig gaan. Alsof hij haar gedachten kon lezen, zei Gilarranz: 'Wij komen u natuurlijk van het vliegveld halen.' Ze hoefde dus niet met haar kleine huurauto naar Cartagena. In Barcelona was het geen probleem, maar om voor het officiële gebouw van de havenautoriteiten van Cartagena een stoffige en gedeukte Seat Ibiza te parkeren, gaf niet echt blijk van succes.

'Ik moet even mijn agenda raadplegen.' Ze ritselde met wat papieren. Haar agenda voor de komende weken was helemaal leeg. 'Deze week wordt moeilijk, ik kan op z'n vroegst volgende week... woensdag.' Ze hield haar adem in, bang dat ze haar hand had overspeeld. Maar tot haar grote opluchting antwoordde hij: 'Goed, vluchten uit Barcelona komen drie keer per dag aan. Zullen we zeggen dat u de ochtendvlucht neemt die om tien uur hier arriveert?'

'Uitstekend,' zei Hazel koel terwijl haar hart een salto van blijdschap maakte.

'Señora Hendrikse, nog één vraag?'

'Ja, meneer Gilarranz?'

'Hoe herkennen wij u?'

'Ik zal een folder van mijn bedrijf in de hand houden.'

De deur van Mickie's zitkamer werd door een krukje opengehouden. Zo kon het milde briesje via de openstaande slaapkamerdeur de kamers een beetje verkoelen. De julimaand was heet dit jaar. Hazel liep na een bescheiden klopje op de deur verder de kamer in. Ze had een lange zwarte kaftan aangetrokken. Het katoen was zo dun dat haar silhouet te zien was. Met haar kastanjebruine haar hoog opgestoken om haar nek verkoeling te geven, leek ze een oosterse schone. Mickie probeerde niet naar het naakte lijf van haar gaste te staren. Zich geheel onbewust van de onbedoelde commotie, plofte Hazel op de bank.

'God, wat is het heet.'

'Tja, het is zomer...'

'Is het niet te warm voor Conchita?' Alleen bedekt met een dun lakentje lag de baby in het wiegje te slapen. Gelukkig had ze geen mazelen gehad, maar een vlekjesziekte die vaker bij baby's voorkomt. 'Exanthema subitum' had de arts het genoemd, onschuldig maar wel besmettelijk. Voorlopig mocht het kleintje niet meer in de keuken, waar het door de airconditioning juist zo heerlijk koel was.

'Nee, het gaat goed. We smeren haar in met een verkoelende lotion.'

Zwijgend staarden ze een poosje voor zich uit, ieder verzonken in haar eigen gedachten. Opeens sprak Hazel.

'Mickie, hoe vind jij die Jean Paul?'

'Wie, oh je bedoelt die Belg?' antwoordde Mickie ontwijkend.

'Ja, die broer van Bella.'

'Wel aardig geloof ik. Ik heb niet zo veel met hem gesproken.'

'Nee, ik vroeg me alleen af...' Hazel liet haar vraag in de lucht hangen. Mickie keek haar aan, maar ze zag dat Hazel's gedachten ergens anders waren.

Hazel rekte zich loom uit. De zwarte kaftan spande zich om haar volle borsten.

'Mickie, ik moet je iets vragen.' Ze schraapte haar keel en keek haar hospita recht aan. 'Ik... ik ben bang dat ik mijn kamer deze maand niet kan betalen.' Even hield ze haar adem in, daarna ging ze zachtjes door. 'Sorry, ik vind het zo erg, maar ik zit helemaal aan de grond. Aan het eind van de maand krijg ik pas het geld van de laatste facturen binnen.'

'Heb je nog wel wat geld voor jezelf?' Mickie klonk bezorgd.

'Ja, wel iets, en ik heb mijn creditcard nog. De afrekening komt pas volgende maand.' Mickie liep naar de kast en haalde haar spaarkistje tevoorschijn. Door de ziekte van Conche was ze helemaal vergeten naar de bank te gaan.

'Maak je niet ongerust, dat geld voor de kamer komt wel. Ik zal je voorlopig tienduizend peseta's lenen. Straks sta je 's avonds laat zonder geld en zonder benzine langs de weg.'

'Dank je Mickie, je bent echt geweldig. Trouwens, je hebt m'n vraag nog niet beantwoord; wat vind jij van die broer van Bella?' Mickie deed of ze de vraag niet gehoord had en liep naar haar bureau. Daar pakte ze het stapeltje post van die ochtend. Ze viste alles voor Hazel eruit en gaf het aan haar.

Hazel pakte het aan, en ritste een brief van PBC open. 'Hier, een vriendelijk verzoek of ik zeventig procent van mijn opbrengsten direct naar ze over wil maken. Ik houd zo helemaal niets over om te investeren. Straks moet ik nog gratis werken.'

'Hazel, na de zomer ben je hier een jaar. De situatie is nog steeds zoals je begon en je redt je steeds weer. Je bent sterk en verzint altijd wel wat.'

'Waren er maar meer die zo over me dachten.'

'Nou, als ik die Rob Kramer naar je zag kijken..., die is erg van je onder de indruk.'

'Hmpf.'

'Wat zeg je?'

'Niets.'

'Jawel, hmpf betekent vast iets.'

'Het betekent voornamelijk dat ik dat niet geloof.'

'Ik heb het toch zelf gezien.'

'Mickie, hij heeft tot op heden niets gedaan om Pieterse of wie dan ook te overtuigen mij de vestiging hier te geven. En alle financiële middelen.' Ze haalde diep adem. 'En nu heb ik het volgende probleem. Ik heb een klant buiten Barcelona. Volgende week woensdag moet ik naar Cartagena voor een mogelijke opdracht.'

'Maar dat is geweldig.'

'Nee, dat is het niet. Mickie, het zijn de havenautoriteiten van Cartagena. Weet je hoe groot die haven is? Bijna groter dan die in Barcelona. Dit wordt een heel grote klus en ik kom daar aanzetten op mijn pumps met mijn folder in m'n hand. Het lijkt wel of ze in Nederland hopen dat ik op mijn gezicht ga.' Mickie ging naast haar zitten en keek haar nu ernstig aan.

'Wie niet sterk is, moet slim zijn. Je moet een list verzinnen.'

'Ja, mijn 'edge', maar daar red ik het niet mee als het er echt op aankomt.'

'Nee, je moet beter nadenken. De eerste regel van het zakendoen is altijd dat je de geldstroom volgt. Waar komt de geldstroom van jouw bedrijf vandaan?'

'Van de installaties die we verhuren en verkopen, van de opdrachten, de klanten, de bank.' Haar ogen lichtten op. 'Aaah, van het moederbedrijf.'

'Juist. Weet het moederbedrijf van de mogelijkheden die jij hier ziet?'

'Dat zouden ze moeten weten.'

'Hebben ze jouw rapporten en overzichten?'

'Nee, die heb ik die keer dat ik in Nederland was, weer in mijn tas gestopt.'

'En ze hebben daarna nooit meer om die gegevens gevraagd?'

'Nee.'

'Vind je dat niet vreemd, Hazel. Jij wordt naar Spanje gestuurd om een nieuwe markt aan te boren, maar vervolgens willen ze je niet ondersteunen. Je overzichten doen er kennelijk niet toe. Het lijkt wel of je doodgezwegen wordt!' Hazel keek Mickie bedachtzaam aan.

'Mickie, ik denk dat je gelijk hebt. Hier is iets vreemds aan de hand. Ik ga naar Engeland, ik ga met het moederbedrijf praten. Dat moet ik doen.' Energie spatte uit haar ogen. Ze was klaar met wachten en smeken.

Mickie had haar weer geld geleend, dit keer om haar reis naar Engeland te betalen. Vanaf Heathrow was Hazel rechtstreeks met de taxi naar het hoofdkantoor van het moederbedrijf gereden. Ze had geen afspraak gemaakt en wist niet eens precies wie ze moest spreken. Het enige wat ze bij zich had, waren haar rapporten, haar financiele overzichten en haar verontwaardiging. In de hal van het immense glazen gebouw liep ze naar de receptioniste. Ze stelde zich voor met de naam van het bedrijf in Nederland, PBC.

'Ik heb vandaag een afspraak met een van uw directeuren. Maar nu ben ik vanmorgen uit Barcelona komen vliegen, en heb mijn agenda in het vliegtuig laten liggen. Het is heel vervelend maar ik weet de naam van degene met wie ik afgesproken heb niet meer.' Met een open en eerlijk gezicht keek ze de receptioniste aan. Haar ervaring met Spaanse receptionistes had haar glashard leren liegen. De receptioniste droeg een uniform in de kleuren zwart, paars en groen van het moederbedrijf. Ze zag er uitermate netjes en efficiënt uit. Snel keek Hazel naar haar eigen kleding. Ze had haar donkergrijze mantelpak met zachtroze zijden blouse aangetrokken, kleuren die volgens haar pasten in het zakelijke Londen. Terwijl de receptioniste de afsprakenlijst controleerde, trok Hazel snel de opzichtige gouden oorbellen die in Barcelona in de mode waren, uit haar oren en stak ze in de zakken van haar mantelpakje. De receptioniste keek op.

'Uw bedrijf valt onder de afdeling van de heer William Shepherd. Ik ben bang dat hij nog niet binnen is.' De moed zonk Hazel in haar schoenen, ze keek op haar horloge. Het was bijna half elf. Ze moest de vlucht naar Barcelona aan het einde van die middag halen. Londen was te duur, ze kon zich geen overnachting in een hotel veroorloven.

'Weet u zeker dat het geen vergissing is? De afspraak is gisteren gemaakt en ik ben er speciaal voor hierheen gevlogen. Wellicht is de afspraak daarom niet op uw lijst geplaatst?'

De receptioniste keek haar weifelend aan. Hazel staarde terug.

'Als u mij uw kaartje wilt geven en daar in die hoek plaatsneemt, ga ik voor u kijken of ik de heer Shepherd kan bereiken.' Hazel gaf haar een kaartje en liep naar het ruime bankstel in de hoek van de hal. Na een half uur kwam er een slanke man van een jaar of veertig met uitgestoken hand op haar toe.

'Miss Hendrikse, my name is Bill Shepherd.' De receptioniste had haar naam correct doorgegeven.

'Nice to meet you.' Ze drukte de uitgestoken hand. Voordat hij verder kon gaan, stak Hazel van wal. 'U begrijpt misschien dat ik een klein leugentje heb moeten vertellen. Ik heb geen afspraak, maar het is wel van belang dat ik u spreek.' Hij keek haar lichtelijk uit de hoogte aan.

'Ik was benieuwd wie bereid was zo ver te gaan om mij te spreken.' Hij liep voor haar uit naar zijn kantoor en verzocht zijn secretaresse wat te drinken te brengen.

William Shepherd had een enorm kantoor met uitzicht op de Theems. Ze had wel eens gehoord wat zo'n kantoor midden in Londen moest kosten. Dat loog er niet om. De zwarte vloerbedekking was van een zware kwaliteit, evenals het enorme zwarte bureau en het leren bankstel waar ze op plaats namen. Een secretaresse in keurig mantelpakje met witte blouse veerde over het dikke tapijt naar de salontafel en zette een zilveren theeservies voor hen neer. Ze schonk twee kopjes in en vertrok.

'Darjeeling,' merkte Shepherd op terwijl hij het zilveren melkkannetje voor haar neus hield. 'Melk?'

'Een wolkje,' wist Hazel uit te brengen. Tot haar ontsteltenis ontdekte ze een ladder in haar panty die langzaam aan de binnenkant van haar been omhoog kroop. Ze duwde haar knieën tegen elkaar en probeerde haar benen elegant schuin voor zich te plaatsen zoals ze de koningin soms zag doen.

'Goed dan, mevrouw Hendrikse. Ik heb begrepen dat u voor het bedrijf van Pieterse in Nederland werkt.' Hij liep naar zijn bureau en pakte daar een dossier. Snel draaide Hazel de ladder naar de achterkant van haar been.

'Tja, ja. Ik zie dat wij daar een van onze mensen naar toe gestuurd hebben, Rob Kramer. Maar de opbrengsten zijn nog niet helemaal wat wij van dit bedrijf verwacht hadden.' Hij keek haar aan alsof ze hier persoonlijk schuldig aan was.

'Heel aardig product trouwens. We verwachten hier in de toekomst veel van. Misschien heeft het wat meer tijd nodig.' Het leek bijna of hij haar aanwezigheid vergeten was, want hij las een poosje verder. Het bleef stil. Voorzichtig bracht Hazel het kopje met hete thee naar haar lippen. Op een schaaltje op tafel lagen biscuits die haar toe lonkten. Ze had die morgen helemaal geen tijd gehad voor het ontbijt en haar maag rommelde. Net wilde ze een koekje pakken toen Shepherd haar weer aankeek. Van schrik morste ze thee op de dikke vloerbedekking.

'Waarmee kan ik u van dienst zijn?' Haar geknoei was hem niet opgevallen en voorzichtig wreef ze met de punt van haar schoen het plasje in de vloerbedekking.

'Uw bedrijf heeft een klein jaar geleden aangegeven op zoek te zijn naar expansie in het buitenland voor ons bedrijf. Ik heb het op mij genomen een vestiging in Barcelona te openen met het oog op de Olympische Spelen en... nu... en nu...' Ze werd onzeker van de glasharde, emotieloze blik van Shepherd. Stel dat ze het verkeerd had, dat Mickie en zij een complottheorie bedacht hadden die nergens op sloeg. Ze haalde diep adem en vermande zich. Belachelijker dan nu kon ze toch niet worden. Ze kon hoogstens haar baan verliezen, dat was het ergste wat haar zou kunnen gebeuren. Shepherd leunde achterover en wachtte af. Opeens had ze het beeld van zijn geruisloze secretaresse voor zich. Ze moest in zichzelf lachen, ze kon altijd weer ergens een baantje als secretaresse vinden. Er zou altijd behoefte zijn aan geruisloze vrouwen in mantelpakjes die het knappe koppen mogelijk maakten hun zware baan uit te oefenen. Ze haalde nog een keer adem en stak van wal. Nadat ze haar relaas gedaan had, was het enige commentaar van Shepherd: 'Mevrouw Hendrikse, of u ziet spoken of u hebt daadwerkelijk een geval van malversatie te pakken.' Hij sprak precies de woorden die zij even daarvoor in gedachten had gehad. Hij stond abrupt op en gaf haar een hand.

'Ik zal u niet langer ophouden, ik wens u veel succes met uw onderneming in Spanje.' Ze volgde hem als een gewillig kind naar de deur en liet zich naar buiten loodsen.

'Laat uw gegevens achter bij mijn secretaresse. Belt u ons niet, wij bellen u zodra wij met onze onderzoeken klaar zijn.' En met deze woorden sloot hij de deur achter haar. Het was vreemd, ze had heroïsche taferelen in haar hoofd gehad. Hoe zij het onrecht dat haar aangedaan was aan de kaak wilde stellen in het belang van het bedrijf. Maar nu ze haar verhaal gedaan had, voelde ze zich een ordinaire klokkenluider die haar gram kwam halen omdat ze haar zin niet kreeg.

De volle maan bedekte de dieppaarse zee met een zilveren kleed. Rimpelloos strekte de watervlakte zich voor haar uit. De nacht had nog steeds geen afkoeling aan de bloedhete julidag gegeven. Ze lag languit op een rieten ligstoel die ze weken geleden ergens in een buitenwijk van Gerona op een verlaten industrieterreintje had gevonden. De verkoper had verbouwereerd gekeken toen ze hem gevraagd had haar te helpen de stoel in de Seat Ibiza te proppen. Hij had haar aangeboden hem met een bodedienst te laten brengen, maar de brunette was volhardend gebleven. Ze wilde de stoel gelijk meenemen. Nu bracht ze steeds vaker de nacht op het balkon door, liggend op haar rieten stoel. Vooral nachten zoals deze, wanneer de maan haar leek te wenken en haar baadde in haar betoverende licht.

Loom strekte ze zich uit. Haar haren kleefden in haar nek, de dunne pareo die ze omgeslagen had, liet haar schouders vrij. Met een waaier wuifde ze koele lucht over haar huid. Het voelde aangenaam. Langzaam gleed haar andere hand over haar borsten naar beneden, over haar buik. Daar bleef haar hand rusten op de zachte welving die Dirk liefkozend 'haar Arabische buikje' had genoemd. 'Je hebt het lichaam van een buikdanseres, Haasje. Perfect om een man te plezieren.'

Met de maan op haar netvlies, sloot ze haar ogen en droomde weg. Ze moest in slaap gevallen zijn, want plotseling stond Dirk voor haar, zo duidelijk dat ze hem aan kon raken. Zijn lippen bewogen maar ze hoorde zijn woorden niet. Ze wilde opstaan om hem te begroeten, toen ze merkte dat hij in gesprek was met haar vader en Rob Kramer die achter de openslaande deuren naar het balkon stonden. Aandachtig luisterden ze naar wat Dirk hen te vertellen had. Opeens werd haar vader kwaad. Hij draaide zich om, in zijn hand had hij een groot mes. Rob Kramer maakte afwerende gebaren met zijn armen toen Leendert Hendrikse als een grote kat met een sissend geluid op Dirk afsprong. Dirk viel boven op haar. Ze kreeg haast geen adem. Bijna stikte ze onder het gewicht van de worstelende mannen toen Jean Paul de twee uit elkaar trok. Naar adem happend schoot ze overeind en zag de heldere maan die de donkere zee met een zilveren sluier bedekte.

DEEL VIII

Hij had haar altijd voor lief genomen, haar liefde voor hem als een vanzelfsprekendheid beschouwd.

Zomer 1991

Bella

Door het openstaande raam zweefden geluiden van spelende kinderen haar slaapkamer in. Het deel van Barcelona waar zij woonden was onderdeel van de wijk 'Eixample', de stedenbouwkundige uitbreiding van het kleine dorpje Barcelona in het midden van de negentiende eeuw, waar achter ieder blok met massale gebouwen een vierkante leegte was ontstaan. De gemeenschappelijke achterkant van de appartementencomplexen was vaak een oase van rust, waar het geluid van de stad verwerd tot een vaag geruis op de achtergrond.

De zomer was op zijn hoogtepunt en de hitte was rond dit uur bijna ondraaglijk. Meteen nadat de kinderen naar hun kamer vertrokken waren voor de siësta, was ze zelf ook gaan liggen. Ze was vrijwel meteen in slaap gevallen. Door het warme weer leefde Barcelona 's avonds laat pas weer op. Vanaf elf uur werd er gegeten en daarna was de nacht nog jong.

Bella had tot vijf uur die morgen gedanst in 'Up and Down'. De dunne bandjes van haar schoenen hadden blaren veroorzaakt. Ze rekte zich uit en wreef over haar pijnlijke voeten. Ze zou de komende dagen alleen maar slippers kunnen dragen. Ze ging op de rand van haar bed zitten en luisterde naar de geluiden in het appartement. Het was nog stil. De kinderen sliepen waarschijnlijk nog.

Jean Paul was die morgen naar Madrid vertrokken voor de laatste gesprekken over de verkoop van zijn bedrijf. Bijna vanzelfsprekend was ze opgebleven om met hem te ontbijten voordat hij vertrok. Ze hadden aan de keukentafel gezeten en hij had haar gevraagd hoe haar avond was geweest. Bella merkte dat hij de laatste tijd opvallend veel interesse toonde in haar uitgaansleven. Misschien paste de rol van kinderoppas toch minder goed bij hem.

Zoals te verwachten, was Elody Casteurs uitermate ontstemd over de voorgenomen verkoop van het bedrijf van haar zoon.

Tot Bella's stomme verbazing was Jean Paul, na haar dreigement het contract van Elody Mode met zijn bureau te verbreken, nog vastberadener geweest in zijn besluit het bedrijf van de hand te doen. De uiteindelijke kink in de kabel naar zijn sabbatical waren de kopers zelfs geweest. Voorwaarden voor de koop waren dat Jean Paul het bedrijf naar Madrid zou verplaatsen en zelf nog twee jaar als directielid zou aanblijven.

De verhuizing zou na de zomervakantie plaatsvinden. De kinderen konden dan gelijk het nieuwe schooljaar meedraaien op het 'Colegio' in Madrid. De ouders van Christina, de grootouders van Edu en Nuria hadden verheugd gereageerd op de verhuizing. Alleen Bella had nog niet besloten of ze mee wilde.

Madrid was groter en mondainer dan Barcelona. In de Catalaanse hoofdstad was ze een bekendheid. Ze had de baan voor het Catalaanse televisieprogramma niet gekregen, maar Félix Méndez had haar wel een aantal kleinere shows laten presenteren. Vaak werd ze op straat nagewezen en ze was een van de meestgevraagde gasten op feestjes van de Catalaanse jetset. Vanmorgen had Jean Paul haar voor de zoveelste keer verzekerd dat ze welkom was met zijn gezin mee te verhuizen.

Zachtjes werd de deur van haar kamer geopend. Almudena, gehuld in haar lichtblauwe jasschort met wit randje, stond in de deuropening.

'Ah, está despierta...! Hay alguien al aparato...!' De telefoon werd door de hulp nog steeds 'het apparaat' genoemd. Een woord uit lang vervlogen tijden toen de zwarte bakeliet telefoon zich nog beneden bij de portier bevond. Snel stond Bella op en liep naar de woonkamer.

'Bella Casteurs, dígame.' Ze hoorde een bescheiden klik. Almu had de hoorn van het toestel in de keuken opgehangen.

'Hola, soy yo, Dolors.' Het wilde niet gelijk dagen van wie de hese stem aan de andere kant van de lijn was. Geduldig wachtte ze af.

'Ik bel u namens José Saavedra, de talentscout van het programma waar u ooit auditie voor gedaan heeft.' Plotseling schoten de man met de witte bril en de oudere assistente haar te binnen.

'Hij zou deze middag graag met u spreken. Schikt het om half acht?' De vrouw was duidelijk gewend dat iedereen zich meteen beschikbaar maakte voor het fenomeen televisie. Even wilde Bella weigeren, maar ze bedacht zich. De man had haar tijdens de heftige discussies over haar gebrekkige Catalaans een knipoog gegeven. Alsof hij wilde zeggen dat hij het allemaal maar onzin vond. Hij was haar sympathiek overgekomen.

'Geen probleem. Zeg maar waar, dan zal ik er zijn.'

Boven bij het kabelbaantje, dat liep van de pier in de haven van Barcelona naar de top van de Montjuic, lag de bar 'Miramar'. Het uitzicht vanaf het brede terras met aardewerken potten vol agaves over het zuidelijke deel van de stad was schitterend, vooral wanneer tegen negen uur de duisternis inviel en de lichten in de stad aangingen. Overdag werd het terras bezocht door toeristen die hier hun foto's van de stad kwamen schieten.

De keuze voor deze cocktailbar kwam Bella vreemd voor, maar ze besloot er geen belang aan te hechten. Het was alleen lastig de locatie te bereiken. De bus ging niet verder dan het indrukwekkende koninklijke paleis onder aan de berg. Daarna moest ze lopen, maar dat was in dit verlaten gebied in de vroege avond niet aan te raden. Ze zou een taxi moeten nemen. Het andere probleem waren de kinderen. Uiteindelijk had Almudena beloofd te blijven tot Jean Paul terug zou komen uit Madrid.

'Señora Casteurs, u bent toch gekomen!' José Saavedra stond op van het tafeltje aan de rand van het terras. Hij zag er anders uit dan die eerste keer in de studio. Warmer en intenser. Het was de witte bril, die had hij nu niet op. Klaarblijkelijk was het vooral een artistiek accessoire.

'Wilt u iets drinken?' Een whisky zonder ijs stond voor hem op het tafeltje op een papieren servetje.

'Een gin-tonic graag.' Hij knipte autoritair met zijn vingers en een in een smetteloos wit geklede ober kwam de bestelling opnemen. Bij het lage tafeltje stonden twee ouderwetse rieten stoelen. Behoedzaam ging Bella zitten. Ze had een dunne zomerjurk aangetrokken en wilde haar jurk niet aan een spijkertje in het riet beschadigen. Ze leunde achterover en kruiste elegant haar slanke benen. Saavedra was weer gaan zitten en keek haar goedkeurend aan. Zonder haast liet hij zijn blik over haar lichaam glijden. Toen haar drankje gebracht werd en zij dit naar hem optilde, raakte hij het met zijn glas even aan.

'Ik wil met u drinken op de mooie dingen in het leven.' Hij liet zijn stem opzettelijk een paar tonen zakken.

'Dat is een waardige toast,' antwoordde Bella neutraal. Ze dronken een paar slokken. Het voelde aangenaam, de blikken, de gin-tonic, het uitzicht. Plotseling had Bella geen haast meer te horen waarover de scout haar wilde spreken. Ze genoot van het moment. Ontspannen leunde ze achterover. Saavedra zei niets, maar keek haar onderzoekend aan. Het leek alsof hij een intrigerend raadsel probeerde op te lossen. Bella staarde terug zonder iets te zeggen. Plotseling begon hij te praten.

'Heb je onze directeur van TV3 nog proberen over te halen?' Meer nog het ongevraagde tutoyeren dan de directe vraag zorgde ervoor dat ze meteen op haar hoede was.

'Nee, waarom vraag je dat?' Ze besloot hem met gelijke munt terug te betalen.

'Ik kon het aan je ogen zien.' Eerst wilde ze protesteren, maar toen bedacht ze zich. Ze glimlachte en zei: 'Had het een verschil gemaakt?' Nu was het zijn beurt om te glimlachen.

'Félix kennende had je een goede kans gemaakt. Maar ik ben blij dat je het niet gedaan hebt. Het is het niet waard.' Hij nam een paar slokken van zijn whisky voor hij verder ging. Intussen nam hij rustig de tijd haar te observeren. 'Nee Bella, er is iemand die denkt dat je veel meer waard bent.' Hij negeerde haar verbaasde blik en ging door. 'En ik ben van mening dat hij gelijk heeft.'

'Hij?'

'Ja, maar ik kan je voorlopig niet vertellen wie hij is.' Ongeduldig door de wending die het gesprek nam, schoof Bella onrustig heen en weer in de rieten stoel zonder aan de spijkertjes te denken.

'Waar gaat dit over? Is dit een ordinaire versierpoging of gaat het gesprek ergens heen?' Voor het eerst leek de scout zijn pose te verliezen.

'Nee. Hoewel de gedachte aan ons samen in een hotelbed geen onplezierige is.' Hij glimlachte weer. 'Je bent voorgedragen voor de hoofdrol in een film.'

'Een film? Wat voor een film?' vroeg ze nieuwsgierig.

'Een speelfilm.' Hij ging verzitten, leunde met zijn ellebogen op z'n knieën en keek haar enthousiast aan. 'Het gaat om de verfilming van een boek van Hemingway, *For Whom the Bell Tolls*.'

'Dat boek is al eens verfilmd.' Verbaasd keek Bella hem aan.

'Ja, in 1943 met Gary Cooper in de hoofdrol.'

'Dus het wordt een 'remake'?'

'Nee, het gaat een nieuwe film worden. In kleur. Opgenomen op authentieke locaties in Spanje. De overheid subsidieert een groot deel.' Hij leunde weer achterover terwijl Bella het nieuws liet bezinken.

'Waarom?'

'De eerste versie laat een groot deel van de politieke boodschap van het boek van Hemingway weg. De Spaanse burgeroorlog werd geromantiseerd. Onze overheid wil de sluier die al die jaren over de tijd van Franco en de Spaanse burgeroorlog gelegen heeft, wegtrekken.' Ondanks de afstandelijke uitleg zag Bella zijn enthousiasme deze film te maken. Nu begreep zij ook de keuze van de locatie. Hij wilde hoog boven het alledaagse, weg van de stadsdrukte, haar vertellen over het verheven doel van de film.

'En de producent van de film, is dat de 'hij'?'

'Ja. Maar uit veiligheidsoverwegingen wordt zijn naam voorlopig geheim gehouden.' Dit was niet verwonderlijk in een land waar de ETA, de vrijheidsbeweging van het Baskenland, nog steeds kans zag een aantal keren per jaar een bloedige aanslag te plegen.

'Mag ik de rol van Pilar spelen?' vroeg ze voorzichtig. Het was een rol die de actrice Katina Paxinou indertijd een Oscar voor de beste bijrol had opgeleverd.

'Nee, je krijgt de rol van Maria.' Bella's mond viel open. Maria was gespeeld door Ingrid Bergman die voor haar rol een Oscar voor de beste hoofdrol had ontvangen. Dit had ze nooit verwacht.

'Maar ik heb nog nooit in een film gespeeld!' zei ze eerlijk.

'Dat hindert niet. Wij denken dat je het snel zult leren. Guapa, dit is de kans van je leven!' Voor het eerst kreeg ze uit het niets een kans aangeboden. Het was bijna te mooi om waar te zijn. Achterdochtig keek ze hem aan.

'Wie zijn 'wij'?'

'Je zult hem binnenkort ontmoeten, Bella. Niet zo ongeduldig.' Hij keek afwezig naar de haven die ver onder hen lag. Zijn nonchalante houding maakte haar nerveus. Wat als het een grap bleek? Opeens kwam een vreemde gedachte bij haar op. Stel dat haar moeder hier achter zat. Elody was niet gelukkig geweest met de beslissing van Jean Paul. Misschien had ze haar zinnen nu wel op haar dochter gezet, was het haar beurt om succesvol te zijn. Moeder had veel invloedrijke vrienden en kennissen. Ze had maar zo een telefoontje kunnen plegen. Mismoedig stelde ze zich het gesprek voor: 'Luister eens, chérie, ik heb een dochter met een middelmatig talent. Je zou mij geweldig helpen haar een kansje in een van je films te geven' – 'nee, geen Hollywood, gewoon een lokale productie' – 'in Spanje? Ach, laat dat nou goed uitkomen, daar woont ze momenteel' – 'foto? Ja, ik stuur je wel wat foto's' – 'bien sur, dan ontwerp ik gratis de kleding voor je volgende film' – 'à bien tôt, Philip.'

Ze zuchtte verdrietig. Nu pas merkte ze hoe graag ze haar moeder zou willen vertellen dat ze een hoofdrol in een film had. Saavedra hoorde haar zucht, maar interpreteerde deze verkeerd.

'Maak je niet ongerust. Hij heeft je al een keer zien optreden en is zeer onder de indruk van je talent. En dat is genoeg om de financiën voor deze productie rond te krijgen. Zullen we gaan eten?' Hij stond op en pakte haar hand.

'Wanneer zie ik hem?'

'Dit weekend. We komen je wel ophalen om naar hem toe rijden.'

Later die avond trof Jean Paul een opgewonden zus aan. Ze kon zich nauwelijks beheersen.

'Broer, het is geweldig maar je hebt gelijk gehad!'

'Dat is leuk om te horen, maar mag ik weten waarover?'

'Dat ik op mijn capaciteiten moest vertrouwen!'

'Oh, heb ik dat gezegd?' zei hij plagend.

'Ja, dat was jij.' Ze keek hem streng aan. 'En ik heb geweldig nieuws.'

'Nou, laat me niet langer in spanning.' Hij was naast haar gaan zitten op de comfortabele sofa en streek een lok van haar blonde haar uit haar gezicht. Ze keek hem opgewonden aan.

‘Ze hebben me gevraagd voor de hoofdrol in een speelfilm. In *For Whom the Bell Tolls*.’

‘Van Hemingway?’ vroeg hij enthousiast.

‘Ja, een ‘remake’. Vind je het niet geweldig?’ Geamuseerd keek Jean Paul haar aan. Weg was de koele blonde elegante Bella. Door haar enthousiasme leek ze opeens jaren jonger. Plotseling schoot hem iets te binnen wat hem die zondagavond bij ‘El Nogal’ had beziggehouden.

‘Bella, mag ik je iets heel persoonlijks vragen?’ Ze keek hem verbaasd aan.

‘Natuurlijk, jij altijd!’ Op dit moment was de wereld licht en vrolijk, niets kon haar deren.

‘Het is misschien wel heel vreemd, maar je was zo heerlijk in gesprek met Hazel, met die vriendin van je, en toen dacht ik...’

‘Ja, ik zag je staren. Dacht je ‘dat is een mooie vrouw’?’ Het was nu haar beurt om hem plagend aan te kijken.

‘Nee. Heel eerlijk, Hazel is een mooie vrouw, maar niet echt mijn type. Ik dacht eerder...’ Weer maakte hij zijn zin niet af. Bella trok haar wenkbrauwen op en keek hem vragend aan. Haar broer werd rood tot zijn haargrens en keek naar zijn handen. Opeens keek hij haar recht aan.

‘Het is eigenlijk zo dat ik je nooit echt met een vriend gezien heb. Behalve dan natuurlijk die enkele keer dat je met een man geslapen hebt – ze moest lachen om zijn ouderwetse uitdrukking – om... nou ja, om gedaan te krijgen wat je wilde.’

‘Je wilt weten of ik wel echt in seks geïnteresseerd ben, Jean Paul?’ Ze voelde waar hij heen wilde, maar kon het niet laten om het hem te laten zeggen.

‘Nee, dat niet. Nou ja... eh, wel in seks – zijn hoofd werd nog een tint roder – maar dan misschien met iemand van je eigen sekse.’ Het hoge woord was eruit.

‘Omdat je mij nooit met een vriend gezien hebt?’

‘Ja, maar het is geen probleem, hoor. Ik vind het prima als het zo is.’ Ongemakkelijk schoof hij heen en weer. Hij vond het vreemd zijn zus nooit onder liefdesverdriet te hebben zien lijden of helemaal halsoverkop verliefd zien zijn. ‘Nee chérie, ik val niet op vrouwen. Hoewel ik Hazel een bijzonder leuke en boeiende vrouw vind. Er gaat een zekere stoere, sexy kracht van haar uit, waar ik best jaloers op ben.' Ze dacht even na. 'Nu je het zegt, je hebt gelijk dat ik op sterke vrouwen val.' Opgelucht dat Bella het zo sportief opnam, pakte Jean Paul haar hand. Nadenkend ging Bella verder. 'Op haar manier is Mickie ook een sterke vrouw. Als je ziet wat die kleine allemaal in haar eentje voor elkaar bokst. En dan heeft ze ook nog eens het vriendinnetje van haar ex met haar kindje onder haar hoede genomen.'

'Inma?' vroeg Jean Paul verbaasd.

'Ja, wist je dat niet?'

'Nee, en dat kindje is dat van die ex van Mickie?'

'Ja, vind je het niet ongelooflijk?' Haar mening over 'die kleine pensionhoudster' was bij het laatste bezoek geheel veranderd. Opeens keek Jean Paul zijn zus recht aan.

'Het maakt voor mij echt niet uit, Bel. Het is alleen... Sinds Christina weg is... weet ik hoe kostbaar een relatie is.' Het was haar beurt om zijn hand te pakken.

'Jean Paul, ik ben nog te veel met mezelf bezig om me te binden. Liefde komt voor iedereen wanneer hij of zij daar klaar voor is.' Ze moest lachen.

'Mijn liefde is het toneel, en dat is een zeer veeleisende minnaar!'

Hazel

Het gesprek in Cartagena was beter verlopen dan ze had kunnen denken. Met het geld van Mickie was ze in staat geweest een paar dagen langer in het hotel te blijven en een auto te huren. Ze had eerst de buurt afgezocht naar constructiebedrijven die haar zouden kunnen helpen en langzaam was het idee ontstaan. Het was slechts een kwestie van combineren geweest. De grondstoffen waren aanwezig, het ontbrak de mensen alleen aan ervaring en kennis. De volgende dag, aan het einde van een lange vergadering, had Hazel haar voorstel gedaan. Haar bedrijf zou de engineering voor het project leveren. De constructie kon gemaakt worden bij een lokaal metaalbedrijf. Haar voorstel was een schot in de roos.

Ze durfde het niet te laten merken, maar gelukkig had señor Gilarranz van het havenbedrijf erop gestaan de hotelrekening en het copieuze diner te betalen.

Bij terugkomst in het pension was haar jubelstemming echter verdwenen. Ze moest Pieterse zo ver zien te krijgen een van zijn beste tekenaars naar Cartagena te sturen. Ze had een week de tijd, dat was de eis. Met lood in haar schoenen nam ze de hoorn van de telefoon en draaide het nummer van kantoor. De opgewekte stem van Marjolein de Jong klonk aan de andere kant.

'Pieterse? Nee, die zit al de hele week in Londen.' Snel dacht Hazel na. 'Kun je me dan doorverbinden met Rob Kramer?'

'Rob?' klonk het verbaasd. 'Ik dacht dat Rob bij jou was.'

'Bij mij? Hoezo?'

'Hij is een aantal dagen geleden naar het buitenland vertrokken. Hij heeft zelf zijn reis geboekt, maar ik had begrepen dat hij naar jou toe ging.'

'Ehhh... nee. Tenminste, ik heb hem nog niet gezien.' Hazel aarzelde. Misschien was Rob inderdaad in Spanje maar had hij redenen om haar niet van zijn bezoek op de hoogte te stellen. Het kon ook zijn dat naar aanleiding van haar bezoek aan het hoofdkantoor, Pieterse gesommeerd was naar Londen te komen. Maar waar was Rob dan naartoe? Koortsachtig dacht ze na. Stel dat ze Pandora's doos had geopend, wat moest er dan van haar en haar vestiging terechtkomen? Haar hersens werkten op topsnelheid.

'Wil je me een plezier doen en me doorverbinden met Willem?'

'Ik zal hem voor je omroepen,' klonk het opgewekt.

'Oh en Marjolein, boek gelijk even een vlucht voor hem naar Cartagena.' Hazel pauzeerde even, toen voegde ze er heel autoritair aan toe: 'En geef hem duizend gulden reiskosten mee.'

Een uur later had ze alles geregeld. Willem had genoeg ervaring om de praktische details uit te denken. Roger had haar een van zijn tekenaars geleend die samen met haar naar Cartagena zou rijden. Als ze vannacht door reden, kon ze morgenochtend Willem van het vliegveld halen en dezelfde dag nog aan de slag. Ze had Gilarranz gebeld, hij zou de kadastrale tekeningen voor haar klaar leggen zodat ze geen kosten hoefde te maken voor het inmeten. Het zou haar dan hoogstens een paar maaltijden kosten, een avondje stappen met Roger en tien procent van de opbrengst voor de diensten van de tekenaar.

Mickie

Zo geruisloos als MacAllister vertrokken was, zo geruisloos was hij op een dag weer terug. Hij had zijn oude kamer betrokken en zijn dagelijkse routine van ontbijt, een uurtje wandelen en daarna in zijn kamer verdwijnen, weer hervat. Glimlachend keek Mickie naar de gebogen gestalte in het warme tweedjasje die het kustpad op kwam zwoegen. Ze hadden weinig woorden met elkaar gewisseld sinds de verdwijning van de kinderen en zijn heldhaftige optreden, maar er was een soort stille vriendschap tussen hen ontstaan. MacAllister liet haar met rust en zij schermde hem af van haar lawaaierige pensiongasten. Soms, wanneer hij alleen aan een tafeltje op het avondeten zat te wachten, keek hij doodstil zonder uitdrukking op zijn gezicht naar de jonge gasten. Het was een blik die ze niet kon duiden. Soms leek het alsof de aanblik van de groep mensen hem pijn deed. Op dat soort momenten bracht ze hem vaak ongevraagd een glas whisky. Hij keek haar dan dankbaar aan, zonder iets te zeggen.

Ze draaide zich weer om naar het glossy tijdschrift op haar bureau. Vijf hele pagina's waren aan haar restaurant gewijd. Mooie foto's van borden met geraffineerd opgemaakte gerechten sierden de pagina's. Op één foto stond ze met Inma naast zich stralend achter het grote fornuis. De buitenkant van 'El Nogal' was groot in beeld gebracht, het interieur van het restaurant was echter in sfeerbeelden van een gedekte tafel weggewerkt. Aan het gezicht van de fotograaf was de staat van haar eetzaal af te lezen geweest. De aftandse stoelen en tafels, de saaie muren en wanden in degelijke ouderwetse kleuren, het ontbrak het restaurant aan een spannende uitstraling.

De journalist had haar toevertrouwd dat restaurants waarover in het tijdschrift geschreven werd, steevast een tijd later anoniem bezocht werden door een inspecteur van het rode gidsje. *La guía MICHELIN* had hij haar toegefluisterd, had al bijna negentig restaurants in Spanje met een ster bedeeld. En zij was een belangrijke gegadigde. Maar dan moest er nog veel gebeuren. Niet alleen het eten werd gekeurd, de inspecteur nam ook de ambiance mee in de beoordeling.

Even twijfelde ze. Een ster krijgen was één ding, een ster behouden was moeilijker. Wat als ze hem na een jaar weer verloor! Ze pakte een stuk papier en telde de kosten op die ze moest maken om het restaurant de keuring te laten doorstaan. Nieuw meubilair, de schilder, de verlichting die anders moest. Het bedrag dat op het papier verscheen, was vele malen hoger dan ze gedacht had. Bijna 1.600.000 peseta's en dat was maar een schatting. Peinzend keek ze voor zich uit. De bank zou haar niet het hele bedrag willen financieren, ze zou minstens een miljoen zelf mee moeten brengen. Inma had haar die avond waarop ze plotseling met de kleine Conche in de receptie gestaan had, verteld dat ze geld had en wilde investeren. Maar wat als ze van gedachten veranderd was of wanneer ze plotseling weer weg wilde? Hoe zou ze haar dan terug kunnen betalen?

Ze liep naar de kledingkast in haar slaapkamer en zocht naar het kistje waarin ze haar spaargeld bewaarde. Het was helemaal achter in de kast geschoven. Ze ging op haar knieën zitten en pakte het op. De sleutel stak nog in het slot. Vreemd, ze wist zeker dat ze de laatste keer toen ze geld voor Hazel gepakt had, de sleutel weer opgeborgen had in het laatje van haar nachtkastje. Daar lag de sleutel normaal tussen vele andere sleutels. Een akelig gevoel kroop via haar maagstreek omhoog naar haar keel, ze kon bijna niet meer ademen. Ze tilde het deksel op. Een rauwe kreet ontsnapte aan haar keel. Op een aantal akten en brieven na was het kluisje leeg. Al haar geld was verdwenen.

Een uur later trof Inma Mickie met roodomrande ogen aan in haar slaapkamer. Zo had ze haar 'jefa' nog nooit meegemaakt. Geschrokken rende ze naar haar toe.

'Mickie, wat is er gebeurd?' Sinds ze in 'El Nogal' was komen werken en wonen, noemde ze Mickie bij haar voornaam. 'Jefa' was een titel uit het verleden die bij het witte hotel in Rosas hoorde. Hier stonden de twee vrouwen op gelijke voet. Even leek Mickie te twijfelen, toen schudde ze haar hoofd alsof ze een nare gedachte wilde verdrijven.

'Ik ben bestolen. Al het geld dat ik het afgelopen jaar gespaard heb, is weg.' Nu was het de beurt aan Inma om geschokt te reageren.

'Maar hoe kan dat? Wie...? Hoe kan dat nou?'

'Ik weet het niet.' Verslagen haalde Mickie haar schouders op.

'Was het veel?' De impertinente vraag was zo oprecht bedoeld dat Mickie Inma zonder zich beledigd te voelen gelijk antwoordde.

'Ja, bijna achthonderdduizend peseta's.' Inma floot.

'Joder, wie bewaart dat nu in een kistje?'

'Ik. Ik heb het al twintig keer naar de bank willen brengen en steeds vergat ik het.'

'Joder.' Zachtjes liet Inma de krachtterm ontsnappen. 'Dit moet pijn doen, Mickie.'

'Ja.'

'Had je de sleutel erin laten zitten?'

'Nee, ik weet zeker dat ik die opgeborgen had.'

'Zeker?'

'Ja, heel zeker.'

'Joder.' Voor de derde keer vloekte Inma. Iemand die wist waar Mickie de sleutel verstopte, had het kistje opengemaakt en het geld meegenomen. De vrouwen keken elkaar aan. Na een poosje vroeg Inma: 'Waar berg je de sleutel normaal gesproken op?'

'In het laatje van mijn nachtkastje,' antwoordde Mickie gelaten, ze wist de volgende vraag al.

'Wie hebben er allemaal toegang tot jouw slaapkamer, Mickie?'

'Zo'n beetje iedereen. Je weet toch dat mijn deur voor iedereen open staat.'

'Ja, maar wie weet waar jij je geld bewaart?' In gedachten vinkte Mickie de mensen af die van haar kluisje af wisten. Hazel in ieder geval. Inma aan haar reactie van daarnet te zien, niet. Merche? Had het kamermeisje haar soms in stilte geobserveerd? Of had MacAllister haar de dag na de verdwijning van de kinderen beroofd en was hij daarom plotseling verdwenen? Hij wilde altijd alles contant betalen. Of was het een van de andere pensiongasten? Roger met zijn onschuldige pagekapsel? De stotterende Duitser? Jean Paul die uitgeput op haar bank had liggen slapen? Haar hart bonkte. Martínez de aannemer, hij had haar maanden geleden geld uit het kluisje zien halen om hem te betalen. Hij kende het pension op zijn duimpje, hij kon gewacht hebben tot ze genoeg gespaard had. Weer schudde ze haar hoofd. Nee, Martínez was misschien een lompe 'paleta', maar geen crimineel. Plotseling stond haar hart stil. Glashelder zag ze voor zich wie het geld had gestolen. Ze liep naar haar bureau en ging op zoek naar het telefoonnummer van inspecteur MontRoig.

Een bescheiden klopje op haar deur deed de beide vrouwen opschrikken. Het hoofd van MacAllister verscheen om de hoek. Hij kuchte verlegen.

'Mrs. Jarvis, could I have a word?' Mickie keek Inma aan, die zonder een woord te zeggen opstond en de kamer uit liep.

'Wat kan ik voor u doen?' vroeg ze, haar gedachten nog steeds bij haar recente ontdekking. Onhandig stond de man midden in haar woonkamer. Mickie voelde zijn onrust en stond op van het bed en liep naar de woonkamer. Ze sloot de deur die uitkwam op de hal waar de receptie zich bevond en verzocht hem plaats te nemen op de bank, zelf ging ze tegenover hem in een stoel zitten.

'Ik ben misschien niet helemaal wie u denkt dat ik ben,' begon hij ongemakkelijk. Zijn blik was gericht op het salontafeltje tussen hen in.

'Ik eh... Ik heb uw pension dit afgelopen jaar gebruikt als een toevluchtsoord.' Hij keek haar ernstig aan. Langzaam zakte de grond onder Mickie's voeten weg. Was het MacAllister geweest? Had ze toch al die tijd een crimineel in haar pension gehad?

'Wat bedoelt u daarmee?' vroeg ze flauwtjes. Het bleef een tijdje stil.

'MacAllister is niet mijn echte naam.' Hij schraapte zijn keel alsof het hem moeite koste deze bekentenis te doen. 'Ik heet David Spielman.'

Vol ongeloof keek Mickie hem aan. David Spielman was de beroemde filmproducent die drie jaar geleden in opspraak was gekomen toen zijn vrouw en beide kinderen verongelukten bij een tragisch autoongeluk in Florida. Hij had gereden en was de enige die het ongeval overleefde. Boze tongen beweerden dat Spielman gedronken had en de dood van zijn gezin op zijn geweten had. Geen wonder dat hij hier in een onbekend pension in een klein gehucht zijn intrek had genomen. Daarom had hij contant betaald, hij wilde niet getraceerd worden door uitgaven met een creditcard. Plotseling zag ze zijn gezicht voor zich, die ochtend dat hij met de kinderen was komen binnenwandelen. Hij had toen een blik gehad die het midden hield tussen pijn en opluchting. Opluchting dat hij de kinderen had kunnen redden en pijn bij de gedachten aan zijn eigen kinderen.

'Wat spijt me dat.' De woorden waren eruit voordat ze goed na kon denken, maar Spielman begreep wat ze bedoelde.

'Ja, het is het ergste wat je kan overkomen.' Verdrietig keek hij haar aan.

'Is het waar? Is het waar wat er geschreven werd in de bladen?' Ze vond dat ze recht had op de waarheid.

'Ja, ik had gedronken. Een, twee whisky's. Niet genoeg om mijn rijvaardigheid te beïnvloeden, maar je weet hoe men in Amerika kan reageren op alcohol.' Mickie glimlachte even wrang. Als dochter van ouders die een pub hadden, wist ze dat mensen verschillend op alcohol konden reageren. De een was na één biertje dronken, de ander kon tien glazen op voordat het enig effect had.

'Maar dan nog,' ging ze verder. 'Een auto raakt niet vanzelf in de slip en rijdt tegen een tegemoetkomende auto.'

'Nee... eh, we hadden ruzie.' Ongemakkelijk schoof hij heen en weer op de bank. Zijn vingers speelden nerveus met de grand foulard.

'Volgens de roddelbladen waren jullie het perfecte stel,' zei Mickie met zachte stem.

'We leken ook het perfecte stel.' Hij haalde diep adem en zuchtte. Mickie zei niets en wachtte af. Na een poosje keek hij op.

'Het was weer een van de vele ruzies waarbij Anne-Lyn helemaal door het lint ging.' Mickie zag voor het eerst dat zijn ogen heel donkergroen waren, zo groen als de zee wanneer er slecht weer op komst was. 'De kinderen zaten achterin. Het was de zoveelste vreselijke ruzie die ze meemaakten. Ik waarschuwde haar niet verder te gaan en te wachten tot we thuis waren en de kinderen op bed lagen. Maar ze wist van geen ophouden.'

'Waar ging de ruzie over?' Ze stelde de vraag niet uit nieuwsgierigheid maar eerder om een beeld te krijgen van het leven van het echtpaar en het dilemma waarin hun huwelijk gevangen zat. De vraag bracht Spielman even van zijn stuk. Hulpeloos keek hij haar aan, zijn ogen werden vochtig.

'Anne-Lyn had zich ooit voorgenomen de perfecte echtgenote van 'de grote David Spielman' te zijn. Alles moest daar voor wijken. Onze kinderen kwamen op de derde plaats. Voor de buitenwereld vormden we het perfecte plaatje van een gelukkig gezin in een prachtig huis met de juiste auto, honden, vakanties. Ze kon geweldige feesten organiseren waarbij ze iedereen die belangrijk was voor mijn werk uitnodigde. De kinderen verschenen dan als goed opgevoede marionetten op het juiste moment op het toneel om de gasten te begroeten en werden even later wanneer voldoende effect bereikt was, weer afgevoerd naar hun slaapkamer waar ze hun avondeten op een blad geserveerd kregen. Zij was mijn rechter- en linkerhand, mijn verlengstuk,' zei hij wrang. Na een poosje: 'Ik was haar eigendom en ik heb het laten gebeuren.'

'Deze situatie lijkt mij ideaal,' zei Mickie droog. 'Dat is toch wat iedere man zich wenst?'

'Ja,' reageerde hij kortaf op haar spottende opmerking. 'Daar heb je gelijk in. Maar op het laatst leek ze een parasiet die alleen kon leven door zich aan mij vast te zuigen.'

'Dat was natuurlijk niet de reden van jullie ruzies.' Mickie liet niet los.

'Nee, ik deed wat alle mannen doen als ze zich gevangen voelen.'

'Vriendinnen?'

'Ja.'

'Hoofdrolspeelster?'

'Zo liet ik mijn verzet merken. Ja, hoofdrolspeelsters.'

'Slap.'

'Ja Mickie, zo zijn mannen. Wij houden niet van lange gesprekken met eindeloze argumenten over en weer, wij stellen daden.' De herkenning voelde als een pijnscheut in haar maagstreek. Ze haalde fel uit.

'Wij begrijpen meer dan jullie denken.' Hij keek haar oplettend aan, alsof hij op dat moment de pijn kon zien die zij voelde en voor hem verborgen hield.

'Mickie, jij bent een zelfstandige vrouw. Ik weet zeker dat een man, wanneer hij oprecht zijn gevoelens toont, er met jou altijd uitkomt. Ooit heb ik me laten vertellen dat er een aantal archetype vrouwen zijn, de onkwetsbare, de kwetsbare en de supervrouwelijke. Jij hoort bij de eerste groep vrouwen Mickie, de onkwetsbare. Vrouwen die niet afhankelijk zijn van een man om hun geluk te vinden. Anne-Lyn was niet zo, ze leunde op mij om zich gelukkig te voelen.'

Spielman schraapte zijn keel en ging toen verder.

'Maar helaas was ik niet alleen mijn parasiet, maar ook mijn kinderen kwijt. En dat is het ergste wat een mens kan overkomen.' Voor de tweede keer die middag viel er een lange stilte. Het klokje aan de muur tikte rustig door en met de tijd vergleed ook de pijn.

Opeens klonken er voetstappen achter de deur naar de receptie. Mickie stond op, maar toen ze de deur naar de hal opende, was er niemand. Onverrichter zake liep ze terug, deze keer liet ze de deur naar de hal open staan. Spielman keek naar haar bedachtzame blik.

'Verwachtte je iemand?'

'Ja, inspecteur MontRoig.'

'MontRoig? Die akelige man die toen...'

'Ja, die.' Haar antwoord was kort.

'Wat heeft hij hier te zoeken? Je verdenkt mij toch niet van vreemde praktijken?' Zijn groene ogen keken haar plagend aan.

'Nee, het is iets anders. Ik ben bestolen en ik heb hem gebeld om dit te melden.' Hij merkte dat ze niet meer kwijt wilde.

'Veel?'

'Ja, al mijn spaargeld. Al het geld dat ik nodig had om dit pension om te bouwen in een klasse restaurant.' Het klonk bitterder dan ze gewild had.

'Maar wie...?' Maar voordat hij zijn vraag kon stellen, viel Mickie hem in de rede.

'Spielman, je had iets waarover je met me wilde praten als ik me goed herinner.'

'Ja, en ik wil graag dat je mij gewoon David noemt. Ik heb een voorstel dat ik graag met je wil bespreken.'

Hazel

Met een tevreden zucht stopte Hazel de vette rekening voor het havenbedrijf van Cartagena in een envelop. De eerste aanbetaling voor drie dagen werk, de rest zou komen wanneer ze het hele plan voor de engineering ingediend had. Het was haar gelukt. Met maar drie mensen. De boerse Willem die alleen Nederlands sprak en daarom zwijgend bij de gesprekken gezeten had. De Engelse tekenaar Andrew die alleen Engels sprak en via Hazel zijn vragen moest stellen, en dan Hazel zelf. De Cartagenen waren niet op haar voorbereid. Ze hadden zich een voorstelling gemaakt van een zakenvrouw uit het noorden, een efficiente blonde vrouw gekleed in een onopvallend mantelpak. Maar niet van een voluptueuze brunette in een strakke zomerjurk met helrode klaprozen. Toen ze heupwiegend door het havengebied liep om de situatie ter plekke te bekijken, waren de mannen als een colonne eendjes achter haar aan gelopen.

Gilarranz en zijn medewerkers waren na twee dagen al zeer ingenomen met de eerste opzet voor de brugconstructie die als tijdelijke pier moest gaan fungeren. Hazel had het goed ingeschat. Willem wist met zijn jarenlange ervaring de tekenaar exact de oplossing voor de constructie aan te geven. De verdere details zou Andrew op kantoor in Barcelona uitwerken.

Ze liep naar haar badkamer en pakte een flesje knalrode nagellak. Vanavond had ze een dineetje met Roger om hun eerste succesvolle samenwerking te vieren. Een soepelvallende zwarte jurk met gevaarlijk dunne spaghettibandjes hing al klaar. Ze streek even over de verleidelijk zachte stof. Net op het moment dat ze het kwastje in het flesje nagellak wilde dopen, ging de telefoon. Met een geïrriteerd gebaar nam ze op.

'Ja Hazel, met je moeder. Met Stephanie.' Die laatste toevoeging deed Hazel altijd geloven dat ze misschien meerdere moeders had.

'Ha mam, hoe is het daar in het natte Nederland?'

'Goed Hazel.' Tot haar verbazing ging haar moeder niet verder.

Na een korte stilte vroeg ze: 'Is er iets, mam?'

'Nee... eh, nou ja, ik wil iets met je bespreken.'

'Daar is een telefoon heel handig voor.'

'Ja, dat is zo.' Haar moeders stem aarzelde. Plotseling bekroop haar een akelig gevoel.

'Er is toch niets mis, mam. Gewoon zeggen, hoor.'

'Nee, nee lieverd. Er is niets mis. Het is eigenlijk iets persoonlijks.' Verbaasd keek Hazel naar de hoorn in haar hand. Haar moeder kwam meestal gelijk voor de draad met zaken waar ze mee zat.

'Mam, vertel gewoon wat er aan de hand is. Ik ben geen klein kind meer en je kunt gerust alles met mij bespreken.' Ze lachte hardop. 'Mam, je hebt toch geen soa?'

'Doe niet zo raar. Bah, waarom moet je altijd met van die rare opmerkingen komen?' Hazel wist dat ze hiermee haar moeder uit de tent kon lokken en wachtte af.

'Nee kind, ik... ik heb sinds een aantal maanden een vriend. En ik wilde weten hoe jij dat vindt.'

'Goh, wat leuk! Maar wat is het probleem dan? Of is hij soms heel jong? Dat is normaal hoor. Tegenwoordig hoor je een vriend te hebben die minstens tien jaar jonger is dan jij.'

'Nee, doe niet zo raar. Hij is... Hij heet Peter en hij is een paar jaar ouder. Hij heeft ook kinderen.' Het was even stil. 'Hazel, we denken erover samen te gaan wonen.'

Langzaam drong het tot Hazel door. Haar moeder had een relatie. Na al die jaren had ze iemand gevonden waar ze mee wilde samenwonen. Stephanie had de gedachten om weer samen te komen met haar vader eindelijk opgegeven. Plotseling voelde ze zich verdrietig. Haar ouders hadden in werkelijkheid haar losgelaten. Ze hadden allebei gekozen voor hun eigen geluk terwijl zij hier in dit moeizame land in haar eentje bezig was te bewijzen dat ze bestaansrecht had.

'Wat ben je stil, Hazel? Ben je boos, vind je het vervelend dat ik je over mij en Peter vertel?'

'Nee mam, ik ben erg blij voor je.' Haar stem klonk zacht.

'Ja, ik weet dat het soms raar kan lopen. Eerst zag ik het helemaal niet zitten. We zijn elkaar tegengekomen in de supermarkt nota bene.

Hij hielp mij het laatste kuipje crème fraîche van het bovenste schap van de koeling te pakken. Daar kon ik niet bij. Eigenlijk had hij ook een kuipje nodig. Maar ze waren op. Ik zei hem toen dat ik maar de helft nodig had, waarop hij voorstelde het bij mij thuis in tweeën te delen. Moet je voorstellen, Hazel, wij samen in de keuken met dat kuipje.' Hazel glimlachte even bij het idee.

'Toen stelde hij voor om een keer uit te gaan. Ik wilde eigenlijk 'nee' zeggen, maar voordat ik het wist had ik 'ja' gezegd. En van het een kwam het ander. Echt, het was nooit mijn bedoeling. Maar hij is zo aardig en we hebben het zo gezellig samen. Op zaterdagmorgen gaan we samen naar de markt en daarna drinken we koffie bij 'De Zalm'. Ik zou het voor geen goud meer willen missen.'

'Ja, leuk samen boodschappen doen. En de seks?' vroeg ze plagend.

'Die is goed.' Stomverbaasd hoorde Hazel de overtuigde toon in haar moeders stem. Geweldig, haar moeder had een boeiend seksleven terwijl zij alleen op haar kamer in Spanje zat.

'Jullie vrijen toch wel veilig, hoop ik?'

'Hazel!'

'Straks word ik opgezadeld met een halfbroertje of -zusje waar ik op moet passen als ik in Nederland ben.'

'Ja kind. Wanneer kom je weer naar Nederland?'

'Voorlopig nog niet, ik heb genoeg werk hier. Hoezo?'

'Oh, ik dacht dat je wel een uitnodiging gehad zou hebben voor die huisgenote van je. Hoe heet ze ook al weer. Die met dat rode haar?' Hazel's hart begon sneller te kloppen.

'Jocelyn. Bedoel je Jocelyn?'

'Ja, ik geloof dat ze zo heet. Dat meisje van die familie De Ruyter.' Stephanie snoof verontwaardigd. 'Zo zie je toch maar weer dat die rijke families uiteindelijk toch hun eigen soort zoeken. Ze gaat trouwen met die jongen die bij jullie woonde, die Frans. Zijn vader en de vader van Jocelyn zitten in hetzelfde clubje, volgens mij hebben ze allebei iets met schepen te doen. Zeeschepen, van die grote.'

De stem van haar moeder ratelde door, maar Hazel hoorde haar niet meer. Jocelyn ging trouwen met Frans. Dat had ze nooit kunnen vermoeden. Ze spraken destijds nauwelijks met elkaar en als ze al praatten, was dat over het feit wie er die week corvee had. Opeens zag ze Dirk en Jocelyn weer voor zich zoals ze die keer samen in 'De Zalm' aan dat tafeltje bij het raam hadden gezeten. Ze had het beeld al maanden geprobeerd te verdringen. Had Jocelyn na de brief haar interesse in Dirk verloren, zoals Hazel gehoopt had? Of had Jocelyn simpelweg de wens van haar ouders gevolgd? En wat was de rol van Dirk in dit alles? Ze zag zijn jongensachtige gezicht voor zich met het blonde piekhaar, de brede schouders, zijn gespierde lijf. Maar ze zag ook de nonchalante manier waarop hij haar behandeld had. Hij had haar nooit geprobeerd te overtuigen van zijn liefde voor haar. Hij had haar altijd voor lief genomen, haar liefde voor hem als een vanzelfsprekendheid beschouwd. Ze rechtte haar schouders, het was nu niet het moment om zich zielig te voelen. Opeens hoorde ze haar moeder weer.

'Vreemd hoor, dat jij geen uitnodiging hebt gekregen. Vooral ook omdat Dirk 'best man' van Frans is. Hij is niet alleen getuige, hij is ook ceremoniemeester. Frans en hij zijn natuurlijk al oude vrienden. Je weet toch dat ze samen op de lagere school gezeten hebben.'

'Je bent goed op de hoogte,' wist Hazel uit te brengen.

'Nou, dat heeft Dirk me anders zelf verteld.'

'Dirk?'

'Ja, hij kwam vorige week zomaar langs. Met een bloemetje. Hij was net terug uit Amerika en hij vertelde dat hij zich zorgen over jou maakte. Dat je zo hard werkt. Je gaat zo dezelfde kant op als je vader, lieverd. Ik zei pas nog tegen Peter...' Dirk was langs geweest bij haar moeder. Hazel liet de hoorn zakken. Hij was op bezoek gegaan bij Stephanie, terwijl hij altijd tegensputterde als ze voorstelde naar haar moeder te gaan. Waarom had zij geen uitnodiging gekregen voor de trouwerij? Hield Jocelyn dat tegen? Opeens was het haar allemaal duidelijk. Jocelyn trouwde met Frans omdat de familie dat wilde, maar ze wilde eigenlijk Dirk. En ze was niet bereid hem met iemand te delen. Maar wat was zijn rol in het geheel? Waarom was hij bij haar moeder langs geweest?

'Maar dat hij je beslissing respecteert. Dat zei hij.' In de verte hoorde ze haar moeders stem. Ze drukte de hoorn weer tegen haar oor.

'Mam, wat zei hij?' Haar moeder wilde net antwoorden toen de deur openging. Rob Kramer kwam haar kamer binnen.

'Hallo Hazel,' zei hij met een vreemde glimlach. Het beige zomerpak stond hem goed. Hij wilde haar net een zoen op haar wang geven toen hij de hoorn van de telefoon in haar hand zag.

'Oh sorry, je bent aan het bellen.' Hazel voelde zich net als vroeger op kantoor weer betrapt en snel maakte ze een einde aan het gesprek.

'Rob, ik heb geprobeerd je te bellen maar je was...' Opeens keek ze hem achterdochtig aan. Het was bijna vijf dagen geleden dat ze hem op kantoor had proberen te bereiken. Volgens Marjolein had hij in Spanje gezeten, bij haar. Waar was hij al die tijd geweest? Was hij met onderhandelingen bezig waar zij niets van af wist? Waren ze bezig een vervanger voor haar te zoeken? Of was het zijn opdracht haar te controleren? Ze had per slot van rekening bij het hoofdkantoor aan de bel getrokken. Plotseling zag ze de gedachtegang van Shepherd helder voor zich. Een klokkenluider kon natuurlijk zelf de schuldige zijn. Haar insinuaties dat er geld verdween bij PBC, maakten haar heel kwetsbaar. Koortsachtig dacht ze aan de laatste keer dat ze geld ingehouden had om haar vestiging in Spanje in stand te houden. Zou Rob Kramer daar achtergekomen zijn? Nerveus vroeg ze hem plaats te nemen in een stoel bij het raam.

'Ben je net aangekomen, Rob?' Hij antwoordde niet en leek haar vraag niet gehoord te hebben. Zijn blik dwaalde naar buiten. Vanaf het strand dwarrelden de stemmen van de families die zich klaar maakten om naar huis te gaan, haar kamer binnen. Ze probeerde het nog een keer.

'Logeer je in Barcelona? Of vlieg je vanavond weer terug?'

'Nee, ik ben met de auto gekomen.' Ze ging ongemakkelijk in een stoel tegenover hem zitten. Haar luchtige zomerjurk plakte ter hoogte van haar middel aan haar rug. Voorzichtig probeerde ze de stof van haar huid te trekken.

'Heb je plannen voor vanavond, Hazel?' Hij observeerde openlijk haar omzichtige bewegingen, terwijl hij gemaakt elegant onderuit hing in de stoel. Met een Italiaanse Borsalino-hoed had hij door kunnen gaan voor een maffiabaas uit vervlogen tijden. Nee, beter nog, met het blonde golvende haar en het krachtige profiel had hij meer van een Romaans fotomodel. Zo anders dan Dirk. Dirk had een krachtig lijf, maar hij was niet elegant te noemen. Zijn jongensachtige gezicht met het korte blonde haar dat altijd alle kanten op leek te staan, verscheen voor haar. Een heftig verdriet vormde een bal in haar maag. Ze miste hem. Met een resoluut gebaar trok ze haar jurk over haar knieën.

'Ik zou gaan eten met… met een collega.' Hij kruiste zijn benen en keek haar goedkeurend aan.

'Iets waar je niet onderuit kunt? Ik had je graag mee uit genomen.' Zijn blik bleef rusten op haar borsten.

'Het is een zakelijke afspraak.' Ze liet haar lichte stem een aantal octaven zakken en ging koeltjes verder. 'We hebben deze week een grote order binnen weten te halen. Een engineering project. Levert goed geld op.' Ze was niet van plan hem meer informatie te verschaffen. Hij hing nog steeds onderuit en keek haar aan. Opeens ging hij rechtop zitten.

'Het is belangrijk, Hazel. Ik moet wat met je bespreken, iets wat in ons beider belang is.' Bij de laatste woorden voelde ze de paniek weer opkomen. Stel dat hij opdracht gekregen had haar te ontslaan. Maar wat zou zijn belang dan kunnen zijn? Ze wist dat Rob geen man was als Félix Méndez, hij was te zelfingenomen om uit te zijn op een simpele vrijpartij. Hij wilde meer. Maar wat wilde hij, de positie van Pieterse? Ze rechtte haar rug en dacht weer aan Dirk, aan hoe ze hem miste. Het verdriet gaf haar kracht om dit gevecht te winnen. Een zekere roekeloosheid kwam in haar op.

'Wat wilde je me voorstellen? Ik heb nog maar even, daarna moet ik me helaas verontschuldigen.' Even zag ze hem twijfelen.

'Hazel, je weet wellicht dat er onrechtmatigheden bij PBC zijn geconstateerd?' Zijn toon was serieus, weg was de arrogante houding. Waarschijnlijk had Shepherd hem gebeld en van haar bezoek op de hoogte gebracht. Het had geen zin te zeggen dat ze van niets wist omdat ze zelf aan de bel had getrokken. Maar wat had dit met haar te maken?

'Ja,' antwoordde ze op haar hoede. 'Daar heb ik van gehoord.'

'Jouw positie hier zou daardoor in gevaar kunnen komen,' ging Rob Kramer op rustige toon verder.

'Míjn positie?' Hazel staarde hem aan. 'Wat heb ik met deze 'onrechtmatigheden' te maken?'

Zijn slanke handen speelden met een tijdschrift dat voor hem op het salontafeltje lag. Hij leek even te overwegen wat hij haar toe wilde vertrouwen. Toen legde hij het tijdschrift neer en haalde diep adem.

'Hazel, dit zal best pijnlijk voor je zijn, maar jouw Pieterse blijkt niet zo betrouwbaar. Schijnbaar heeft hij geld uit het bedrijf weggesluisd naar een bankrekening in Zwitserland.' De gedachten aan Dirk verdwenen naar de achtergrond, verschrikt keek ze Rob Kramer aan.

'Pieterse? Dat kan niet!'

'Helaas wel. Ik heb net een aantal dagen in Zürich met de fiscale recherche doorgebracht.' Dus daar was hij de afgelopen week geweest.

'Maar Pieterse, hoe is het mogelijk, hij was nooit echt geïnteresseerd in geld. Zijn producten, zijn techniek, die waren belangrijk voor hem.'

'Dat is dan met de jaren veranderd,' zei Kramer kort. Hij sloeg haar gade terwijl ze het nieuws verwerkte.

'Ging het om veel geld?'

'Ja, miljoenen.'

'Vanaf wanneer?'

'Moeilijk in te schatten, maar vermoedelijk is hij hier al een aantal jaren mee bezig.'

'Dat is onmogelijk, Rob. Daar zou ik toch iets van gemerkt moeten hebben?' Toen keek ze hem geschrokken aan. 'Daarom is mijn positie in gevaar.'

'Ja, jij wordt ook verdacht, Hazel.' Dit was het allerlaatste wat ze verwacht had.

'Maar... maar ik weet helemaal van niets. Ik snap niet eens hoe hij geld weg heeft kunnen sluizen. We hadden altijd geld te kort, maar...'

'Rustig maar, ik weet dat je onschuldig bent. Jij zou zoiets nooit kunnen doen, Hazeltje.' Zijn stem klonk teder. Dankbaar keek ze hem aan.

'Nee, ik zou dat niet kunnen. Dat weet je.' Hij boog zich voorover en legde met een geruststellend gebaar zijn slanke hand op haar knie. Hij keek haar diep in de ogen.

‘Maar je zou mij kunnen helpen.’ Hij wachtte haar reactie af. Ze haalde diep adem en veegde een traan die tot haar verbazing over haar wang rolde, weg.

‘Rob, ik wil best getuigen, maar ik weet echt niets. Ik snap nog steeds niet hoe hij dit zonder mijn medeweten voor elkaar heeft gekregen.’

‘Om je naam bij het moederbedrijf te zuiveren, zul je toch voor jezelf op moeten komen, Hazel.’ Ondanks de hitte huiverde ze.

‘Ik durf de confrontatie met Pieterse niet aan. Ik geloof niet dat ik hem in de ogen kan kijken.’

Bij deze laatste opmerking glimlachte hij.

‘Je kijkt te veel televisie. In dit soort zaken hoef je niet achter een hekje in een rechtszaal te getuigen. Je hoeft alleen maar een paar documenten te tekenen.’ Uit de binnenzak van zijn colbert haalde hij een langwerpige envelop en een aantal officieel uitziende papieren.

‘Ik heb alleen een handtekening van je nodig. Dit document gaat naar de rechtbank en vervolgens wordt het proces tegen Pieterse in gang gezet. Mijn rapportage naar het moederbedrijf zal jou geheel vrijpleiten.’ Hij legde de laatste bladzijde op het tafeltje. Op die pagina was alleen haar naam met daaronder een stippellijntje voor een handtekening te zien. Uit zijn andere binnenzak haalde hij een dure vulpen tevoorschijn. Een tweede traan rolde over haar wang. Met de rug van haar linkerhand veegde ze hem weg, terwijl ze de pen aannam.

‘Moet ik de verklaring niet eerst lezen?’

‘Wil je de volle omvang van zijn fraude weten?’

‘Nee, waarschijnlijk niet. Ik kan het me nog steeds niet voorstellen. Pieterse!’ Haar hand zweefde boven het document. Net op het moment dat ze wilde tekenen, ging de telefoon. Geïrriteerd stond Hazel op en liep naar haar bureau.

‘PBC, buenas tardes,’ antwoordde ze bijna automatisch, haar gedachten waren nog bij het document op het tafeltje.

‘Mevrouw Hendrikse, Bill Shepherd hier.’ Hazel zag de onderzoekende blik van Rob Kramer. Snel dacht ze na. Wat wist Shepherd van wat Kramer haar net verteld had? Was hij op de hoogte van de beschuldigingen? Ze zou op kunnen hangen of de telefoon door kunnen geven aan Rob. Haar ogen gingen weer naar het document.

Opeens nam ze een besluit. Ze draaide haar rug naar Rob Kramer zodat hij de uitdrukking op haar gezicht niet kon zien.

'Yes, speaking.'

'Mevrouw Hendrikse, bent u alleen?'

'Yes,' zei ze voorzichtig.

'U bent wellicht in gevaar. Ik moet u ernstig waarschuwen voor Rob Kramer.'

'Hoe bedoelt u?' vroeg ze voorzichtig.

'Na ons gesprek hebben we met hulp van Pieterse vast moeten stellen dat Rob Kramer vanaf het moment dat u naar Spanje vertrokken bent, stelselmatig geld uit het bedrijf verduisterd heeft.' Een ijskoude rilling liep opeens over haar rug.

'Juist, juist,' wist ze zo rustig mogelijk uit te brengen. Achter haar rug bewoog Rob Kramer zich ongeduldig in zijn stoel.

'Maandag verscheen hij niet op kantoor. Wij hebben toen contact opgenomen met Interpol. Hij bleek een oude bekende. Ze hebben zijn spoor kunnen volgen tot Zwitserland, maar sinds gisterenavond is hij verdwenen. Het is mogelijk dat hij op weg is naar u.' Voor de derde keer zei Hazel slechts 'juist'.

'Weest u alstublieft voorzichtig. Deze man is geen lieverdje.' Ze voelde de ogen van Kramer in haar ijskoude rug branden. Zonder zijn argwaan te wekken, probeerde ze zo bedaard mogelijk het gesprek te beëindigen. Het had geen zin Bill Shepherd te alarmeren. Hij zou vanuit Londen weinig kunnen doen om haar te helpen.

'Dank u voor de informatie.' Bill Shepherd was een intelligente man, koud maar zeer slim. 'Daar zat ik net op te wachten. U hebt mij zeer geholpen.' Hopelijk begreep hij de laatste twee zinnen.

Toen ze had opgehangen, draaide ze zich om en liep naar Rob Kramer. Ze negeerde het document en de pen op tafel.

'Wat slordig van me. Ik vergeet helemaal te vragen of je wat wilt drinken. Je zult wel dorst hebben na zo'n lange reis.' Achterdochtig keek hij haar aan.

'Wie was dat?'

'Ach, een Engels vakblad. Ik had gevraagd wat een advertentie in het blad kostte. Maar hun oplage in Spanje vind ik te klein.'

'Hmmm.' Hij leek gerustgesteld. Een koude blik kwam in zijn ogen. 'Hoe weet je trouwens dat ik een lange reis gemaakt heb?'

'Je bent toch met de auto?' antwoordde ze snel. Ze was naar de deur van haar kamer gelopen. 'Wat kan ik voor je halen?'

'Niets. Ik heb liever dat je hier blijft.' Hij stond op en deed een paar passen in haar richting.

'Het is geen moeite hoor!' Uit alle macht probeerde ze haar zenuwen in bedwang te houden.

'Nee. Laten we eerst dit afhandelen. Ik wil je niet van je afspraakje met je collega af houden.' Hij pakte haar bij haar elleboog. Zachtjes maar dwingend duwde hij haar terug naar het tafeltje. Angstig keek Hazel om zich heen. Ze had niets om zich mee te verdedigen, ze probeerde haar arm los te trekken maar zijn hand voelde als een bankschroef.

'Vind je het erg als ik het eerst lees. Ik kan het toch naar je opsturen?' De vriendelijke blik verdween uit zijn ogen. Hardhandig duwde hij haar in haar stoel.

'Ik wil dat je tekent. Nu.' Uit zijn broekzak haalde hij een wapen tevoorschijn en richtte dat op haar hoofd.

'Geen geintjes meer, Hazel. Teken en dan laat ik je met rust.' Hij liep naar haar telefoon en trok het snoer uit de muur. Verbijsterd keek Hazel hoe hij op haar af kwam. Net wilde ze gillen, toen zijn arm haar nek omknelde en hij haar bijna wurgde.

'Tekenen, Hazel.' Met de hand waarin hij het wapen hield, trok hij de sjaal uit haar haren en bond die voor haar mond. Ze spartelde tegen met alle kracht die ze had. Hij hijgde van inspanning.

'Toe Hazel. Je bent tekenbevoegd voor alle transacties van PBC. Dat kreeg ik maar niet voor elkaar bij die halsstarrige Pieterse. Al die tijd heb ik materieel laten verdwijnen en door de verzekering uit laten betalen in Zwitserland.' Hij trok ongeduldig aan het weerbarstige stukje stof. 'Ik kan het alleen maar met jouw machtiging ophalen van de bank.'

Dus dit was zijn plan. Hazel voelde zich ijzig kalm worden. Hoe durfde hij. Met haar vrije hand greep ze de pen van het tafeltje. Ze draaide zich vliegensvlug om en stak hem gevoelig met de punt in zijn nek.

Met beide handen greep hij naar zijn nek. Het wapen viel op de grond en hij liet de sjaal schieten. Hazel schopte het wapen weg en rende naar de deur terwijl ze de sjaal van haar mond trok. Ze rukte de deur open en stuitte in de gang op Inma en inspecteur MontRoig die met open mond naar de verwilderde vrouw keken.

(Politierapport)

Garraf, juli 1991
Verklaring van hoofdinspecteur MontRoig, speciaal afgevaardigde van la Policía Nacional in het plaatsje Castelldefels aan de lompe boeren van de plaatselijke politie.

Op vrijdag 20 juli word ik, hoofdinspecteur Anselmo MontRoig gebeld door de pensionhoudster van 'El Nogal' te Castelldefels, mevrouw Michaela Jarvis, Engels onderdaan, woonachtig in eerdergenoemde plaats, met het verzoek een onderzoek in te stellen naar de achtergrond van Jorge en Mercedes Sanchez. Gezien mijn nauwe relatie met het internationale opsporingsteam van Interpol, kostte het mij slechts een aantal uren om de gewenste informatie voor haar te verzamelen.
Het duo Sanchez dat zich doorgaans uitgeeft voor broer en zus, is in werkelijkheid man en vrouw en opereert door geheel Spanje op dezelfde wijze. Broer Jorge verleidt nietsvermoedende rijke vrouwen en biedt daarna zijn 'zus' aan als hulp in de huishouding. Samen observeren zij hun slachtoffer om uiteindelijk hun slag te slaan. In dit geval was de buit een kleine kluis waarin mevrouw Jarvis haar geld bewaarde. Geen van het echtpaar Sanchez bleek nog in het pension aanwezig. Na een gesprek in de keuken met mevrouw Inmaculada María Josefina Rodríguez (souschef, Spaans onderdaan en woonachtig in het pension), besloot ik de overige pensiongasten te ondervagen.
Mevrouw Inmaculada vergezelde mij naar het gastenverblijf op de eerste verdieping alwaar ik mevrouw Hazel Hendrikse, Nederlands onderdaan en woonachtig in het pension, in ontredderde staat aantrof. Mevrouw Hendrikse beweerde te zijn lastig gevallen door een man in haar kamer. Bij een inval in haar kamer trof ik een uit de nek bloedende buitenlandse man aan in het bezit van een vuurwapen. Ik heb de man, die de Spaanse taal niet machtig bleek, geboeid afgevoerd naar het bureau van de Policía Nacional teneinde hem daar te laten ondervragen.

Nadat de man medische zorg ontvangen had, heb ik aan de hand van zijn papieren vast kunnen stellen dat het hier handelde om de heer Rob Kramer, Nederlands onderdaan en woonachtig in Nederland. De man weigerde enige coöperatie met de nationale politie waarop ik contact opgenomen heb met mijn collega's bij Interpol. Daar bleek diezelfde middag om 18.30 uur een melding binnen gekomen te zijn dat het vermoeden bestond dat de heer Rob Kramer een gevaarlijke oplichter is, die mevrouw Hendrikse lichamelijk letsel zou kunnen toebrengen.
De crimineel Kramer wordt op verzoek van Interpol in hechtenis gehouden, in afwachting van zijn uitlevering aan Nederland.
Van het echtpaar Sanchez is nog geen spoor gevonden. Ik heb diezelfde avond verslag uitgebracht bij de slachtoffers van de misdrijven. Gezien het late tijdstip bood mevrouw Inmaculada mij om 22.30 uur een uitstekende maaltijd aan.
Barcelona, 21 juli 1991
Anselmo MontRoig

DEEL IX

Ze zou de laatste stap nemen, de laatste simpele stap naar haar geluk.

Spanje, februari 1992

Bella

Handenwrijvend liep Carlos Caballero, de coördinator van de filmploeg, de keuken in om te zien of het avondeten al klaar was. Hij bracht een koude avondmist mee de keuken in. Februari leek dit jaar kouder dan normaal. Om half tien 's avonds was het zonder maanlicht koud en aardedonker rondom het pension. In de keuken drongen de geluiden van het afbreken van de rails voor de camerawagen door.

Op een schaal stonden stukken geroosterd boerenbrood overgoten met olie en ingesmeerd met een vers teentje knoflook en tomaat. Snel scheurde hij een stuk van het brood en propte het in zijn mond. Maar net niet snel genoeg. Inmaculada raakte hem met een zware pollepel gevoelig op zijn hand.

'¡Basta ya! Zo kan het wel!'

'Heb meelijden, Inma! Ik barst van de honger.'

'Heeft Saavedra al gezegd dat jullie konden stoppen?'

'Nee, Spielman blijft maar doorgaan. Nu moeten we weer vanuit een andere hoek filmen.'

'En hij houdt natuurlijk geen rekening met jullie lege maagjes.'

'Inma, iedereen barst van de kou en honger. We zijn al vanaf vanmorgen zeven uur in touw!'

'Ja, jullie zijn zielig. Kom mij een poosje helpen in de keuken. Dan piep je wel anders.'

'El Nogal' was sinds een aantal weken filmset voor de opnames van *For Whom the Bell Tolls*. Alleen de herbergscènes werden hier gedraaid, de overige scènes waren op locatie in Segovia gefilmd. Het enorme bedrag dat David Spielman Mickie had geboden om het pension twee maanden tot zijn beschikking te hebben, was een uitkomst geweest. Met dit geld kon ze haar droom voor een sterrenrestaurant verwezenlijken. Alleen de periode waarin ze het restaurant moest sluiten, had haar hoofdbrekens gekost. Ze had boekingen tot ver in het najaar gehad. En kerst en Nieuwjaar waren de meest winstgevende feesten van het jaar. Maar uiteindelijk had Spielman de knoop doorgehakt en de scènes in de herberg voor het laatst bewaard. Het had haar tijd genoeg gegeven in januari dicht te gaan.

De coördinator leunde tegen het werkblad en stak toen Inma niet keek, snel weer een stuk brood in zijn mond.

'Heb je geen haast vanavond? Of komt je inspecteurtje niet eten?' Steeds vaker kwam Anselmo MontRoig 'toevallig' even rond etenstijd langs. De hele filmploeg volgde geamuseerd de vrijage tussen de politieman en de stugge souschef.

'Gaat je niets aan,' blafte Inma terwijl ze hem weer met haar pollepel wilde bewerken. Hij wilde wegduiken, maar struikelde over een krat aardappelen. In zijn val greep hij de poot van de werktafel. Zijn forse gestalte was te veel voor de tafel, de schaal met geroosterd brood knalde op de grond toen de tafel kantelde.

'Je hebt hier ook niets te zoeken!' riep Inma verontwaardigd. De coördinator keek verschrikt om zich heen. Zijn handen tastten naar een houvast om overeind te komen. Hij greep de rand van het krat aardappelen en hees zich op zijn knieën. Net wilde hij opstaan toen hij op de grond een pakje zag liggen. Hij raapte het op, veegde de rommel er af en las het adres hardop: Señora Hazel Hendrikse, care of Pensión 'El Nogal', Carretera de la Costa (sin numero), Castelldefels.

'Hé, is dat niet voor Hazel?' Hij draaide zich om naar Inma die met een hoogrode kleur het pakje uit zijn handen griste.

'Oy Dios, ¡que tonta soy! Oh, wat ben ik een stomkop!' Snel stopte ze het in haar witte jasschort.

David Spielman had eindelijk het stopsein voor die dag gegeven. Bella trok haar kasjmieren jas over haar filmkleding. Het contrast tussen de dure jas en de authentieke armoedige jurk was groot. Terwijl ze naar het warme pension liep, vroeg Bella zich af hoe de Spanjaarden de jaren van de burgeroorlog hadden overleefd, want niet alleen was er geen fatsoenlijke kleding en schoeisel te krijgen, het voor de Spanjaarden zo belangrijke eten, was in die tijd ook schaars.

Zoals altijd had ze even tijd nodig om uit haar rol te stappen. Ze liep naar de bar van 'El Nogal' en bestelde een glas whisky. De eerste slokken zetten haar onderkoelde lijf in brand. Ze liep met haar glas naar een fauteuil bij de open haard en liet zich daarin vallen. De bontjas viel open. Ze strekte haar lange benen en sloot haar ogen. De vlammen van het haardvuur wierpen vreemde schaduwen op de bar.

'Je lijkt zo op het magere zusje van Greta Garbo.' David Spielman voegde zich bij haar en bestelde ook een whisky.

'Hmmm. Alleen zat zij tijdens de Spaanse burgeroorlog in Amerika.'

'Ja, en ze was Zweeds.' Spielman was naast haar in een fauteuil gaan zitten. Hij stak zijn benen ook uit naar het vuur. Het was een gewoonte geworden voor het eten samen een glas te drinken. De overige crewleden hielden eerbiedig afstand van de regisseur en zijn 'leading lady'. De ober zette het glas whisky voor Spielman neer op het tafeltje tussen hen in. Spielman pakte het op en tikte het tegen het glas van Bella.

'Proost. Het ging goed vandaag. Ik ben heel tevreden.' Bella keek hem aan.

'Eerlijk?' Er klonk niets van het normale cynisme in haar stem. Spielman keek haar onderzoekend aan. Hij bespeurde een zekere kwetsbaarheid in haar stem.

'Ja eerlijk, je hebt een groot talent, Bel. Dat wist ik al die eerste avond dat ik je hier hoorde zingen.'

'Die avond dat Nuria en Edu weggelopen waren?' Een rilling liep over haar rug bij de herinnering. 'Maar... je was die avond niet hier. Je was wandelen, beneden op het strand. Daar heb je de kinderen gevonden.' Hij antwoordde niet maar staarde in het vuur.

'Ja,' antwoordde hij, 'ik ging wandelen. Ik ben niet zo'n gezelschapsmens, dat weet je. Maar net toen ik het pad naar beneden af wilde lopen, hoorde ik je zingen. Ik heb je een poos vanuit de schaduw gadegeslagen, Bella.' Zijn ogen werden dromerig. 'Je was het mooiste wat ik in lange tijd gezien had. Als een geest, nee... Als een sylfide, een sprookjesfiguur stond je daar op dat in elkaar geflanste podium. Zo rank, zo licht, je leek bijna te zweven. En dan je stem!'

Ze glimlachte en dacht terug aan vorig jaar zomer toen ze met Saavedra tot haar stomme verbazing naar het pension gereden was en MacAllister zijn ware identiteit had onthuld. Hij had haar toen niet verteld waarom hij haar de rol had aangeboden. Ze had altijd gedacht dat hij haar in 'Club Sutton' had zien optreden. Hij ging verder. 'Maar toen verdwenen de kinderen.' Hij staarde in het vuur. 'In die nacht die ik met hen in de grot doorbracht, had ik voor het eerst sinds... sinds drie jaar weer het gevoel dat ik ergens toe deed.' Hij dacht even na. 'Nee, nee, dat was het niet. Ik voelde dat ik vergiffenis kreeg. De volgende dag voelde ik een energie die ik al jaren niet meer gehad had. Het plan om een 'remake' van *For Whom the Bell Tolls* te maken, speelde al heel lang door m'n hoofd. Ik ben toen eerst naar Amerika gevlogen om de financiering te regelen, maar dat lukte niet. Uiteindelijk bleek de Spaanse regering zelf geïnteresseerd te zijn in dit project. Saavedra werd aangewezen als producent en de zaak was rond.'

'Je hebt anders een groot risico met mij genomen. Ik ben een 'nobody' in de filmwereld.' Spielman zette zijn glas neer en ging rechtop zitten.

'Dat gaat na deze productie veranderen. Ik heb me nog nooit vergist! Let op mijn woorden, jij gaat het maken. Je wordt een wereldster.' Wantrouwend keek Bella hem aan. Een reeks mannen, aangevoerd door Paul van Wadenooyen trok in haar gedachten voorbij. Bezwete gezichten, opgewonden gezichten die in opperste extase riepen: 'Jij wordt mijn ster. Je gaat het maken!' Het déjà vu deed haar verstijven. Het warme haardvuur kon niet voorkomen dat haar bloed leek te veranderen in ijswater, de kou spreidde zich razendsnel door haar hele lichaam. Haar hart leek langzamer te kloppen. Traag zei ze: 'Ja geweldig, David. En met hoeveel mannen moet ik slapen om de top te bereiken?'

Spielman keek haar zwijgend aan. De woorden leken steeds zwaarder tussen hen in te hangen. Hun ogen leken aan elkaar vastgeplakt. Na een onhoudbaar lange tijd boog Spielman zich opeens naar haar toe en begon te praten.

De volgende avond stond Bella ongeduldig in de aankomsthal van vliegveld Prat te wachten. De cityhopper uit Madrid was al lang verwacht, maar een storm maakte het landen onmogelijk. Buiten striemde de regen tegen de hoge ruiten van de aankomsthal. Het was al donker. Voor de zoveelste keer keek ze op de grote klok middenin de hal. Kwart voor negen. Het telefoontje dat ze die morgen uit Madrid had gekregen, had haar verontrust. Jean Paul had haar gebeld dat hij naar Barcelona zou komen voor een afspraak met een klant. Hij vroeg of de 'grote actrice' zin had die avond met hem te gaan eten. Hij had het als een grapje willen laten klinken, maar zijn stem klonk mat. Ze had hem sinds de kerst nauwelijks meer gesproken.

Bella was toen naar Madrid gereisd en had de feestdagen bij Jean Paul in zijn appartement doorgebracht. De kinderen die doordeweeks door de ouders van Christina werden opgevangen, hadden er stilletjes bij gezeten. Elody had slechts één dag tijd gehad, tweede kerstdag moest ze naar New York waar een belangrijk diner wachtte met nog belangrijkere gasten. Aandacht voor de kleinkinderen had ze nauwelijks, alleen het grote nieuws van Bella's filmrol leek haar te boeien. Ze had gehoopt een aantal dagen met haar broer en de kinderen door te kunnen brengen, maar plotseling had Christina besloten dat de kinderen naar Cartagena moesten komen. Jean Paul had hierin toegestemd om ze niet van hun moeder te laten vervreemden. Ze hadden ze samen naar de havenplaats aan de oostkust gebracht. Maar net terug in Madrid, kregen ze een telefoontje van Christina dat haar vriend voor een belangrijke training naar het zuiden moest en ze de kinderen niet langer konden 'hebben'. Opnieuw waren ze naar Cartagena gereisd. Op de terugweg naar Madrid hadden Edu en Nuria bleekjes op de achterbank gezeten. Ze hadden het allebei niet aangedurfd ze naar het bezoek aan hun moeder te vragen.

Plotseling kraakte het omroepsysteem. Een nasale stem kondigde aan dat de storm was gaan liggen en de vliegtuigen in volgorde van noodzaak zouden landen. Het klonk onheilspellend. Bella vermande zich. Waarschijnlijk hield dit in dat de vliegtuigen met weinig brandstof eerst mochten landen. Een opgewonden stemming maakte zich meester van de wachtende mensen in de hal. Na een poosje gingen de glazen schuifdeuren open en de mensen verdrongen zich om te zien wie de eerste passagiers waren. Bella keek weer op de grote klok. Het was al over tienen. Haar hart kneep samen. De cityhopper uit Madrid deed maar een half uur over de vlucht. Het vliegtuig had heen en terug kunnen vliegen. Haar mond werd droog, ze voelde een lichte paniek op komen. Ze keek om zich heen. Er stond nog een aantal mensen te wachten. Net wilde ze naar de informatiebalie lopen toen de schuifdeuren opengingen en Jean Paul naar buiten kwam. Ze rende naar hem toe en viel hem om de hals.

'Hé zusje, wat een leuke verrassing!' Oprecht verheugd trok hij haar tegen zich aan.

'Ik was zo ongerust, waar was je?'

'Sta je hier al die tijd te wachten? We hebben een eeuwigheid op de landingsbaan gestaan. Ze hadden klaarblijkelijk geen docking capaciteit over en wij moesten wachten.' Hij hield haar op een afstand en keek haar aan.

'Je ziet er goed uit, zus. Roem staat je goed.'

'Zo ver is het nog niet. De film moet eerst nog uitkomen.' Haar blik ging als een zoeklicht in de nacht over haar broer.

'Jij ziet er moe uit. Slaap je wel?'

'Ja hoor, prima.' Het klonk ontwijkend. 'Het is echt noodweer, zeg! Je hebt natuurlijk geen auto. Zullen we een taxi naar de stad nemen?'

'Welk hotel heb je geboekt?' Ze voelde zich licht gepikeerd over het stille verwijt dat ze nooit haar rijbewijs had gehaald. Bella had het nut van dat papiertje nooit ingezien, VandeDonkelaere reed haar immers overal naar toe.

'Ik heb niks geboekt, maar ik vind wel wat. Het kantoor van mijn klant zit op de Avenida Diagonal, daar moet ik morgen om half elf zijn.' Hij tuurde naar buiten, naar de striemende regen in de donkere nacht.

'Lekker vroeg!' zei Bella cynisch. Zij was inmiddels gewend om om zeven uur op te staan. Dan was het licht volgens Spielman op zijn mooist.

'Dit ziet er niet goed uit, Bel.' Jean Paul negeerde haar laatste opmerking. Aarzelend stond hij in de hal, hij maakte absoluut geen haast om naar buiten te gaan. Dat was ze niet van hem gewend. Jean Paul was veranderd, hij was altijd gedecideerd maar nu treuzelde hij overduidelijk. Opeens wist ze wat ze moest doen.

'Luister, ik ben hier met de auto van de filmset. Carlos wacht buiten op mijn instructies. Waarom rijden we niet terug naar het pension.

Alle kamers zijn geboekt, maar je kunt gerust bij mij op de kamer slapen. Tenminste, als je het niet erg vindt met je kleine zusje een kamer te delen?' Leek het maar zo of keek hij oprecht verheugd?

'Nee, nee, natuurlijk niet. Is het geen probleem voor Mickie?'

'Nee, 'the more the merrier' om in haar woorden te spreken. Ze heeft vast ook wel wat te eten voor ons en morgen neem je gewoon een taxi naar Barcelona.' Even leek hij iets te moeten overwinnen, hij was het niet gewend dat zijn zus de leiding nam. Maar na een kleine aarzeling greep hij zijn tas en volgde haar naar buiten.

Mickie

Het was warm en druk in het voorste gedeelte van het restaurant. Het achterste deel waar de verbouwingen aan de gang waren, was afgeschermd met een zwaar houten kamerscherm. Mickie had het op de kop getikt op de vlooienmarkt. Na de verbouwing zou het scherm in de nieuwe strakke hal als enige authentieke verwijzing naar het Spaanse verleden dienen. De filmploeg had de gewoonte bij het avondeten lang te blijven hangen. De dienst van de ober zat erop, Mickie liep zelf geruisloos heen en weer tussen de tafels en schonk de glazen bij. Van haar vaste gasten waren alleen Hazel en Roger nog over, de rest van de kamers werd door de filmploeg gebruikt. Ze keek op haar horloge, ze waren laat deze avond. Sinds het voorval met Rob Kramer was Bill Shepherd van het hoofdkantoor in Londen eindelijk in actie gekomen. Het geld op de Zwitserse bank was teruggeboekt naar Nederland. Hoewel Pieterse bezwaar maakte, werd een deel ervan meteen gereserveerd voor de vestiging van Hazel in Spanje. Sinds een aantal maanden beschikte ze over een eigen werkplaats en kantoor op het industrieterrein Zona Franca ten zuiden van Barcelona. Roger had niet lang getwijfeld en had zijn baan bij het Engelse ingenieursbureau opgezegd, hij werkte nu met Hazel samen. Wat Mickie ervan begrepen had, was het bedenken van constructies een van hun grootste inkomstenbronnen. Ze hadden in korte tijd als team een naam opgebouwd als 'solution engineers' voor ingewikkelde bouwconstructies.

Tot Mickie's grote vreugde hadden ze het alleen niet over hun hart kunnen krijgen om 'El Nogal' te verlaten. Het pension was hun thuis geworden. Terwijl ze langs de tafeltjes liep, hoorde ze flarden van conversaties in allerlei talen. De filmploeg was internationaal. Saavedra had zijn beste mensen uit Spanje, Portugal en Frankrijk gehaald, Spielman had een aantal mensen uit Amerika over laten vliegen.

Aan een tafeltje zat Akiko, de Japanse 'continuity girl', het was haar taak de beelden in de film kloppend te maken. Met Japanse precisie liep ze aan het einde van de opnames de set en de beelden na. Van het eten dat op tafel stond, de kleur lippenstift op de mond van een actrice tot de sigaret in de handen van een acteur, alles moest in het volgende beeld 'kloppen'. Ze zat te praten met een boomlange getatoeëerde Chickasaw indiaan, die door iedereen 'Chief' werd genoemd. 'Chief' was de 'gaffer', het hoofd van de belichting. Hij was in staat met zijn licht van de nacht dag te maken en van de middag avond. Hij was een van de besten in zijn vak. Het was zijn eerste opdracht in Europa en hij was helemaal verrukt van wat hij noemde 'het mediterrane toverlicht'. Het was een man van weinig woorden, maar in gezelschap van de timide Japanse praatte hij honderduit. Vol bewondering staarde de 'scriptgirl' de enorme man aan. Het deed Mickie denken aan de manier waarop Roger na al die maanden nog steeds naar Hazel kon kijken. Alleen wist ze dat zijn adoratie Roger nog steeds niet verder had gebracht.

Verschrikt keek ze op toen ze Bella met Jean Paul het restaurant binnen zag lopen.

'Heb je nog wat over voor een stel hongerige Belgen?' zei Jean Paul vrolijk. Het bleke gezicht van Mickie kleurde lichtrood.

'Natuurlijk! Ga zitten, ik zal gelijk kijken wat Inma nog heeft.' Ze haastte zich naar de keuken.

Haar hart klopte idioot hoog in haar keel. Ze gaf haar souschef instructies voor een maaltijd voor haar onverwachte gasten. Daarna rende ze naar haar kamer. Twijfelend bleef ze voor de kledingkast staan. De verschoten spijkerbroek die ze aan had, zou aan moeten blijven, het zou te veel opvallen wanneer ze opeens in een heel andere combinatie het eten kwam serveren. Met het smoesje dat ze geknoeid had, kon ze wel een andere blouse aantrekken. Ze knoopte haar blouse los en trok hem uit. Ze staarde naar haar spiegelbeeld. Haar kleine borsten zaten gevangen in een wit kanten bh'tje. Een moedervlekje prijkte links bovenaan haar linkerborst. Haar hand gleed van haar keel naar beneden, over haar borsten naar het zachte buikje dat net boven de knoop van haar spijkerbroek uit piepte. Een trillerige zucht ontsnapte haar. 'Waar ben je mee bezig? Je lijkt wel een puber.' Resoluut trok ze de oude blouse weer aan. In de badkamer haalde ze een natte handdoek over haar gezicht. Naakt en puur staarde het gezicht in de spiegel haar aan. Met haar handen steunde ze op de wastafel, ze sloot haar ogen en haalde diep adem. Langzaam voelde ze haar hartslag rustiger worden. Ze bracht een beetje mascara op haar wimpers aan, stifte haar lippen en liep terug naar de eetkamer.

Jean Paul en Bella hadden plaats genomen aan een tafeltje bij het raam. Buiten in het donker kolkte de onstuimige zee, maar daar was in het restaurant niets van te zien. Slechts de weerspiegeling van twee slanke blonde mensen aan een gedekte tafel was zichtbaar in de donkere ruit. Bella legde haar hand op de slanke hand van haar broer. Zelfs hun handen leken op elkaar. Nu ze dichter bij hem zat, zag ze zijn grauwe kleur en de kringen onder zijn ogen. Maar dat was het niet alleen. Zijn ogen die altijd zo vol leven de wereld in keken, waren hun vuur kwijt. Hij zuchtte hoorbaar en keek naar zijn zus.

'Ik ben blij dat ik hier ben, Bel. Madrid bevalt me helemaal niet. Ik snap niet hoe ik daar ooit heb kunnen leven.'

'Lieverd, misschien mis je Christina gewoon.'

'Nee, dat is het niet.' Hij dacht even na. 'Neem nou de kinderen. Sinds jij weg bent, worden Nuria en Edu door de week door Christina's ouders opgevangen. Ik ben blij dat ze me helpen maar met de manier waarop ze met de kinderen omgaan, ben ik het helemaal niet eens. Zo traditioneel. Als ze in het weekeinde bij mij komen, moeten ze eerst een halve dag 'ontdooien'.'

'Maar Jean Paul, zo voedde Christina mijn neefje en nichtje ook op. Precies zoals haar ouders dat met haar gedaan hebben. Keurig alles op tijd en gestructureerd. Moeder moet dit erg op prijs stellen.' Dit laatste zei ze heel zachtjes.

'Dat is het nou juist, Bella. Ik ben het ontgroeid. In de tijd dat jij bij mij gewoond hebt, ben ik de dingen toch anders gaan zien.' Ongerust keek ze haar broer aan, maar voordat ze kon antwoorden, legde hij zijn hand op de hare.

'Je hoeft je echt geen zorgen te maken. Nog een half jaartje en het is voorbij. Dan ben ik vrij om te gaan en staan waar ik wil. Ik was het alleen even vreselijk zat. Die afspraak morgen in Barcelona heb ik verzonnen. Ik had gewoon behoefte om even hier te zijn.' Hij wees om zich heen. 'Ik miste je, en ik ben ook een beetje jaloers op je. Jij woont en werkt hier omringd door vrienden.' Jean Paul had gelijk, in de maanden dat ze in het pension woonde, was er een innige vriendschap ontstaan met de onstuimige Hazel en de bescheiden Mickie. Voor het eerst in haar leven leerde Bella hoe het was om vriendinnen te hebben. Dit was nooit mogelijk geweest toen ze nog in België woonde. De afstand tussen haar en de 'gewone' meisjes was voor haar moeder altijd te groot geweest. Met de meisjes van haar eigen soort, het soort dat op privéscholen studeerde en een chauffeur tot hun beschikking had, voelde ze zich nooit op haar gemak. Met Mickie en Hazel was dit heel anders. Beide vrouwen waren op hun manier gedreven in wat ze deden en overtuigd van hun capaciteiten. Geen van de twee was bevooroordeeld en ze accepteerden Bella zoals ze was. Opeens besefte ze wat haar broer haar probeerde te vertellen. Haar grote broer, het voorbeeld dat haar moeder haar altijd voorgehouden had, was eenzaam. Zij werk was altijd zijn bestaan geweest, maar nu voelde hij hoe leeg dat was. Tranen welden op in haar ogen. Ze draaide haar hoofd om zodat hij haar gezicht niet kon zien.

'Het is anders best hard werken,' zei Bella verontschuldigend. Ze deed alsof er een vuiltje in haar oog zat en hield haar servet tegen haar ooghoek. Zo luchtig mogelijk ging ze door.

'Bovendien is dit over een paar weken afgelopen.'

'Kom je dan naar Madrid?' Verheugd keek hij op. Bella probeerde tijd te rekken en prutste met het servet.

'Eh, ja misschien.'

'Hoezo misschien? Heeft moeder je soms gebeld?'

'Moeder?'

'Ja, de omzet in Spanje is geweldig, Bella. Vooral dankzij jou. Alle Spaanse vrouwen kopen Elody Fashion omdat jij een boegbeeld van schoonheid voor ze bent geworden. Lang, slank, blond. Straks komt Spielman's film uit en dan zullen de omzetcijfers helemaal omhoog schieten.' Ondanks het feit dat hij zijn bedrijf goed had kunnen verkopen dankzij de grote opdracht van Elody Fashion, klonk hij niet enthousiast. Elody had hem deze week gebeld en hem voorgesteld een marketingcampagne in Amerika op te zetten. Het was de volgende markt die ze wilde veroveren. Ze had daarbij 'en passant' gevraagd of hij Bella wilde overhalen de voorjaarsshow in New York te lopen. 'U weet hoe fier uw zus kan zijn,' had ze gezegd. 'Zij luistert niet naar reden. Net als uw vader is zij een artiest. U moet haar overhalen de shows te doen. Het is uw plicht!' De woorden van moeder weerklonken als hamerslagen in zijn hoofd. 'Het is uw plicht.'

'Wat heeft dat met mij te maken?'

'Moeder wil dat jij de voorjaarsshow in New York gaat lopen.'

Verbaasd keek Bella hem aan.

'Ik weet niet of ik dat wil, trouwens het zal moeilijk gaan.' Bella legde bedaard het servet op haar schoot. Ze haalde diep adem.

'Jean Paul, ik moet je wat vertellen.'

Hazel

De buitendeur vloog open en een drijfnatte Hazel en Roger kwamen binnen. Hazel schudde haar natte haren naar achteren en hing haar regenjas aan de kapstok. De filmwagens en het materieel namen de hele parkeerplaats van 'El Nogal' in beslag, zodat ze de auto aan het begin van de oprit hadden moeten parkeren. Ze hadden misschien maar honderd meter moeten lopen, maar de regen kwam in een loodrecht gordijn naar beneden en had hen doorweekt.

Het was een lange dag geweest. Door het slechte weer waren de wegen in Barcelona die hele dag praktisch onbegaanbaar geweest, stilstaande toeterende taxi's hadden het straatbeeld bepaald. Straten stonden blank, het oude riool van de stad kon de grote hoeveelheden water niet afgevoerd krijgen. In het lagere deel van Barcelona zorgde de tegendruk van het zeewater ervoor dat het water soms metershoog de rioolputten uitspoot. Roger en zij hadden geprobeerd met de metro hun afspraken te bereiken, maar daar was het zo druk dat ze soms een aantal treinen moesten overslaan voordat ze een plekje konden bemachtigen. Hun laatste afspraak die dag was met een van de vijf nutsbedrijven van Barcelona geweest. Het ging om een grote opdracht en dat wisten ze. Zoals gebruikelijk behoorden de directieleden van het bedrijf eerst gefêteerd te worden. Hazel had een tafel gereserveerd in een van de beste restaurants van Barcelona, Botafumeiro op de Gran de Gracia. Het restaurant stond bekend om de oesters. Roger had misnoegd gekeken hoe de heren de ene na de andere schaal met schelpdieren wegwerkten en de een na de andere fles dure witte wijn lieten aanrukken. Het was een kostbaar diner geweest.

Hazel liep de eetzaal binnen. Ze had behoefte aan een warme kop kamillethee om haar onrustige maag tot bedaren te brengen. Afwezig groette ze de groep, tot ze aan een tafeltje bij het raam Bella met haar broer Jean Paul zag zitten. Met een glimlach op haar gezicht liep ze naar ze toe.

'Wat leuk je weer te zien, Jean Paul. Je bent de laatste die ik met dit noodweer verwacht had! Dit is echt een verrassing, Bella had niet verteld dat je zou komen.'

'Het was ook een ingeving. Ik heb Bella vanmorgen pas gebeld. Hoe is het met je bedrijf, Hazel? Krijg je die Spaanse macho's een beetje onder de duim?' Geboeid keek hij toe hoe ze een servet van de tafel greep en haar natte haren ermee droogde. Elody zou haar neus opgetrokken hebben. Bella glimlachte naar haar broer. Zonder een woord te wisselen, wisten ze op dat moment allebei waaraan ze dachten. Hazel stopte.

'Sorry, hoor! Geen tafelmanieren.' Haar natte blouse plakte als huishoudfolie tegen haar ronde vormen. Aan de andere tafel maakte een Spaanse cameraman een kokertje van zijn hand en zoemde denkbeeldig op haar borsten in.

'Zo kan het wel!' riep ze verbolgen naar de man. Ze draaide zich weer om naar Jean Paul. 'Blijf je een paar dagen?' Ze schopte haar schoenen uit en keek hem nu recht aan. 'Ga toch niet terug naar dat stijve Madrid.' Ze zag Mickie's gezicht voor het ronde raampje van de keukendeur en wenkte haar vrolijk.

'Mickie, kom erbij. En wil je een kop kamillethee voor me meenemen?' Bella keek haar hoofdschuddend aan.

'Je bent echt een verwend kind, Hazel. Waarom loop je zelf niet even naar de keuken?'

'Ah toe, m'n voeten doen echt zeer!'

'Moet je ook schoenen in de goede maat kopen. Niet altijd drie maten te klein.'

'Maar anders lijken ze zo groot.'

'Leef ermee. Alles is ruim aan je,' glimlachte Bella. Hazel keek beteuterd naar de lange slanke blondine.

'Je weet niet hoe het is om nooit eens mee te maken dat iets gewoon losjes om je heen zit. Dat je een centimeter tussen de schacht van een laars en je kuit overhoudt. Dat de knopen van je blouse niet op springen staan en dat je de naden van je rok niet met visgaren hoeft te verstevigen, willen ze niet openbarsten.'

'En de naden van je broek met pianosnaren!' dikte Bella plagend aan. Mickie stond bij het tafeltje met de kop thee voor Hazel in haar handen. Hazel stond op en trok een stoel voor haar bij. Mickie probeerde niet naar de lange Belg te kijken. Gelukkig zorgde de komst van een late gast ervoor dat niemand haar trillende handen en rode kleur zag. Anselmo MontRoig liep met soppende schoenen naar zijn vaste tafeltje bij de keukendeur en knikte in het voorbijgaan.

'Wat doet hij hier?' vroeg Jean Paul verbaasd. Zijn ogen bleven op Mickie rusten.

'Hij heeft de kookkunsten van Inma ontdekt. Vaak komt hij hier laat op de avond voordat hij naar huis gaat even langs.'

Bij het zien van MontRoig vroeg Mickie zich af of Jean Paul ook weer dacht aan die avond waarop zijn kinderen spoorloos verdwenen waren. Haar gedachten gingen vaak terug naar die avond en die nacht dat hij op haar bank geslapen had. Uren had ze naar hem zitten staren. Beschaamd sloeg ze haar ogen neer.

'Is hij getrouwd?' De grijsblauwe ogen bleven hardnekkig op haar gericht.

'Ja,' antwoordde Mickie verlegen. 'Maar zijn liefde gaat duidelijk meer door de maag.'

Het deed bijna pijn het woord 'liefde' in zijn aanwezigheid uit te spreken. Hazel, die dagelijks uitkeek naar de kookkunsten van Mickie, voelde zich aangesproken en wilde net de gezette inspecteur verdedigen toen David Spielman de eetzaal binnen kwam. Hij negeerde de rest en liep rechtstreeks naar hun tafel. Hij stak zijn hand uit naar Jean Paul.

'Ik ben blij dat je hier bent, want ik wil iets met je bespreken.'

Jean Paul stond op om de beroemde regisseur een hand te geven. Het gezicht van Spielman stond ernstig. Hij negeerde de overige tafelgasten en staarde ongeduldig naar buiten. Er zat voor Jean Paul niets anders op dan hem te volgen. Met een knikje verontschuldigde hij zich en volgde Spielman naar de bar.

Mickie

In de keuken stond Mickie onder het witte tl-licht de ingrediënten voor een stoofschotel te snijden. Het was al laat. De eetkamer was bijna leeg, de meeste crewleden waren naar hun kamers en ook MontRoig was vertrokken. Toen Mickie door de gang liep, langs de openstaande deur van de bar, hoorde ze het geluid van een gesprek dat op zachte toon gevoerd werd. Zachtjes, te zachtjes om te horen wat er gezegd werd. Beschaamd dat ze geprobeerd had te luisteren, liep ze snel door naar de eetzaal. Met de laatste glazen liep ze weer naar de keuken.

Ze had die morgen bij de slager een paar stukken prachtig wild kunnen bemachtigen. Het 'jabalí', het everzwijn dat gebruikt werd om truffels in de harde ondergrond te vinden, werd voornamelijk geslacht om de wereldberoemde serranoham te maken. De slager die haar reputatie kende, had haar deze zeldzame braadstukken verkocht. Het waren stukken van een jong zwijn, gevoed met truffels maar nog niet volgroeid. Aangereden op een van de nauwe bergweggetjes. De automobilist had een flinke deuk in zijn auto gehad en getracht met de opbrengst van het karkas de schade te kunnen herstellen. Naast de braadstukken lagen bouten van een hert en een bergkonijn. Een stapel wortelen, tomaten, bleekselderij, venkel en gesneden ui lagen ernaast. Mickie legde de laatste hand aan het 'bouquet garni', het met touw omwikkelde bosje groene kruiden, dat samen met een liter rode wijn, de diepe smaak aan de stoofschotel zou geven.

De verse kruiden roken heerlijk. Ze pakte een enorme gietijzeren braadpan van de plank en braadde het vlees snel aan. Na tien minuten voegde ze de groenten bij het vlees, gevolgd door de kruiden en de wijn. Ze schoof de braadpan in een van de ovens en keek op haar horloge. Een uur of acht zou het stevige vlees zeker nodig hebben om zacht te worden. De ovendeur viel met een klap dicht.

'Mmm, wat ruikt het lekker! Ik dacht al je hier te kunnen vinden.' Met een ruk kwam Mickie overeind. Ze had hem niet aan horen komen. 'Ja, ik ben de lunch voor morgen aan het maken. Je bent altijd welkom om mee te eten,' stotterde ze. Nerveus keek ze Jean Paul aan. 'Wildschotel met aardappelpuree. Tenzij je niet kunt, natuurlijk, je zult wel belangrijkere dingen te doen hebben. In Barcelona.' Waarom kon ze niet ophouden met haar nerveuze geratel?

'Graag! Eigenlijk heb ik morgen niets in Barcelona. Ik blijf hier. Spielman heeft me uitgenodigd een dag bij de opnames te blijven en Bella aan het werk te zien.' Hij leunde op z'n gemak tegen een van de werktafels.'

'Ik hoorde van Bella dat je genomineerd gaat worden voor een Michelinster.' Uit zijn ogen sprak bewondering. Mickie haalde nerveus haar schouders op.

'Eerst moet de verbouwing van het restaurant af zijn. Het gaat niet alleen om mijn kookkunsten. De hele entourage moet voldoen aan de standaardeisen.'

'Wanneer ga je weer open?'

'De filmopnames zijn over een week afgelopen. Daarna heb ik nog een dag of tien nodig om het restaurant af te maken.' Ze telde de dagen af op haar vingers. 'Ik wil eigenlijk op zaterdag 5 maart weer open.'

'Heb je al een reclamestunt bedacht?'

Mickie keek hem aan.

'Nee, om eerlijk te zijn heb ik daar helemaal niet aan gedacht. Ik wilde gewoon een advertentie zetten dat 'El Nogal' weer open is!'

'Mickie, je bent een geweldige kok! Je bent veel te bescheiden. Het is belangrijk dat je reclame maakt.' Enthousiast begon hij haar voorbeelden te geven van wat ze allemaal kon doen. Een sprankje oude passie voor zijn werk laaide weer op. Na een poosje onderbrak Mickie hem.

'Het klinkt allemaal geweldig, maar ook heel kostbaar, Jean Paul. Wat ik met het beschikbaar stellen van deze locatie verdiend heb, gaat op aan de verbouwing. Ik denk niet dat ik nog veel over heb voor zo'n 'merk branding'.'

'Daar is echt niet zo veel voor nodig. Ik wil je daar best bij helpen.' Nog voordat hij de woorden had uitgesproken, realiseerde hij zich hoe graag hij haar wilde helpen. Hij wilde niets liever dan in deze warme keuken blijven en met haar praten. Voor het eerst sinds tijden voelde hij zich op zijn gemak.

Mickie veegde haar vingers af aan haar schort en probeerde omzichtig de strik op haar rug los te maken. De schort was weinig flatteus maar Jean Paul leek het niet te merken. Hij staarde naar buiten. Opeens flapte hij eruit: 'David Spielman neemt mijn zus mee naar Amerika, naar Hollywood. Hij heeft de financiering voor de volgende productie al rond. Ze wordt een hele grote, Mickie! Een heel grote ster, heeft hij gezegd.' Het was vreemd, hij klonk eerder ontredderd dan blij. Mickie keek hem verbaasd aan. De zelfverzekerde man was verdwenen, ze zag alleen de kwetsbaarheid in zijn gezicht die ze ook die nacht gezien had toen zijn kinderen kwijt waren.

'Maar dat is toch geweldig! Ben je niet trots op haar?'

'Ja, ik ben heel trots. Maar niet alleen om haar talent. Mickie, weet je dat David mij goedkeuring gevraagd heeft om haar mee te nemen en een ster van haar te maken. Hij respecteert haar zo dat hij weigert haar te gebruiken.'

'Te gebruiken?'

'Er gaat veel op haar afkomen. Iedereen zal een stukje van haar roem willen.' Hier zweeg hij even en dacht na. 'Zelfs moeder zal haar willen gebruiken. Maar Spielman geeft veel om haar en hij wil zeker weten dat ze dit aan kan.' Even vergat Mickie haar schort en legde spontaan een hand op zijn arm.

'Jean Paul. Vind je het erg haar te moeten missen?' Even was ze bang dat ze te ver gegaan was. Zijn grijsblauwe ogen keken haar strak aan, toen verzachtten ze.

'Ja, het gaat allemaal zo snel, weet je. Eerst heb ik jarenlang een jonger zusje dat ik maar af en toe zie. Ik maak carrière, trouw, krijg kinderen. Alles gaat zoals het hoort. Dan loopt mijn vrouw weg. En opeens is niets meer zoals het was. Moeder wil mijn leven dicteren en mijn zus is uitgegroeid tot een jonge vrouw met een eigen wil.

'Misschien is dat altijd al zo geweest, maar zie je het nu pas,' glimlachte Mickie.

Hij keek naar de kleine sterke hand die op zijn arm lag en bedwong de neiging haar naar zich toe te trekken. Hij wilde haar niet afschrikken, maar hij wilde ook niet weg. Voorzichtig deed hij een stap achteruit.

'Misschien heb je wel gelijk. Ben ik gewoon al die tijd blind geweest.'

Ze haalde haar hand van zijn arm en draaide zich om. Ze wilde de teleurstelling op haar gezicht niet laten zien. Verwoed begon ze het werkblad schoon te poetsen. Opeens deed hij resoluut een paar passen naar voren.

'Mickie?' Ze draaide zich om.

'Mickie, zou je...' Smekend keek hij haar aan. Haar hart bonkte in haar keel. Voorzichtig pakte hij haar handen en trok haar naar zich toe. 'Zou je een gescheiden man met twee kinderen zien zitten?'

Het gezicht van de pensionhoudster brak open, de helderblauwe ogen begonnen te stralen.

'Een lange Belg? Die best een beetje arrogant over kan komen?'

'Ja, maar met een heel klein hartje.' Hij trok haar tegen zich aan.

'Ik zal erover denken,' zei ze, terwijl hij zich naar haar toe boog.

'Ja, maar niet te lang.'

Hij kuste haar innig op de mond.

Hazel

Sinds Hazel niet meer vanuit het pension werkte, was haar kamer meer dan voorheen haar woonruimte geworden. Vermoeid gooide ze haar tas op de bank. Ze schopte haar schoenen uit en liep naar de balkondeuren. Ze was die morgen vergeten de luiken dicht te doen. De voorjaarswind beukte tegen de ruiten, buiten bewoog de zee als een groot donker dier onrustig aan de voet van de rotsen. Ze opende een deur en liep het balkon op. De harde wind vermengd met het zilte zeewater van de branding sloeg tegen haar gezicht. Ze probeerde de chaos in haar hoofd op orde te krijgen.

Bill Shepherd had haar die ochtend vanuit Londen gebeld. Haar omzet over het laatste half jaar was goed geweest en hij had haar een permanente baan in Spanje aangeboden. Ze kon vestigingsdirecteur worden van PBC Spanje. Een zelfstandige vestiging die geen verantwoording af hoefde te leggen aan Nederland. Pieterse was niet gelukkig geweest met het voorstel. Hij had haar die middag gebeld en haar opgewonden duidelijk gemaakt dat zij alles van hem geleerd had. Dat ze hem dankbaar moest zijn voor de kans die haar nu geboden werd.

Maar was het een kans? Ze had nog een paar maanden te gaan voor de officiële opening van de Olympische Spelen. Spanje was 'hot' en 'booming', het was niet alleen het jaar van de Spelen, maar ook van de wereldtentoonstelling in Sevilla en het jaar dat Madrid culturele hoofdstad van Europa was. Iedereen wilde naar Spanje, iedereen wilde mee drinken op het succes van het volk dat zich na zesendertig jaar dictatuur had weten te ontpoppen tot moderne mensen met een eigen identiteit. Maar Hazel wist dat al dit enthousiasme zijn wissel begon te trekken op het land. De bodem van de schatkist van de overheid raakte in zicht, ze voelde een recessie aankomen.

Roger en zij hadden in de auto op de terugweg naar 'El Nogal' een flinke ruzie gemaakt. Misschien was het door het stormachtige weer gekomen, maar hij was prikkelbaar geweest. Haar houding naar de directeuren van het nutsbedrijf stond hem niet aan. Ze had 'te vaak señor Sanchez' arm aangeraakt' en ze had 'te vriendelijk naar señor Rodriguez gelachen'. Ze zuchtte. Hij verlangde heimelijk al lang naar haar, dat voelde ze. Maar ze kon niet aan zijn verlangens voldoen. Het voelde als verraad.

Plotseling voelde ze een aandrang om te huilen. Warme tranen biggelden over haar wangen en mengden zich met de koude regen.

Hoe lang was het geleden, het telefoontje van haar moeder? De bruiloft van Jocelyn en Frans? Eigenlijk hoefde ze niet na te denken. Ze wist het zo al. Geen dag ging voorbij of ze dacht aan Dirk. Waarom hij nooit meer contact met haar opgenomen had. Waarom hij het opgegeven had. Opeens was ze niet langer in staat het verdriet binnen te houden. Haar lichaam leek op de zee, golven van pijn overspoelden haar. Haar handen klemden zich om de rand van het balkon. Ze voelde zich duizelig worden. In de diepte kolkte de donkere zee. Het stemmetje in haar hoofd dat haar nooit met rust liet, fluisterde: 'Het is je eigen schuld, jij moest zo nodig weg, jezelf bewijzen. Is dit hoe je wilt leven?' Het stemmetje leek verdacht veel op de stem van haar moeder. Ze schudde haar hoofd om de woorden te stoppen, maar het lukte niet. De golven waren te sterk, trokken haar mee naar de donkere diepte van de zee.

'¡Pero, qué haces! Wat doe jij daar?' Opeens voelde ze twee sterke handen die haar naar binnen trokken. 'Het is gevaarlijk met die storm. Doodziek kun je zo worden!' Foeterend keek Inma haar aan.

'Je moet wat warms aantrekken. Wacht, ik zal je ochtendjas uit de badkamer pakken.' Versuft zakte Hazel op de bank. Het licht in de kamer deed pijn aan haar ogen. Inma kwam terug met de jas en gaf hem aan haar. Ze ging tegenover haar op een stoel zitten. Hazel trok de badjas over haar natte kleren aan en fatsoeneerde haar verwaaide haren. Haar ademhaling werd langzaam weer rustiger. Ze zuchtte diep en zei met schorre stem: 'Drukke dag geweest. Ben moe.' Ze had geen zin om met Inma te praten, ze had nooit echt kunnen wennen aan de stugge Catalaanse. Inma zat ongemakkelijk op het puntje van haar stoel en hield iets in haar handen. Een stilte hing in de kamer. Na een poosje zei ze: 'Je zult je wel afvragen wat ik in je kamer doe.' Ze wachtte even op antwoord maar toen dat niet kwam, ging ze door. 'Ik... eh... Ik moet je iets vertellen. Ik eh... had een aantal keren geklopt, maar je deed niet open.' Opeens schoof ze een pakje over de tafel richting Hazel.

'Dit is afgelopen zomer voor je bezorgd maar Conche was toen opeens ziek en toen... en toen ben ik het hele pakje vergeten.' Verbaasd pakte Hazel het poststuk. Het was aan haar geadresseerd en kwam uit Nederland. Er stond geen afzender op. Het pakje voelde licht aan. Argwanend keek ze naar Inma.

'Toen ik niet opendeed, dacht jij; ik leg het gewoon in haar kamer?'

'Sorry.' De donkere ogen keken haar aan. 'Ja, stom van me. Ik schaam me vreselijk, Hazel. Ik weet hoe Mickie op jou gesteld is en ik wil niet dat ze boos op mij is.'

Hazel bekeek het poststempel.

'Inma, dit pakje is meer dan een half jaar geleden bezorgd. Hoe kun je het vergeten!'

'Ik... ik had het in mijn nachtkastje gelegd. Echt, ik had het je eerder willen geven. Maar ik was bang dat je het aan Mickie zou vertellen, dus ik stelde het steeds uit. Totdat... totdat ik het vergeten was. En vanmiddag... toen Conche aan het spelen was, zag ik haar opeens met het pakje in haar handjes. Ze moet het uit het nachtkastje gepakt hebben. Hazel, wil je het alsjeblieft voor je houden?'

'Je wilt dat ik het niet tegen Mickie vertel?'

'Nee, alsjeblieft niet.' Inma keek haar smekend aan. Het pakje brandde in Hazel's handen maar ze weigerde het open te maken waar Inma bij was. Achteloos legde ze het naast zich op de bank. Ze sloeg haar benen over elkaar en staarde naar de souschef. Nooit had ze kunnen begrijpen hoe Mickie het over haar hart had kunnen krijgen de vrouw die een kind bij haar echtgenoot verwekt had, bij zich in huis te nemen. Hoe had Inma ooit iets kunnen begeren wat van een ander was? Het was haar niet eens om Gary te doen geweest. Ze wilde Mickie zijn, met een kind. Het moest vreselijk zijn zo'n kwetsbaar karakter te hebben.

Opeens zag ze nog iemand voor zich met een kwetsbaar karakter. Jocelyn, het rijkeluismeisje dat ogenschijnlijk alles bezat. Geld, opvoeding, uiterlijk en intelligentie. Maar ze was ervan overtuigd dat anderen gelukkiger waren dan zij. Hazel glimlachte in zichzelf. Arme Frans. Hij zou het moeilijk krijgen zijn vrouw gelukkig te maken. Het verdriet dat ze gevoeld had, ebde langzaam weg. Ze wist dat ze sterk was en ze wist ook dat ze er altijd bovenop zou komen. Ze stond op en liep naar de deur van haar kamer. Ze hield hem open en zei glimlachend: 'Maak je niet druk, Inma. Mijn lippen zijn verzegeld. Dit blijft tussen ons.'

Een half uur geleden had Hazel het pakketje opengemaakt. In het doosje had een uitnodiging voor de bruiloft van Frans en Jocelyn en een cassettebandje gezeten. Zonder naam of titel. Ze had er een poosje naar zitten staren, toen had ze het bandje afgespeeld. Voor het eerst was alles op zijn plek gevallen, van de bruiloft van Jocelyn en Frans, het uitblijven van nieuws van haar huisgenoten, tot het schijnbaar van de aardbodem verdwijnen van Dirk. Zelfs de terloopse opmerkingen van haar moeder waren haar na het afspelen van de cassette duidelijk geworden.

If my heart could do the thinking
And my head begin to feel
Then I'd look upon the world anew
And know what's truly real.

De woorden van het lied van Van Morrison klonken nog na in haar hoofd. Het cassettebandje bevatte een huwelijksaanzoek van Dirk. De tekst van het liedje had hij gebruikt om uiting te geven aan zijn gevoelens voor haar. Hij hield van haar, met heel zijn hart, hij miste haar en wilde zijn leven met haar delen. Bijna een half jaar geleden had Dirk haar ten huwelijk gevraagd. Meer dan zes maanden geleden had hij haar gevraagd als zijn verloofde mee te gaan naar de bruiloft van Jocelyn en Frans. Om hun vrienden het goede nieuws te vertellen. En zij had niet gereageerd. Waarschijnlijk had hij zijn conclusie getrokken. Had haar moeder haar niet aan de telefoon gezegd 'dat hij haar beslissing zou respecteren'? Wat had hij anders kunnen denken toen hij het getekende ontvangstbewijs overhandigd kreeg? Ze had het bandje ontvangen maar niet eens de moeite genomen hem te antwoorden. En dan was daar nog de brief die ze naar Jocelyn gestuurd had. De brief waarin ze enthousiast verteld had over haar leven in Spanje, dat het één groot feest was. Zo anders als in het provinciale Gouda.

Een half uur had ze als verdoofd voor zich uit zitten staren, met de woorden van Van Morrison in haar hoofd. Plotseling stond ze op. Koortsachtig keek ze op haar horloge. Het was half één 's nachts. Misschien was het te laat, maar ze moest het proberen. Ze had anderhalf jaar lang in haar eentje gevochten in een land met een ouderwetse machocultuur, ze had haar vaders nieuwe huwelijk doorstaan, zelfs het vreselijke gezwijmel over de komst van haar stiefbroertje of -zusje van hem geaccepteerd. Ze had de pijn overleefd haar stoere vader te zien veranderen in een brave huisvader die achter de rokken van Evelyn aan liep. Zelfs haar verliefde moeder had ze geluk gewenst met haar nieuwe relatie. Ze had een eigen leven opgebouwd met vriendinnen waar ze op terug kon vallen. Ze had in anderhalf jaar zakelijk bereikt wat ze van tevoren nooit voor mogelijk had gehouden. Ze zou de laatste stap nemen, de laatste simpele stap naar haar geluk. Ze liep naar de telefoon en twijfelde opeens. Stel dat hij sliep, of dat hij met iemand sliep. Ja, stel dat hij niet alleen was. Dat hij haar had proberen te vergeten en dat hij tegen een ander aan was gelopen die hem liefdevol had opgevangen. Ze ging weer zitten. Ze zag het beeld voor zich. Dirk met zijn hoofd met het korte stekelige haar op het kussen en met zijn armen om iemand heen. Een vrouw, een slanke vrouw met lange benen die ze in de benen van Dirk gestrengeld had. Naakt lijf tegen naakt lijf. De golven van verdriet die ze die avond op het balkon gevoeld had, kwamen weer terug.

Nee! Nee! Ze wilde niet weer wegzakken in dat moeras. Weer stond ze op en liep heen en weer. Dirk en zij waren voor elkaar bestemd. Dat wist ze opeens zeker, ze had het al die tijd geweten. Ze waren alleen te jong en te veel met zichzelf bezig geweest. Diep in haar hart had ze altijd geweten dat ze bij elkaar hoorden. Echte liefde ging niet zo maar dood. Weer deed ze een paar passen richting de telefoon. Ze stak haar hand uit, maar trok hem weer snel terug. Wat moest ze in vredesnaam zeggen? 'Hallo Dirk, even over dat aanzoek. Ja, het is misschien wat laat maar het zit zo...'

Ze wilde weer op de bank gaan zitten toen ze haar beeltenis in de spiegel bij de deur zag. Haar bruine haardos was vreemd opgedroogd en de dikke ochtendjas hing vormeloos om haar heen. Ze zag eruit als een slons. Ze liep naar de badkamer. Eerst trok ze haar natte spullen uit en kamde haar weerbarstige haren. Met een haarspeld stak ze het op. Ze trok een zijden nachthemd aan en deed een beetje lippenstift op. Toen liep ze resoluut zonder te aarzelen naar de telefoon en draaide het nummer van Dirk. Na eindeloos overgaan, nam een slaperige stem aan de andere kant de telefoon op.

'Ja, hallo.'

'Dirk?'

'Ja.' Ze hoorde hem worstelen om overeind te komen.

'Hazel, ben jij dat?'

'Ja. Dirk?'

'Ja?'

'Dirk, ja ik wil.'

EPILOOG

Toen ze de kleine Engelse vrouw in haar armen sloot,
wist ze dat ze thuisgekomen was.

December 1999

Hazel

Haar rechterhand zocht in haar tas naar de rinkelende mobiele telefoon. Haar zilvergrijze BMW slingerde gevaarlijk over de natte weg.

Hazel was moe, ze realiseerde zich dat op dit soort momenten een auto-ongeluk in een fractie van een seconde gebeurd was. Het was gevaarlijk haar ogen van de weg te halen. De rijen auto's bewogen zich traag over de A1 richting de brug bij Deventer, maar konden ook zo weer stilstaan. Ze keek op de klok van haar dashboard, bijna acht uur 's avonds en nog steeds was het druk. Iedereen leek deze laatste weken van de twintigste eeuw nog snel wat te moeten doen.

Voor haar bedrijf was het een geweldige tijd. Dankzij de angst voor de millennium-'bug' werden overal noodvoorzieningen gevraagd. Voorzieningen die haar bedrijf leverde.

Het muziekje was gestopt. Ze zuchtte. 'Als het belangrijk is, bellen ze wel weer.' De laatste klant van die dag was een grote geweest. Die had ze niet aan een van haar assistentes durven overlaten. Natuurlijk was het haar gelukt het bedrijf ervan te overtuigen dat ze een complete noodstroomvoorziening voor de overgang naar de eenentwintigste eeuw nodig hadden. Opnieuw klonk haar mobiel. Onderin haar handtas zag ze het blauwe lichtje van haar Nokia. Net te laat, de beller had het opgegeven. Met één hand ging ze naar de gemiste oproepen. Een onbekend, buitenlands nummer. Ze drukte op de terugbeltoets.

'Hola, c'est Jean Paul.' Zijn stem klonk na bijna tien jaar nog steeds hetzelfde; licht en melodieus. Een golf van emoties welde in Hazel op.

'Jean Paul, met Hazel Hendrikse. Sorry, ik kon mijn mobieltje niet snel genoeg vinden. Wat een verrassing!'

'Hazel Hendrikse? Niet mevrouw Hazel Paalman?'

'Nee, nee. Dat is toch niet helemaal zo gegaan.' Een lichte aarzeling in haar stem. 'Mickie en ik dachten dat je…' Voor hij verder kon gaan, viel Hazel hem in de rede.

'Nee, uiteindelijk niet. 'Onverenigbare karakters' of zoiets heet dat toch?'

Het was niet netjes. Ze had sinds haar terugkeer naar Nederland haar vrienden in Spanje nooit meer iets van zich laten horen. Maar het was een tijd geweest waar ze achteraf niet trots op was. Het doktersvrouwtje spelen had haar niet gelegen. Al snel waren de ruzies steeds heftiger geworden. Ze had in haar periode in Spanje de vrijheid geproefd en de prijs die ze voor de relatie met Dirk moest betalen, was te hoog geweest. Ze had haar werk en haar zelfstandigheid gemist en was stiekem voor zichzelf begonnen. Gewoon vanuit huis. Bemiddeling voor verhuur van groot en uitzonderlijk materieel. Logistieke oplossingen zoeken in een wereld waar mannen volgens haar te conservatief dachten. Voor ze het wist, had ze een assistente in dienst, en ook voor ze het wist lag haar relatie in duigen. Alsof ze betrapt was op overspel! Hoewel dat er later natuurlijk wel bijgekomen was.

Nu had ze een eigen bedrijf, 'Artemis Solutions', in het wereldje bekend om de leuke jonge vrouwen die er werkten en met een jaaromzet die er niet om loog. Ze had haar roeping gevonden en was samen met haar huwelijk haar overtollige kilo's kwijtgeraakt. In de Nederlandse bouwwereld was ze met haar mooie figuur en het verleidelijk dikke kastanjebruine haar, een bekend gezicht.

'Oh juist.' Jean Paul bleef ondanks zijn jaren in Spanje een keurig opgevoede Belg. Tot haar opluchting hield hij zijn commentaar voor zich.

De rijen auto's voor haar kwamen weer tot stilstand. Zachtjes mompelde ze een verwensing.

'Maar hoe is het met jullie? We hebben elkaar natuurlijk al veel te lang niet gesproken.' Ze probeerde zo enthousiast mogelijk te klinken en hoopte de schaamte dat ze nooit meer iets van zich had laten horen, te kunnen verbergen.

'Met ons goed, Hazel.' Het 'ons' viel haar gelijk op. 'Wist je dat mijn moeder een aantal jaren geleden een attaque heeft gehad en dat Bella uiteindelijk het hele bedrijf heeft overgenomen? Eigenlijk had ik dat natuurlijk moeten doen, maar ik kon me er niet toe zetten. Ik ben gelukkig in Castelldefels. Mickie en ik hebben hier ons leven opgebouwd en ik voel me prima. Mijn reclamebureau doet goede zaken en ik heb genoeg tijd voor de kinderen.'

'Wacht even, Bella in het bedrijfsleven? Bella?' Hazel's stem sloeg bijna over van verbazing. Ze dacht aan de blonde vrouw die leek op Athene, de Griekse godin van wijsheid, kunst, wetenschap en krijgskunde. Bella had niet alleen een bijzonder talent voor de kunst, maar had zich dus ook ontwikkeld tot een groot strateeg.

Haar gedachten gingen terug naar haar schooltijd, toen ze als meisje een dweperige interesse had gehad in de Griekse mythologie en in die leuke geschiedenisleraar. De geschiedenisles vloog altijd voorbij wanneer hij door de klas liep en vertelde over het oude Griekenland. Ze wist het nog. Athene had een tweelingbroer, Apollo. Ze waren aan elkaar gehecht maar ook gewaagd. Athene deed niet onder voor haar broer. Ze grinnikte; Jean Paul als Apollo. Een god die ervoor kiest het succesvolle bedrijf van zijn moeder over te laten aan zijn tweelingzus.

En wat was Mickie dan? De vrouw van Apollo, hoe heette die ook alweer? Waren Jean Paul en zij uiteindelijk getrouwd? Nee, daar had ze nooit over gehoord.

Maar Mickie leek veel meer op Hestia, de godin van het haardvuur en de gastvrijheid die zelf nooit kinderen had gekregen. En zij? Ze moest even lachen: Artemis natuurlijk. De onvermoeibare jager. Meer op zakelijk succes dan op mannen, trouwens.

Op de achtergrond hoorde ze de stem van Jean Paul.

'Wat? Sorry, ik was er niet bij met m'n gedachten. Het is druk op de weg.'

'Zit je in de auto?'

'Ja, en het is rotweer. Nederland, weet je.'

'Daarom zou het leuk zijn als je met Oud en Nieuw hier naartoe komt. Het lijkt mij een geweldige stunt! Een... eünie... te... legenheid... an... d... blij...' De lijn kraakte en viel toen helemaal weg.

Nog steeds kon Hazel het niet bevatten, Bella in de modewereld. Natuurlijk had ze in de loop van de jaren wel het nieuws over haar gevolgd. Haar gestage opmars in Hollywood met uiteindelijk een Oscar voor de beste vrouwelijke hoofdrol. Maar ook haar bijnaam 'Belgian Ice Queen' schoot haar te binnen. Bijna zonder enige emotie was ze van de ene relatie in de andere gerold. Regisseurs die in haar geloofden, stuk van haar waren. Producenten die miljoenen in haar investeerden. Machtige mannen die haar wilden bezitten. Maar Bella liet zich niet bezitten. En nu had ze het bedrijf van haar moeder overgenomen. Van een 'billboard model' was ze naar de top van de modewereld geklommen.

Mode was niet iets wat Hazel echt bezighield, maar nu ze er over nadacht, schoot haar opeens een artikel uit de krant van een aantal maanden geleden te binnen. Een nieuwe winkelketen zou voor het einde van deze eeuw haar deuren in Europa openen. Natuurlijk! B-ella. De grote gouden letters verschenen op haar netvlies. B-ella, mode voor meisjes en jonge vrouwen.

Ze drukte weer op de terugbeltoets van haar telefoon. Geen bereik. Ze werd steeds nieuwsgieriger. Zouden ze dit willen vieren aan het einde van 1999? Een nieuw begin voor Bella? Of was er iets met de kinderen. Eduard en ... De naam van het meisje was haar ontschoten. Dat zouden nu ook al tieners zijn.

Of zouden Jean Paul en Mickie een kind gekregen hebben? Maar Mickie was al een eind in de veertig. En ze had in haar huwelijk met Gary toch geen kinderen kunnen krijgen? Het verkeer kwam weer op gang. Hazel gaf gas. Oud en Nieuw in Spanje. Eigenlijk niet zo'n slecht idee. Haar moeder had aangegeven Kerstmis met haar te willen vieren, maar Oud en Nieuw ging ze met haar vriend Peter vieren op een romantische locatie.

Haar vader zou met de eeuwwisseling in een speciale aflevering over een eeuw vol ontdekkingen een compilatie van zijn best bekeken uitzendingen presenteren. Evelyn en hun drie kinderen waren uitgenodigd in het publiek plaats te nemen.

En zij? Alleen op de bank? Of op een trendy feestje in trendy Amsterdam? Vermoeid haalde ze haar hand door haar dikke haar, toen pakte ze haar telefoon en drukte een sneltoets in.

De hele oprit naar 'El Nogal' was vrolijk verlicht. De lichtjes schommelden zachtjes in het zwoele avondbriesje. De taxichauffeur draaide zich half om naar Hazel. **'Vaya, que fiesta!'**

'Ja, het is zeker een groot feest hier,' antwoordde Hazel opgewonden terwijl ze reikhalzend uitkeek naar het pension waar ze zo'n bijzondere tijd had meegemaakt. Nog één bocht en daar lag het. Het pension dat was uitgegroeid tot een prachtig hotel, was helemaal verlicht zodat de nieuwe zijvleugels goed zichtbaar waren. Ze waren gebouwd in dezelfde stijl als het hoofdgebouw en vormden een beschermende kom om het voorplein waar de oude boom prijkte.

Hazel had nog nauwelijks afgerekend toen ze de kleine figuur in de deuropening gewaar werd. Met open armen liep Mickie op haar toe. Toen stroomden bij Hazel de tranen over haar gezicht.

'Mickie! Oh lieve Mickie! Ik ben zo ontzettend blij! Gefeliciteerd met je tweede Michelinster. Voor iedere eeuw één!' Toen ze de kleine Engelse vrouw in haar armen sloot, wist ze dat ze thuisgekomen was.

OVER DE AUTEUR

Lucia S. Douwes Dekker-Koopmans is een zakenvrouw die haar sporen heeft verdiend in een voornamelijk door mannen gedomineerd vakgebied, de projectontwikkeling van vastgoed. Ondanks dit weinig romantische beroep zag zij altijd het verhaal achter de situaties waarin zij opereerde.

Ze heeft enkele jaren in het buitenland gewerkt. Tijdens de bouw van het Olympische Dorp in Barcelona rond 1991 zette zij in het macho Catalonië een Nederlands toeleveringsbedrijf op. Met vallen en opstaan heeft ze in die periode geleerd om te gaan met de Catalaanse mentaliteit in de bouwwereld. Een uitdaging die ze moedig in haar eentje aanging. Dierbare vriendschappen met bijzondere vrouwen zijn haar in die periode tot grote steun gebleken.

Met haar romandebuut *De onkwetsbaren* laat ze zien ook op het persoonlijke vlak geen uitdaging te schuwen.

Lucia is getrouwd met een telg uit Nederlands beroemdste schrijversfamilie, Douwes Dekker. Ze hebben een dochter.